ARTA MANIPULĂRII

Doctorul Kevin Dutton s-a născut în 1967 la Londra, fiind un renumit expert în domeniul influenței sociale. Este cercetător la Faraday Institute of Science and Religion la Colegiul St. Edmund, Universitatea Cambridge, și la Departamentul de Psihologie al Universității Australia de Vest din Perth.

KEVIN DUTTON

ARTA MANIPULĂRII

Traducere din limba engleză de
RĂZVAN LERESCU

globo
EDITURA

The original title of this book is:
Flipnosis: The Art of Split-Second Persuasion
by Kevin Dutton

Descrierea CIP a Bibliotecii Naţionale a României
DUTTON, KEVIN
Arta manipulării / Kevin Dutton. - București : Globo, 2019
ISBN 978-606-94563-9-2

159.9

Redactor: Diana Morărașu
Corector: Dușa Udrea-Boborel
Tehnoredactor: Petronella Maria Isabelle Andrei

Comenzi:
telefon : 0726228911
www.edituraglobo.ro
comenzi@edituraglobo.ro

Cuprins

Nota autorului

Din motive juridice (și uneori personale), numele și datele despre unele persoane amintite în această carte au fost schimbate. În cazul unuia dintre ei, escrocul Keith Barrett, am combinat atribute ale mai multor persoane reale, pentru a evita introducerea unui număr prea mare de astfel de personaje în cadrul celor 90 000 de cuvinte ale cărții. Nu am exagerat cu nimic, iar toate detaliile se bazează pe cunoașterea dobândită direct de către autor și pe studii empirice.

Autorul este, de asemenea, încântat să-și asume întreaga răspundere pentru turbulențele gramaticale cu care vă veți confrunta pe parcursul acestei cărți: folosirea excesivă a liniuțelor, a infinitivelor cu propoziții intercalate. Și propoziții care încep cu „și”.

Introducere

Într-o seară, la finalul unui banchet somptuos, organizat la Londra în cinstea demnitarilor din Commonwealth, Winston Churchill zărește un oaspete care se pregătea să fure o solniță prețioasă de argint de pe masă. Domnul respectiv își bagă comoara în sacou, apoi se îndreaptă în liniște spre ușă.

Ce să facă Churchill?

Prins între loialitatea față de gazdă și dorința egală și opusă de a evita un incident neplăcut, acestuia îi vine brusc o idee. Fără să piardă timpul, înșfacă pipernița și o bagă în propriul sacou. După aceea, apropiindu-se de „complicele“ *lui, îi arată pe furiș marfa subtilizată și o pune pe masă în fața lui.*

„Cred că ne-au văzut,“ șoptește el. „Mai bine le-am pune înapoi...“

Stewardesă: Vă rog să vă puneți centura înainte de decolare.
Muhammad Ali: Eu sunt Superman. Superman n-are nevoie de centură!
Stewardesă: Superman n-are nevoie de avion!

Nici în ruptul capului

E ora șase, într-o seară mohorâtă de decembrie, în zona de nord a Londrei. Doi oameni beau într-un bar din Camden Town. Își termină halbele, le pun pe tejghea și se uită unul la altul. Mai luăm un rând? Sigur, de ce nu? Deși nu știu încă, bărbații urmează să întârzie la o cină. Într-un restaurant indian din cealaltă parte a orașului, un alt bărbat îi așteaptă. Un bărbat cu un tremur ușor, ca de Parkinson, care poartă o cravată nouă și stridentă, pe care și-a cumpărat-o special pentru această ocazie și cu care a pierdut jumătate de oră ca s-o înnoade . Cravata este decorată cu ursuleți.

E duminică. Bărbatul din restaurant se uită cum rafalele de ploaie se izbesc de ferestrele slab luminate. E ziua de naștere a fiului său. În barul din Camden Town ceilalți doi bărbați se uită și ei la ploaia care pică în nuanțe de chihlimbar în strălucirea dezolantă a stâlpilor de iluminat, lustruind pavajul lichefiat cu un strat de neon auriu. E timpul să mergem, își spun. Către tren. Către restaurant. Către bărbatul care stă și așteaptă. Așa că, pornesc.

Ajung cu o întârziere de aproape trei sferturi de oră. Cumva, li se pare amuzant că au întârziat. Au estimat greșit timpul necesar pentru a consuma patru halbe cu bere și apoi pentru a ajunge la capetele liniilor de metrou Picadilly și Northern. În loc să considere că ar fi avut nevoie de vreo două ore pentru asta, și-au alocat undeva la zece minute. Colac peste pupăză, mai sunt și beți. Ajunși la restaurant, lucrurile nu decurg prea bine.

– *Iar* ați întârziat? întreabă sarcastic bărbatul care i-a așteptat. Nu vă învățați minte niciodată, nu?

Răspunsul e pe atât de vehement, pe cât e de spontan un milion de certuri străvechi concentrate într-un singur moment definitoriu. Unul dintre nou-veniți, cel mai scund, se întoarce și iese din restaurant. E fiul bărbatului. Înainte de a ieși, rostește câteva cuvinte bine alese.

Așa că iată-l pe bărbatul scund. Cu câteva minute înainte, într-un vagon de metrou care se îndrepta spre vest, aștepta să ia cina cu cel mai bun prieten și tatăl său, de ziua acestuia. Acum e singur, sub un cer deprimant de decembrie, mergând pe asfalt în direcția metroului. Îngheață de frig și se udă, pentru că a uitat să-și ia haina. E ciudat cât de repede se pot schimba lucrurile.

Când bărbatul scund ajunge la stație, e plin de nervi. Stă câteva clipe în fața turnichetului, încercând să-și găsească biletul și își spune că pentru nimic în lume nu s-ar întoarce la restaurant. Peronul e plin de apă și nu e nimeni în jur. Aude apoi un sunet dinspre stradă: niște pași care se apropie. Dintr-o dată apare și bărbatul înalt. După ce a alergat de la restaurant, se sprijină de un stâlp de la intrare. Bărbatul scund se îndepărtează.

– Stai! zice bărbatul înalt, după ce reușește să-și recapete suflul.

Bărbatul scund nu e interesat.

– Nici să nu te gândești, zice el, ridicând mâna cu 3-4 centimetri deasupra capului. Mi-a ajuns până aici cu remarcile lui acide!

– Stai puțin! zice din nou bărbatul înalt.

Bărbatul scund se enervează tot mai tare de la o clipă la alta.

– Uite ce-i, zice el, îți pierzi vremea. Întoarce-te la el. Du-te înapoi la restaurant. Du-te unde vrei. Doar cară-te de aici!

Bărbatul înalt începe să se îngrijoreze că scundul îl va lovi.

– OK, zice el. OK. Dar înainte să plec, mă lași să zic un singur lucru?

Tăcere. Ploaia devine roșie din cauza unor semafoare, care-și schimbă culoarea la trecerea de la intrarea în stație.

Bărbatul scund cedează, doar ca să scape de el.

– Spune, frate, spune el. Ce e?

Cei doi se uită unul la celălalt într-un moment de sinceritate – bărbatul înalt și cel scund – dincolo de barieră. Bărbatul scund observă că din haina celui înalt au căzut câțiva nasturi iar căciula lui e mai departe, într-o baltă. Ce-a mai alergat, își spuse omul scund pentru sine. De la restaurant la stație. După care își aduce aminte de ceva. De un lucru pe care i l-a spus la un moment dat bărbatul înalt. De faptul că mama lui i-a tricotat de Crăciun acea căciulă.

Bărbatul înalt întinde brațele, un gest de neajutorare, de deschidere, poate ambele.

După care spune replica.

– *Când m-ai mai văzut ultima oară alergând?*

Bărbatul scund deschide gura, dar constată că nu-i vin cuvintele. Dintr-odată, are probleme. Faza e, că omul cel mare cântărește aproape 180 de kilograme. Deși sunt prieteni vechi, bărbatul scund nu l-a văzut *niciodată* pe cel înalt să alerge, ceea ce e un pic curios. De fapt, bărbatul înalt are probleme cu mersul.

Cu cât bărbatul scund se gândește mai intens, cu atât i se pare mai greu să răspundă. Și cu cât se luptă mai mult, cu atât furia i se dizolvă. În cele din urmă, spune:

– Ei bine, nu te-am văzut niciodată.

Urmează o tăcere. După aceea bărbatul înalt întinde mâna.

– Atunci, haide, zice el. Să ne întoarcem.

Și pornesc.

Când ajung la restaurant, bărbatul cel scund și tatăl își cer amândoi scuze, iar cei trei bărbați se așează la masă ca să ia cina. Pentru a doua oară. Nimeni nu vorbește despre miracole, dar cu siguranță se gândesc la asta. Bărbatul cel mare a pierdut niște nasturi. Iar căciula de lână de la mama lui nu va fi niciodată la fel. Cumva, undeva, prin vânt, frig și ploaie, a renunțat la ele pentru ceva mai bun.

Bărbatul scund își spune că nimeni nu l-ar fi putut convinge în acea stație de metrou să se întoarcă la restaurant. Nu s-ar fi lăsat nici mort înduplecat. Cu toate acestea, bărbatul înalt a reușit cu doar zece cuvinte. Aceste cuvinte provin dintr-un tărâm aflat dedesubtul zonei conștiente:

„Când m-ai mai văzut ultima oară alergând?"

Cumva, în profunzimea acelei ierni londoneze, omul înalt a reușit să creeze un moment însorit.

Sinceritatea e cea mai bună variantă

Am o întrebare pentru voi. De câte ori pe zi credeți că încearcă cineva să vă convingă? Ce să faceți. Ce să cumpărați. Încotro să vă duceți. Cum să ajungeți acolo. De când vă treziți dimineața și până când puneți capul pe pernă seara. De douăzeci de ori? Treizeci? Majoritatea oamenilor răspund cu aceste valori, așa că nu vă simțiți prea rău când veți vedea ce urmează. De fapt – pregătiți-vă – estimările sunt în jurul lui 400! Pare puțin șocant la prima vedere, nu-i așa? Să ne gândim însă o clipă. Să vedem ce variante avem. Care sunt moleculele influenței care se strecoară pe cărările din mintea voastră?

Putem începe cu industria publicității. La televizor. Radio. Panouri. Internet. De câte ori pe zi credeți că vedeți o reclamă? Exact: de multe ori. După care mai sunt și restul lucrurilor pe care le vedem. Bărbatul care vinde crenvurști la colț de stradă. Polițistul care dirijează circulația. Sectantul cu panourile *în mijlocul* aglomerației. Și mai e, desigur, și omulețul din capul nostru, care vorbește tot timpul despre ceva. Poate că nu-l putem vedea, dar cu siguranță îl auzim suficient de des. Încep să se adune, acum că ne gândim, nu-i așa? Și credeți-mă, nici măcar nu am început.

La urma urmei, luăm totul de-a gata, nu-i așa? De aceea, atunci când suntem întrebați de câte ori încearcă oamenii să ne convingă să facem ceva, spunem de 20 sau 30 de ori în loc de 400. Mai e o întrebare, mai importantă chiar, o întrebare la care nu ne gândim decât rareori.

De unde provine persuasiunea, care îi sunt originile ? S-au scris multe despre originile minții, dar care sunt originile *influențării* minții?

Să ne imaginăm o societate alternativă celei pe care tocmai am descris-o, o societate în care pedepsele, nu persuadarea, reprezintă principalul mod de a-i influența pe ceilalți. Cum ar fi dacă, de fiecare dată când am alege să *nu* cumpărăm un hotdog, vânzătorul de la colț ne-ar fugări cu o bâtă de baseball. Sau dacă, atunci când trecem pe lângă radar cu 130 km/h, un senzor al unei mitraliere ne-ar ciurui parbrizul. Sau dacă nu am alege partidul politic „corect" sau religia „corectă", sau chiar dacă n-am avea culoarea „corectă" a pielii am suporta ulterior consecințele.

Unele dintre aceste scenarii sunt, presupun, mai ușor de imaginat decât altele. Vreau să propun un argument simplu. În linii mari, existența „societății" se datorează în mare măsură convingerii. De-a lungul timpului, această ipoteză a fost combătută, însă toate tentativele de a o combate s-au lovit de eșec. Convingerea ne ține în viață. Adesea, la propriu.

Să luăm următorul exemplu. În toamna lui 2003, zburam către San Francisco la o conferință. Mă grăbisem înainte de a pleca din Cambridge, așa că am hotărât fiindcă nu sunt sănătos la cap să nu țin cont de faptul că ar fi fost prudent să-mi fi rezervat deja o cameră la hotel și am ales în schimb să caut una la fața locului: un hotel ieftin și destul de zgomotos, într-un cartier atât de periculos, încât nici măcar un asasin în serie nu iese singur pe stradă.

De fiecare dată când plec de la bordel – pardon, de la hotel – și de fiecare dată când revin, dau peste aceiași indivizi strânși în jurul chioșcului de ziare: un veteran al Războiului din Vietnam care mai are șase luni de trăit, o prostituată din Brazilia destul de amărâtă și o gloată de oameni bolnavi și fără adăpost, care au încasat mai multe lovituri decât au încasat vizualizările pe YouTube ale lui Paris Hilton. Toți au avut parte de nefericiri. Toți au avut întâmplări neplăcute. Toți stau triști pe trotuar, cu cartoanele bătute de vânt și semnele înmuiate de ploaie, așezate dezolant în spatele lor.

Nu vreau să zic că n-ar avea nevoie de bani. Căci au. Dar după o săptămână de conversații sumare, în care ne-am cunoscut încet-încet, am ajuns la punctul în care *eu* eram cel care le cerea *lor* bani. Cu majoritatea dintre ei mă tutuiam și după ce i-am plătit generos în primele zile, orice dorință aș fi avut de a-i finanța în continuare, s-a evaporat mai repede decât un fond mutual al lui Bernie Madoff.

Sau cel puțin așa credeam.

Apoi, într-o seară, spre finalul șederii mele, am observat un personaj pe care nu-l mai văzusem înainte. Deja începeam să mă imunizez la toate poveștile dure de viață, și în timp ce treceam, am aruncat doar o privire cu coada ochiului, la semnul de carton pe care-l ținea în fața sa. Cu toate astea, imediat ce am zărit mesajul, m-am și căutat prin buzunare ca să-i dau ceva. Și nu mărunțiș, ci o sumă bună. Cu șapte cuvinte a reușit să mă facă să-mi caut portofelul fără să ezit deloc:

DE CE SĂ MINT? VREAU O BERE!

Mă simțeam de parcă m-ar fi jefuit cu acte în regulă.

Întors în siguranța (dacă-i putem spune așa) hotelului, am stat și am reflectat la acest slogan. Până și Isus l-ar fi aplaudat. Nu-mi stă în fire să dau bani tuturor bețivilor. Mai ales când, la doar câțiva metri distanță, erau niște cauze mai nobile. Și cu toate acestea, chiar asta am făcut. Ce aveau acele șapte cuvinte de am putut fi afectat în așa hal? Stăteam și mă gândeam. Tipul probabil că m-a ușurat de bani mai repede decât dacă m-ar fi amenințat cu pistolul. Care era factorul atât de direct, de cuprinzător, care a reușit să-mi dezarmeze totodată toate sistemele cognitive de alarmă pe care mi le-am instalat atât de minuțios de cum am ajuns în oraș?

Zâmbesc.

Dintr-odată, îmi aduc aminte de o ocazia asemănătoare, în care m-am aflat acum mulți ani, când mă certam cu tata într-un restaurant. Și apoi am plecat în trombă. Îmi spuneam atunci, că în ruptul capului nu mă voi întoarce la restaurant în seara aceea. *Nici în ruptul capului.* Cu toate acestea, după 30 de secunde și 10 cuvinte, un prieten a reușit să mă întoarcă din drum.

Ambele evenimente aveau ceva extratemporal, imponderabil și fundamental diferit față de modul obișnuit de comunicare. În ambele situații se petrecuse o transformare, o transcendență, o stare aproape de pe altă lume.

Ce anume era mai exact această stare?

O variantă hiperpotentă a persuadării

În camera de hotel, psihologul din mine simțea că ar trebui să aibă un răspuns la această întrebare. Cu cât mă gândeam însă mai mult la ea, cu atât găseam mai greu răspunsul. Era o întrebare despre manipulare. Despre modificarea unei atitudini. Despre influența socială. Teme banale în discuțiile despre psihologie socială; și totuși, mi se părea că literatura de specialitate avea o mare lacună. Eram năucit. Cum poate un străin să mă lase fără bani, cu doar șapte cuvinte simple? Și cum a reușit prietenul meu cel mai bun, să mă calmeze cu doar zece cuvinte?

De regulă, funcționează în felul următor. Dacă vrem să calmăm pe cineva, așa cum voia prietenul meu, sau dacă vrem să facem rost de bani de la cineva, precum cerșetorul, avem tendința să nu ne grăbim. Ne pregătim cu atenție discursul. Și pe bună dreptate. Oamenii nu se răzgândesc prea ușor, întrebați-l pe oricare vânzător de mașini uzate. În nouă cazuri din zece, manipularea depinde de o combinație complexă de factori, care nu se referă doar la ceea ce spunem, ci și la cum o spunem. Fără să mai amintim că, vorbele trebuie să fie și interpretate, nu doar rostite. În marea parte a cazurilor, influența se produce prin vorbire, printr-un cocktail tare de compromis, de elan și de negociere. Ambalăm ceea ce dorim într-un pachet complex de cuvinte. În cazul prietenului meu și al cerșetorului, lucrurile nu au stat așa. La ei nu era vorba atât despre ambalaj, cât despre lipsa lui. Era o influență de o incisivitate imaculată; o eleganță brută și copleșitoare; o atingere rapidă și bine plasată, de geniu psihologic, care îi conferea puterea.

Așa să fi fost?

Imediat ce am plecat din San Francisco și am revenit în mediul la fel de haotic, dar un pic mai puțin previzibil al vieții academice de la Cambridge, am început să-mi dau seama cât de vastă era această întrebare. Există dincolo de acea linie de demarcație a persuadării, un elixir al influenței – o artă secretă a convingerii spontane – pe care am putea-o învăța cu toții? Ca să parafăm contractul. Să facem rost de un partener. Să înclinăm puțin balanța în favoarea noastră.

O bună parte din ceea ce știm în momentul de față despre creier – relația dintre funcționalitate și structură – provine nu din studierea elementelor convenționale, ci a celor extraordinare. Din extreme comportamentale, care nu sunt caracteristice vieții cotidiene. S-ar putea proceda la fel și în cazul manipulării? Să ne gândim la sirenele din *Odiseea* lui Homer: fecioare frumoase cu un cântec fermecat care-i atrage pe marinari irezistibil spre moarte. Sau la Cupidon și săgețile sale. Sau la „coarda secretă care-i place Domnului“ la care cântă David în cântecul *Hallelujah* al lui Leonard Cohen. Există o astfel de coardă în afara mitologiei?

Pe măsură ce am studiat mai mult, răspunsul la această întrebare a început să devină evident. Încet, dar sigur, în timp ce lista exemplelor s-a lungit, și am început să interpretez datele statistice, am început să identific elementele unui nou tip de influență. Să cartografiez genomul unei variante hiperpotente a persuadării, necunoscută până acum și misterioasă. Cei mai mulți dintre noi știm câte ceva despre persuadare. Munca noastră e însă bazată pe încercare și pe eroare. Dăm greș la fel de frecvent pe cât reușim. Cu toate acestea, am început să constat că anumiți oameni *pot* să nimerească ținta. Cu o precizie uluitoare. Și nu mă refer doar la o cafea. Sau în oraș cu prietenii. Vorbim despre confruntări pe muchie de cuțit în care mizele și emoțiile sunt ridicate. Cine sunt acești maeștri ai influenței? Care sunt mecanismele lor? Și mai important: ce ar putea ei să ne învețe?

Iată un alt exemplu. Imaginați-vă că ați fi fost în avion. Ce credeți că ați fi zis *voi* la momentul respectiv?

Sunt într-un avion (la clasa business, grație unei companii de film) și mă îndrept spre New York. Tipul de pe cealaltă parte are o problemă cu mâncarea. După ce o tot învârte prin farfurie, îl cheamă pe șeful stewarzilor.

– Mâncarea asta, declară el, e o porcărie.

Omul dă din cap și se arată foarte înțelegător:

– Dumnezeule! răspunde. Mare păcat...Nu veți mai zbura niciodată cu noi? Cum am putea să ne revanșăm față de dumneavoastră?

Înțelegeți mesajul.

După aceea se produce ceva care schimbă cu totul regulile jocului.

– Uitați, continuă bărbatul (care lăsa impresia că e obișnuit să continue), știu că nu e vina voastră. Dar pur și simplu nu e suficient de bună. Și știți ceva? M-am săturat de oameni *amabili!*

– SĂ MORI TU, IDIOTULE? ATUNCI DE CE RAHATU' MĂ-SII NU TACI DIN GURĂ, BOULE?"

Toți pasagerii au amuțit, moment în care, dintr-o coincidență amuzantă, s-a aprins și semnul pentru centuri de siguranță. Cine naiba a zis *asta*?

Un tip de pe un scaun aflat în față,un muzician celebru s-a întors. S-a uitat la tipul care se plângea, apoi i-a făcut cu ochiul.

– E mai bine? întreabă el. Că, dacă nu-i mai bine, pot să continui...

Preț de o clipă, nimeni nu spune nimic. Toată lumea a înghețat. După care, ca și cum s-ar fi declanșat o capcană neuronală secretă, pasagerul nemulțumit... zâmbește. După care râde. După care râde *în hohote*. Cu ocazia aceasta, șeful stewarzilor pleacă. Și așa am putut cu toții să decolăm.

O problemă rezolvată cu doar câteva cuvinte simple. Și o dovadă clară, dacă mai era nevoie, că profesorul meu de engleză, domnul Johnson, avea dreptate: „Poți fi cât de nepoliticos poftești, câtă vreme ești politicos în impolitețea ta."

Să revenim însă la întrebarea de la care am pornit. Cum credeți că ați fi reacționat *voi* în această situație? Cum v-ați fi descurcat? Eu, unul? Nu prea bine, așa cum s-a dovedit. Dar, cu cât mă gândeam mai mult la asta, cu atât mi-am dat seama, exact ce era atât de special la aceste situații. Nu era vorba *doar* despre nimerirea exactă a țintelor psihologice, oricât de spectaculoasă ar fi uneori. Nu, era ceva mai mult. Era vorba despre indivizii care le nimereau.

Gândiți-vă un pic. Uitați de muzician pentru o clipă. În absența unor scrântiți ca el, însoțitoarele de bord (ca să nu mai vorbesc de polițiști, soldați, negociatori profesioniști, doctori sau buni samariteni) se confruntă zilnic cu astfel de dileme. Aceștia sunt oameni cu antrenament în arta manipulării; sunt oameni care folosesc tehnici bine cunoscute pentru a păstra un *status quo*. Aceste tehnici presupun construirea unui raport cu celălalt, și invitarea lui la dialog, folosind în același timp un stil interpersonal calm, răbdător și empatic. Acestea sunt tehnici specifice unui proces social.

Există, în mod evident, și oameni care sunt pur și simplu „talentați.“ Oameni care nu au nevoie de antrenament. Oameni care sunt atât de buni, atât de diferiți, încât au darul de a-i suci pe ceilalți. Nu prin negociere. Nici prin dialog. Nici prin regulile trocului. Ci doar cu câteva cuvinte simple.

Sună straniu? Da, știu. Când mi-a venit prima dată această idee, și mie mi se părea la fel. Dar nu pentru multă vreme. Curând am început să descopăr nenumărate dovezi – de ordin circumstanțial, anecdote sau aluzii – care, îmi sugerau posibilitatea ca printre noi să se găsească astfel de maeștri. De asemenea, e posibil ca unii dintre ei să nu fie neapărat personaje pozitive.

Sună straniu? Da, știu. Când mi-a venit prim dată această idee, și mie mi se părea la fel. Dar nu pentru multă vreme. Curând am început să descopăr nenumărate dovezi – de ordin circumstanțial, anecdote sau aluzii – care, îmi sugerau posibilitatea ca printre noi să se găsească astfel de maeștri. De asemenea e posibil ca unii dintre ei să nu fie neapărat personaje pozitive.

Spargerea codului persuadării

Am scris așadar această carte despre persuadare. E o carte despre un anumit fel de persuadare – *una spontană* – cu o perioadă de incubație de câteva secunde, și cu o istorie doar puțin mai lungă. Incongruența (sau elementul surpriză) reprezintă evident o componentă esențială a acestui proces. Acesta este însă doar începutul. Acceptul sau refuzul depind de alți patru factori: simplitatea, perceperea interesului propriu[1], încrederea și empatia; acești factori sunt la fel de importanți pentru persuasiune, în regnul vegetal și animal, precum sunt artificiile celor mai talentați escroci. Dacă vom combina factorii, acest cocktail cu cinci componente ale influenței – SPICE[2] – este letal.

Cu atât mai mult dacă îl bem simplu, nediluat de retorică, necontaminat de argumente.

Winston Churchill cunoștea această rețetă. La fel și stewardesa care s-a luat de cel mai mare boxer al tuturor timpurilor. Mă îndoiesc că Muhammad Ali a încasat o lovitură mai în plin în toată cariera lui.

E un gen de convingere care vă poate aduce orice vă doriți. Rezervări. Contracte. Chilipiruri. Copii. *Orice.* Asta dacă o mânuiesc mâinile *potrivite.* Pe mâini nepotrivite se poate dovedi dezastruoasă, la fel de brutală și de mortală ca oricare altă armă.

Călătoria începe cu o idee simplă: unii dintre noi sunt mai familiarizați cu arta manipulării decât alții. Ca în orice alt domeniu, și când vine vorba despre persuadare, există un spectru al talentelor pe care se situează fiecare. La un capăt sunt cei care se avântă cu elan. Care par nu doar să aibă ghinion, ci și să facă o treabă de mântuială. La celălalt capăt avem așii persuadării spontane. Sunt cei care demonstrează o capacitate incredibilă, aproape supranaturală de a „nimeri“ lucrurile.

---

[1] Mă refer aici la interesul persoanei țintă. Desigur că nu orice convingere are loc spre beneficiul *real* al țintei. Dacă ținta percepe însă că are ceva de câștigat, tentativa de convingere va fi mult mai eficace.

[2] SPICE - Acronim format din inițialele factorilor în limba engleză: simplicity, perceived self-interest, incongruity, confidence, empathy. Cuvântul format reprezintă și substantivul spice(en)- condiment (*N.t.*)

În paginile care urmează vom trasa coordonatele acestei specii misterioase de persuasiune. Încet, dar sigur pe măsură ce aruncăm din ce în ce mai departe plasa interogației empirice, dincolo de reciful prietenos al influenței sociale, înspre apele mai adânci, mai puțin cartografiate ale evoluției pruncilor, neurobiologiei cognitive, matematicii și psihopatologiei vom întâlni teorii legate de arta himerică a convingerii, care vor începe ușor, să se îndrepte către un punct comun. Călătoria noastră ne dezvăluie un tezaur de întrebări:

- Ce au în comun nou-născuții și psihopații?
- Este capacitatea noastră de a-i manipula pe ceilalți o consecință a evoluției, la fel ca mintea însăși?
- Ce secrete au în comun marii maeștri ai persuasiunii și cei ai artelor marțiale?
- Există un „traseu al persuasiunii" în creier?

Răspunsurile vă vor uimi. Cu siguranță că data viitoare, când veți vrea să obțineți un rezultat mai bun, ele vă vor ajuta.

Capitolul 1

Instinctul de persuadare

Judecător: *Sunteți vinovat și condamnat la 72 de ore de muncă în folosul comunității și la plata unei amenzi de 150 de lire. Aveți de ales: puteți fie să plătiți întreaga sumă în termen de trei săptămâni, fie cu 50 de lire mai puțin dacă efectuați plata imediat. Cum preferați?*

Hoț de buzunare: *Onorată instanță, am doar 56 de lire la mine. Dacă-mi permiteți însă câteva momente cu juriul, aș prefera să plătesc pe loc.*

Un polițist în misiune îl trage pe un șofer pe dreapta, pentru că circula cu o viteză prea mare.

– Dați-mi un motiv bun pentru care nu ar trebui să vă amendez, spune el.

– Ei bine, spune șoferul, săptămâna trecută soția mea a fugit cu unul dintre colegii tăi. Când am văzut mașina de poliție, am crezut că vreți să mi-o aduceți înapoi.

O poveste greu de crezut?[3]

În 1938, în orașul Selma, în sudul statului Alabama, un medic pe nume Drayton Doherty, a fost chemat la patul unui bărbat pe nume Vance Vanders. Cu șase luni înainte, Vanders a dat peste un vraci, într-un cimitir, în toiul nopții, iar vraciul l-a blestemat. După vreo săptămână, Vanders a început să acuze dureri de stomac și s-a hotărât să rămână la pat. Spre neliniștea rudelor, a rămas la pat și nu s-a mai ridicat de acolo.

Doherty l-a examinat amănunțit pe Vanders, apoi a dat grav din cap. E un mister, a spus el, și a închis ușa după el. A doua zi avea însă să se întoarcă.

– L-am căutat pe vraci și l-am ademenit în cimitir, a anunțat el. Când a ajuns, am sărit pe el, l-am pus la pământ și am jurat că, dacă nu-mi spune cum te-a blestemat, și nu-mi dă antidotul, îl omor pe loc.

Vanders îl privea cu mult interes.

– Și ce a făcut? a întrebat el.

– În cele din urmă, după o luptă crâncenă, s-a dat bătut, a continuat Doherty. Și trebuie să mărturisesc că în toată cariera mea de medic nu am mai văzut așa ceva. Iată ce a făcut. Ți-a implantat un ou de șopârlă în stomac, apoi l-a făcut să eclozeze. Durerea pe care o simți în ultimele luni, e provocată de șopârla care te mănâncă de viu!

Lui Vanders mai că i-au ieșit ochii din cap.

– Puteți să faceți ceva pentru mine, doctore? l-a implorat el.

Doherty i-a zâmbit cu încredere.

– Din fericire pentru tine, a spus el, corpul omenesc e incredibil de rezistent, iar rănile pe care ți le-a provocat sunt în mare parte superficiale. Îți vom administra antidotul vraciului, apoi vom vedea ce se întâmplă.

Vanders a dat din cap, entuziasmat.

---

[3] De fapt, nu. Cazul este documentat în cartea Symptoms of Unknown Origin: A Medical Odyssey (Nashville: Vanderbilt University Press, 2005). El este prezentat și într-un articol scris de Helen Pilcher (2009), „The Science and Art of Voodo: When Mind Attacks Body".New Scientist, 13 mai, nr. 2 708.

La zece minute după aceea, pacientul a început să vomite incontrolabil, grație substanței emetice pe care i-o administrase doctorul. Doherty și-a deschis geanta, din care a scos o șopârlă pe care o cumpărase de la un magazin de animale din oraș.

– Aha! a anunțat el încântat, ținând șopârla de coadă. *Iată-l* pe vinovat!

Vanders s-a uitat în sus, apoi a vomitat din nou violent. Doherty și-a strâns lucrurile.

– Să nu vă speriați, a spus el. Ce a fost mai rău a trecut, și în curând vă veți reveni.

Apoi a plecat.

Vanders a reușit după mult timp, să doarmă liniștit în noapte aceea. Când s-a trezit, a mâncat ouă și griș la micul dejun.

Persuadarea. Imediat ce auzim cuvântul, ne vin în minte imagini cu vânzători de mașini la mâna a doua, politicieni cu gura plină, lingăi, prostituate și tot soiul de alte personaje – cu bocancii și smochingurile aferente – din toate cotloanele întunecate ale minților noastre. E genul ăla de cuvânt. Deși constituie unul dintre cartierele cele mai în vogă și mai căutate ale psihologiei, manipularea are și o reputație îndoielnică, suspectă: e o zonă plină de baruri, curți murdare și firme cu neon vulgare.

Și în astfel de zone o veți întâlni adesea.

Persuadarea reprezintă mai mult decât doar o gargară ieftină și costume stridente. Sau decât o gargară stridentă și costume ieftine. Un vraci și un medic se confruntă (la propriu) pentru sănătatea unui bărbat. Vraciul pare că a dat lovitura de grație. Adversarul încasează lovitura din mers, și reușește să răstoarne, cu grație, situația. Prin această poveste extraordinară a șamanului și a doctorului putem vedea influența în forma ei cea mai simplă și mai pură: o bătălie pentru supremația neuronală. Cu toate acestea de unde provine persuasiunea? Ce o face să funcționeze? Cum e cu putință ca tot ceea ce se află în mintea mea, tradus în cuvinte, să poată să schimbe ceea ce se află în mintea voastră?

Grecii antici, care mai că aveau câte un zeu pentru aproape orice, aveau desigur și o zeitate a persuasiunii. Peitho (sau în mitologia romană Suadela) era însoțitoarea Afroditei, și era adesea descrisă în cultura greco-romană cu un ghem de lână argintie. În zilele noastre, după Darwin, teoria jocului și progresele neuroimagisticii, putem vedea lucrurile dintr-o altă perspectivă. După dispariția zeilor, și dat fiind că, grecii sunt acum mai interesați de baschet decât de religie, avem tendința de a ne căuta validările în altă parte. În zona științei, de pildă. Sau în emisiunea lui Oprah.

În acest capitol ne vom îndrepta atenția asupra biologiei evolutive, și vom descoperi că persuasiunea are un arbore genealogic mult mai stufos decât am fi putut noi, sau zeii, să ne fi dat seama. Vom porni în căutarea celor mai străvechi forme de convingere – prelingvistice, preconștiente, preomenești – și vom ajunge la o concluzie uluitoare. Nu doar că persuadarea este un fenomen *endemic* existenței pământești, ea este și un fenomen *sistemic*; face parte din ordinea naturii la fel de mult ca și însăși apariția vieții.

Persuasiune pisicească

O mică notă către arhitecții care desenează clădiri moderne, lucioase, de sticlă, pentru cartiere bogate, umbroase, pline de copaci: gândiți-vă și la păsările din cartier.

În 2005, Departamentul MRC Cognition and Brain Sciences Unit, de la Cambridge, avea o problemă cu porumbeii kamikaze. În curtea unei anexe nou inaugurate, se petreceau multe sinucideri aviare, iar în fiecare zi cel puțin zece păsări se izbeau de ferestrele amfiteatrului modern. Motivul a fost găsit cu ușurință. În geamuri se reflectau copacii și tufișurile din împrejurimi. Păsările – la fel ca niște arhitecți pe care îi știu eu – nu puteau să-și dea seama de diferența dintre aparențe și realitate. Ce era de făcut?

Spre deosebire de diagnostic, remediul s-a dovedit mai greu de găsit. Perdele, imagini, chiar și o sperietoare de ciori, nimic nu a funcționat. Într-o bună zi însă, Bundy Mackintosh, unul dintre cercetătorii care lucrau în clădire, a venit cu o idee. De ce nu le-am vorbi păsărilor pe limba lor?

Așa că asta a și făcut.

Mackintosh a decupat dintr-un carton colorat forma unui vultur, apoi a lipit-o pe geam. În mintea lor, gândea el, păsările trebuie să aibă un soi de panou de control primitiv, pe care păsările de pradă să apară cu lumini de avertizare. De îndată ce apărea un astfel de prădător, beculețul avea să se aprindă cu culoarea roșie, iar un câmp de forță al evoluției urma să capteze păsările și să le îndepărteze de pericol.

Așa s-a rezolvat problema.

Comunicarea cu animalele pe limba lor (așa cum a făcut-o Bundy Mackintosh de o manieră foarte simplă, cu cartonul și foarfeca) presupune empatie. Și învățarea regulilor de comunicare, de bază, ale biologiei. Și dacă veți crede că doar oamenii sunt capabili de asta, mai gândiți-vă. Biologul Karen McComb de la Universitatea din Sussex, a descoperit un amănunt interesant despre pisici: ele folosesc un „mieunat special", pentru a le atrage atenția proprietarilor să le hrănească.

McComb și colaboratorii ei au comparat reacțiile proprietarilor de pisici la diferite mieunături și au constatat că cele emise de pisici atunci când vor să fie hrănite sunt mai dure și mai greu de ignorat decât altele de o intensitate egală. Diferența o face tonul. Când pisicile cer de mâncare, ele trimit un „mesaj ambiguu", clasic, combinând un miorlăit strident cu un tors mulțumit și cu tonalitate joasă. McComb susține că acest sunet asigură evacuarea imediată din dormitor (dacă ar fi vorba doar despre un mieunat cu tonalitate ridicată), dar apelează și la instinctul străvechi al mamiferelor de a hrăni puii vulnerabili și dependenți (vom vorbi mai mult despre asta mai târziu).

„Combinarea unui țipăt cu o vocalizare, pe care o asociem de regulă cu o stare de mulțumire, reprezintă un mijloc subtil de a pretinde o reacție", explică McComb, iar „mieunatul prin care se cerșește mâncare în timpul torsului e probabil mai acceptat de oameni decât un simplu mieunat."

Sau, ca să reformulăm, pisicile, deși au un deficit de aproximativ 40.000 de cuvinte (vocabularul estimat al unui vorbitor mediu de engleză), au descoperit o modalitate mai rapidă, mai eficientă de a ne convinge să le facem pe plac: exact aceeași strategie pe care a aplicat-o Bundy Mackintosh atunci când le-a „vorbit" porumbeilor din Cambridge. E vorba despre folosirea unui *stimul cheie*, în vocabularul etologiei.

Dincolo de cuvinte

Un stimul cheie reprezintă influența în stare pură. El inseamnă capacitatea brută de a controla mintea – fără bruiajul limbajului și al conștienței – înghițită fără niciun adaos, ca o dușcă de tărie. Stimulii cheie sunt simpli, lipsiți de ambiguități, și ușor de înțeles: persuasiunea în stare brută. În mod oficial, desigur, definiția e ușor diferită: un stimul cheie reprezintă un factor de mediu care declanșează, prin simpla sa prezență, *un tipar de acțiune fixă*, o unitate de comportament înnăscută, care continuă neîntrerupt până la finalizare. În linii mari însă e vorba cam despre același lucru.

În natură se găsesc numeroși stimuli-cheie, mai ales când vine vorba despre împerechere. Unii stimuli sunt vizuali, precum decupajul în formă de vultur al lui Bundy Mackintosh. Alții sunt acustici, precum mieunatul prin care se solicită mâncarea. Și alții sunt cinetici, precum dansul albinelor care-și transmit destinația unei surse de mâncare. Unii stimuli combină cele trei surse de informații. *Chiroxiphiia pareola* este o specie renumită pentru penajul albăstrui, ciripitul dulce, melodios, și ritualul elaborat de curtare (în care un mascul dominant e acompaniat de cinci cântăreți). Nu, *Chiroxiphia pareola* nu e denumirea latină a lui Barry White, ci e o pasăre tropicală care trăiește în jungla Amazonului. Are un creier cât un bob de mazăre.

Chiroxiphia pareola nu face parte din Comunitatea Seducătorilor[4]. Cu toate astea, știe tot ce trebuie despre atracție. Când masculul întâlnește o parteneră potrivită, el nu se apucă să se comporte haotic. Din contră. Dansează până obține ce vrea.

La anumite specii de broască limbajul iubirii se transmite în principal prin sunete. Broasca verde de copac, e unul dintre animalele emblematice, cel mai lesne de recunoscut din Louisiana, mai ales dacă sunteți obosiți și încercați să trageți un pui de somn. Cunoscută și sub numele de broasca-clopoțel (din cauza sunetului pe care-l face în perioada de rut, care se aseamănă cu un clopoțel:

[4] Comunitatea Seducătorilor este un grup de bărbați specializați în agățat, care se folosesc de principiile psihologiei sociale evolutive, pentru a atrage femeile. Comunitatea și practicile acesteia sunt descrise în cartea lui Neil Strauss The Game: Penetrating the Secret Society of Pickup Artists (Canongate, 2005).

cuonc, cuonc, cuonc), această specie se simte la ea acasă în medii diferite, precum lacurile, șanțurile de la marginea drumurilor, râurile sau mlaștinile. Ca să nu mai amintim despre verandele bine luminate, unde se hrănește, printre altele, cu insomnia oamenilor.

Arsenalul acustic al broaștei-clopoțel e chiar mai complex decât pare. Atunci când cântă la unison, indivizii își coordonează adesea eforturile, iar harababura pe care o produc sună ca un refren armonios (deși exasperant!) „cuonc-cuac, cuonc-cuac". Studiile au arătat și că masculii își modifică astfel cântecul în funcție de împrejurări. La lăsarea serii, de pildă, înainte de a începe ritualul împerecherii, aceștia emit un strigăt prin care-și arogă dreptul asupra teritoriilor (comunicându-le celorlalți masculi să se îndepărteze), apoi, pe drumul spre apă, recurg la un sunet mai aspru, în timp ce se lovesc unii de ceilalți. Abia ajunși în apă, încep să-și dea drumul cu adevărat, crescând volumul corului până la finalul semeț „cuonc cuonc". Acest cântec de împerechere este atât de strident, încât poate fi auzit de femele aflate la 300 de metri distanță. Locuitorii orașului nu sunt străini de aceste cifre.

Capă și spadă în lumea broaștelor

Am analizat până acum, influența la păsări și la broaște sub forma unei manipulări oneste, directe pe care o regăsim de milioane de ori în societatea omenească, astfel singura diferență este că animalele se pricep mai bine. De la găsirea unui partener, la parafarea unui contract, succesul depinde de găsirea unui limbaj comun. Iar ca limbaj comun nimic nu întrece stimulii cheie.

Importanța acestui limbaj comun în persuasiune – această înțelegere reciprocă sau empatie[5] – devine și mai mare atunci când ne gândim la o alt fel de influență, respectiv cea a mimetismului: atunci când membrii unei specii dobândesc sau manipulează caracteristicile unei alte specii (deși fenomenul se poate manifesta și în cadrul *aceleiași* specii) cu scopul de a obține avantaje pentru sine.

[5] Folosesc aici termenul „empatie" cu larghețe, pentru a mă referi, în absența conștiinței, la o capacitate de a te „conecta", adică de a încadra o comunicare într-un asemenea fel, încât ea să fie cât mai evidentă receptorului.

Să mai poposim puțin la broaștele-clopoțel. Pentru majoritatea broaștelor, jocul împerecherii constituie un ritual fix. Să fim serioși, când nu poți decât să orăcăi, nu ai foarte mult spațiu de manevră. Situația se prezintă în felul următor, masculii stau și orăcăie..., iar femelele vin sâltând spre ei, dacă au noroc. Nimic mai simplu. Broaștele-clopoțel și-au dat însă seama de ceva. Aceste broaște impertinente au apelat la un șiretlic, și nu e deloc ceva neobișnuit ca un bariton cu intonație puternică să fie urmărit pe ascuns de un complet tăcut, tenebros de masculi fără ocupație.

Acest fapt atestă ingeniozitatea perseverentă a selecției naturale. Gândiți-vă puțin. O noapte de orăcăieli presupune o risipă de resurse vitale de energie. Din cauza acestui fenomen se pot întâmpla mai multe lucruri. Pe de o parte, cântărețul s-ar putea să n-aibă noroc, și să fie nevoit să cheme, obosit, un taxi. Pe de altă parte, ar putea avea noroc și ar putea ajunge în lacul împerecherii. Nu contează, de fapt, cum se termină seara. Remarcați, în ambele cazuri, ce se întâmplă cu locul de unde se striga inițial. De îndată ce este eliberat de primul ocupant, locul devine dintr-odată disponibil, fiind râvnit de membrii colectivului tăcut, care doresc să-l acapareze. O femelă care nu știe despre ce e vorba și ajunge după plecarea primului orăcăitor descoperă – de parcă nimic nu s-ar fi schimbat – un impostor mut în locul lui. Cum ar putea ea însă, să-și dea seama de diferență? Practic vorbind, nu poate.[6]

Încrederea în sine

Ca armă de convingere, mimetismul este un mecanism ingenios. Dacă stimulii cheie sunt varianta directă a influenței, am putea spune că mimetismul e varianta directă a empatiei. La fel ca și în cazul stimulului cheie, există mai multe tipuri, și nu toate sunt benigne, așa cum am putut constata în cazul broaștelor clopoțel.

Pentru început există forma cea mai evidentă: mimetismul vizual, și exact asta fac șobolanii din Louisiana. În funcție însă

[6] Iar furtul de identitate nu e singurul gen de escrocherie de care se țin acești iubăreți. Psihopații dintre ei – cei care nu cântă – îi fură adesea pe cei care cântă, sărind în ultima clipă din ascunziș și acostându-le pe femele: e vorba chiar despre acele femele cărora omologii lor obosiți le-au cântat serenade toată seara.

de amplitudinea falsului biologic și de nivelul lui de complexitate, există și variante mai subtile care includ, pe lângă indiciile vizuale, și indicii auditive și olfactive.

Un bun exemplu al acestui mimetism hibrid se regăsește în regnul vegetal (când spuneam că persuadarea e parte a ordinii naturii, mă refeream la *întreaga* natură). Ciuperca *Monilinia vaccinii-corymbosi* afectează frunzele afinului, provocându-le să secrete substanțe dulci, precum glucoză sau fructoză. După aceea se petrece un fenomen interesant. Frunzele care acum produc nectar – imitând hoțește florile – încep să atragă insecte polenizatoare, chiar dacă nu seamănă deloc cu florile, și, în afară de miros, se aseamănă cu frunzele. Selecția naturală se ocupă de restul. Apare o albină care crede că zahărul e nectar. Suge o picătură (moment în care ciuperca se lipește de abdomenul acesteia), apoi trece la următorul afin, unde transmite ciuperca spre ovare. Ciuperca se reproduce în ovare, provocând apariția unor fructe stafidite, necomestibile, care nu cad iarna, și apoi infectează și următoarea recoltă de plante din primăvară. Sună inteligent, nu?

Șmecheria nu se termină însă aici. Există, se pare, un nivel și mai evoluat al acestui mic triunghi amoros. Frunzele afinului nu emit doar un miros, ci și reflectă lumina ultravioletă (pe care în mod obișnuit ar absorbi-o), și pe care florile o *emit* ca un soi de invitație adresată insectelor. Se pare că frunzele nu au doar unul dintre aspectele identității florii de afin, ci două, atât cel vizual cât și cel olfactiv. Pentru o ciupercă de grădină e o mare realizare.

Pânza urzelilor

Ca exemplu de mimetism, apucăturile ciupercii sunt destul de neobișnuite. De regulă, în loc să necesite implicarea unui terț – în acest caz, frunzele –, mimetismul acționează pe cont propriu. Bufnițele-pigmeu, spre exemplu, au „ochi falși" pe partea din spate a capului, pentru a-i păcăli pe prădătorii să creadă că pot vedea și cu spatele. Pe de altă parte, fluturii bufniță au pete în formă de ochi pe interiorul aripilor, astfel încât, în momentul în care sunt întorși subit, să prezinte fața unei bufnițe (vezi figura 1.1). Fluturii fir-de-păr merg și mai departe, având „cozi“ filamentoase la capetele aripilor, asemenea multor specii de insecte. Aceste cozi împreună cu alte elemente cromatice ale aripilor creează impresia unui cap fals, inducându-i în eroare pe prădători și derutând eventualele atacuri. Două capete sunt adesea mai bune decât unul, după cum se spune.

În lumea păianjenilor putem întâlni întrebuințări mai puțin benigne ale distragerii atenției. Păianjenii-țesători aurii (o specie frecventă în lumea nouă) și-au căpătat numele de la pânza strălucitoare, aurie pe care o țes (și care la prima vedere nu pare cea mai genială dintre metodele de a-ți prinde hrana, dacă ești păianjen), în zone deschise, luminate puternic.

Figura 1.1. – Petele distinctive, elaborate, în formă de ochi de pe aripile fluturelui-bufniță.

Tactica păianjenilor-țesători nu e atât de absurdă pe cât pare. Studiile arată că albinele, contrar așteptărilor, cred că e mai ușor să se ferească de pânză, când, de fapt, e mai dificil: în condiții de luminozitate slabă, când filamentele sunt mai greu de văzut, și când pigmentul galben nu poate fi distins. De ce? Gândiți-vă puțin. Care e cea mai comună nuanță a florilor care produc nectar?

Experimentele în care s-a modificat în mod ingenios culoarea pânzelor de păianjen, sprijină această teorie. Dacă albinele nu au probleme în a asocia alți pigmenți cu pericolul – culorile roșu, albastru și verde, de pildă – și apoi învață să-i evite, galbenul le dă de fiecare dată cel mai mult de furcă.

În lumea insectelor putem găsi și alte scamatorii biologice. „Femeia fatală“ e poate un clișeu al spionilor din filmele hollywoodiene, dar v-ați întrebat cine a inventat mecanismul? Nu trebuie decât să studiați licuricii. Studiile au arătat că femelele licurici din genul *Photuris*, emit aceleași semnale luminoase ca cele din genul *Photinus*, pentru împerechere. Dar asta nu e tot. Studiile au mai arătat și că masculii din genul *Photinus*, care încearcă să se împerecheze cu aceste femele fatale, primesc mult mai mult decât se așteptau. Sunt devorați. Am avut și eu cândva o astfel de întâlnire.

Totul se leagă

Am vorbit până acum în acest capitol, despre felul în care animalele și plantele se ocupă de persuadare. Despre felul în care este folosită influența, și sunt atinse obiectivele în absența limbajului. Vorbim fără tăgadă despre o influență, chiar același fel de influență pe care o putem vedea și la oameni. Atât doar că e mai rapidă, mai puțin difuză, mai bine concentrată. Cum altfel ați putea-o descrie? În ciuda aspectului exterior, păianjenul-țesător auriu nu are o diplomă de belle-arte, și nici nu face cursuri la seral de design interior. Cu toate acestea, țese o pânză galbenă. De ce? Dintr-un singur motiv. El vrea să manipuleze albinele, și să le facă să comită un gest stupid. Să facă ceea ce în mod normal niciunei albine nu i-ar trece prin cap. Să-i facă o vizită păianjenului.

Lucrurile stau la fel și în cazul ciupercii. Această ciupercă psihopată, lipsită de scrupule, cu o morală botanică îndoielnică, știe foarte clar, că albinele și alte insecte polenizatoare nu s-ar atinge în mod normal de ea nici cu prăjina. Ce face ciuperca? Ceea ce ar face orice alt prădător rapace, dornic de ascensiune socială: se folosește de ajutorul unui terț inocent, și îl exploatează. Doar pentru că face asta, fără să utilizeze cuvintele, nu înseamnă că nu avem de-a face cu o persuadare; am descoperit acest lucru la scurt timp după ce m-am căsătorit. O simplă privire transmite foarte mult.

Linia de demarcație dintre convingerea animală și cea omenească devine și mai difuză, din momentul în care ne gândim, în ce măsură varianta omenească este instinctivă, asemenea variantei animalice. Secretul publicității, constă adesea, nu în faptul că face apel la capacitățile noastre raționale, ci în capacitatea mesajului de a ajunge direct la centrii afectului din creier: sunt structuri primitive, străvechi pe care nu doar că le avem în comun cu animalele, ci chiar le *moștenim* de la acestea.

Îmi aduc aminte că, atunci când eram copil, urbaniștii, reporterii și anchetatorii, erau complet năuciți de o serie subită de accidente care începuseră, aparent din senin, să se petreacă la o intersecție aglomerată, dar odinioară obișnuită. După vreo săptămână, în ziarul local a apărut un articol pe prima pagină. În articol erau prezentați angajații primăriei, care demontau un panou de 7 metri, cu o blondă voluptuoasă și îmbrăcată sumar, din apropierea intersecției.

Sexul e un ingredient care vinde, dintotdeauna. Chiar și *cuvântul* „sex" vinde. De fapt, studiile efectuate în 2001, arată că pe 45% dintre copertele revistelor *Cosmopolitan* și *Glamour*, poate fi găsit acest cuvânt. O combinație simplă de litere – SEX – acționează ca un stimul cheie puternic care atrage interesul și dorința de consum.

Să luăm de pildă acest fluturaș inspirat al unui agent imobiliar, pe care l-am găsit în cutia cu scrisori, în urmă nu cu mult timp:

Figura 1.2 – Vreți să vă travestiți? Cumpărați o casă de la noi.

Ce tupeu, nu?

Desigur, căpeteniile marketingului și ale marilor firme, ne bombardează constant cu stimuli cheie subliminali. Urmărind să ne capteze constant atenția, folosirea unui stimul cheie, echivalează cu un gaz toxic. Să luăm de pildă imaginea de mai jos cu Marilyn Monroe.

Figura 1.3 – Ce chitară frumoasă.

Observați ceva ciudat? Cum vi se pare talia? Nu vi se pare că e un pic *prea* în formă de clepsidră? Imaginile de acest gen, în care modelul – fie dintr-un exces de noroc biologic, fie din cauza unui corset strâns prea tare, fie după o retușare – prezintă trăsături neobișnuit de atrăgătoare, se întâlnesc peste tot în lume, (și acum ar trebui să explic că această stare nefericită e la fel de tulburătoare pentru noi bărbații, cât este și pentru femei). Și de ce? Pentru că aceste imagini sunt cele care vând. O întrebare mai bună ar fi însă, nu „de ce?", ci „cum"? *Cum* reușesc ele să vândă? Ce anume are mijlocul lui Marilyn Monroe încât ne face atât de interesați? Răspunsul este de fapt simplu. Avem de-a face cu o caricatură biologică, un soi de broască-clopoțel cu un megafon. Sau, ca să reformulăm, un stimul cheie „sintetic". Să mă explic.

Să ne gândim la pescăruși. Puii răspund în mod instinctiv la o mică pată roșie aflată pe ciocul femelei. Dacă ciupesc acest loc, adultul va regurgita mâncarea; pata roșie constituie, cu alte cuvinte, un stimul cheie. Ce anume are acest stimul pentru a fi definit ca fiind un stimul „cheie"? Studiile ne arată cinci factori importanți. Oferind puiului diferite modele de cioc, s-a demonstrat de pildă, că schimbarea culorii capului sau ciocului nu are efecte importante. Pe de altă parte, pata roșie, grosimea ciocului, mișcarea, poziționarea capului și a ciocului sunt esențiale pentru a genera o reacție. Aceste cinci componente sunt atât de importante, încât o reprezentare rafinată, sintetică – cunoscută sub numele de set *supernormal* de stimuli – e chiar și mai eficientă. Un băț maro subțire, cu trei dungi roșii în apropierea vârfului, mutat într-o poziție joasă, produce nu doar o simplă reacție pozitivă - la fel ca originalul -, ci și o reacție pozitivă *sporită.* Cu alte cuvinte, pescărușul e tentat să ciupească și mai des.

Iată care e faza.

Aceleași procese de convingere care funcționează asupra pescărușului funcționează și la oameni, din aceleași motive și prin intermediul aceluiași mecanism. Fundurile și sânii supertonifiați; buzele modificate genetic; pătrățelele de granit; picioarele infinit de lungi... pentru oameni, toate acestea sunt echivalentul sexual al acelor trei dungi roșii și ale bățului maro subțire. Ele reprezintă caricaturi – la propriu – ale stimulilor sexuali, ca o pată roșie care ne-a „atras atenția" la un moment dat. Reacțiile noastre sunt așadar sporite.

Figura 1.4 – Nu sunt prost, doar m-au desenat așa

Cum să câștigi detașat

Din fericire pentru pescăruși, folosirea comercială a stimulilor cheie rămâne în exclusivitate apanajul oamenilor. Cu toate acestea, nu suntem susceptibili doar la nivel corporatist unei astfel de influențe. Comportamentele străvechi – de pe vremea când convingerea ținea mai mult de biologie, decât de psihologie – pot fi întâlnite în gesturile noastre simple, de fiecare zi. Și atunci când se petrec, sunt uluitoare.

Am auzit de Marco Mancini de la o prietenă, la o petrecere. Fuseseră colegi la un centru de plasare pentru șomeri, dar apoi ea și-a dat demisia și a plecat să locuiască undeva lângă mare. Demisia a venit după doar câteva luni, în care s-a luptat, ca mulți alții dinaintea ei, să-și mențină sănătatea psihică. Într-o singură săptămână, extinctorul a fost smuls din perete de patru ori. Nu pentru a stinge vreun foc, ci pentru a-i agresa, fiind aruncat în grilajul de fier care-i proteja biroul, de zona de așteptare. Cu altă ocazie, cineva a scos un pistol.

Ea spunea că Marco era diferit. Și o bună parte a acestei diferențe, se datora felului în care le vorbea oamenilor. În timp ce toți ceilalți se ascundeau în spatele geamului de protecție, Marco lucra față în față; totul la vedere. Avea întotdeauna la el cafea. Biroul lui era chiar în mijloc, unde oricine îl putea vedea. Din punctul ei de vedere, atitudinea părea extrem de nesăbuită. Chiar nebunească. Și trebuie să recunosc că și eu eram de aceeași părere. Dar iată care e partea ciudată. În ciuda tuturor problemelor – și au fost destule –, în cei doi ani și jumătate în care Marco a lucrat la centrul de plasare, nu a fost atacat niciodată. Nici măcar o singură dată.

Mai era ceva la el. Nu era neapărat vorba despre *felul* în care vorbea cu oamenii, era... nu, a dat ea din cap. Dar, de îndată ce oamenii intrau în legătură cu el, păreau să se... relaxeze. Ca și cum ar fi apăsat pe un comutator. Nimeni nu știa de ce, dar toți observaseră fenomenul. Poate că era nebun, spuneau. Și ceilalți nebuni își dădeau seama de asta.

Când l-am cunoscut pe Marco, am rămas surprins. Mă așteptam să văd un... nici nu știu de fapt. Un De Niro în *Obsesia*? Un Pacino în *Parfum de femeie*? M-am trezit în schimb cu un soi de hipster, care arăta ca un Isus ce lucrează într-un bar de fresh-uri.

– Așadar, Marco, i-am spus. În cei doi ani și jumătate în care ai lucrat la centrul de plasare, nu ai avut niciun incident. Care e secretul?

Secretul era uluitor de simplu, după cum aveam să aflu. El stătea acolo, pasiv, iar scaunele erau reglate în mod special. Scaunul clientului aflat în fața biroului său era setat mai sus decât al lui, astfel încât oamenii să-i vorbească la propriu de sus, în timp ce el îi asculta. A, și încă ceva. Odată ce lucrurile se calmau, iar partea cea mai neplăcută se termina, îi privea în ochi, pe acești oameni nebuni și furioși, și le zâmbea. Apoi îi atingea ușor pe braț, o singură dată.

– N-o să uit niciodată ce mi s-a întâmplat când aveam 10 ani, povestește Marco. Un copil de la școală i-a spus ceva profesorului despre mine, și eram furios. *Foarte* furios. L-am căutat în curtea școlii, iar când l-am găsit, am vrut să-l bat de să se cace pe el. După care, când *chiar* l-am găsit, n-am făcut decât să urlu. Apoi am tăcut. Felul în care stătea, avea ceva special. Era așezat pe jos, cu spatele la un zid, nefăcând nimic. Cum ai putea să dai în cineva care stă, nu face nimic? E ca și cum ai împușca pe cineva cu sânge-rece. Cum ar putea să se apere? Plus că, avea capul în jos tot timpul cât am urlat și apoi s-a uitat, cumva drept la mine, în continuare pasiv. Era ca și cum ar fi zis: „OK, bine, aici sunt. Lovește-mă dacă vrei". Și eu nu am putut. Cumva, nu am putut. Așa că am plecat. M-am îndepărtat.

Faptele de persuadare atât de mărețe, nu trebuie executate cu lejeritate. Pe lângă mișcările potrivite va trebui – dacă vreți să deveniți o persoană cu abilitățile lui Marco Mancini – să aveți calitățile corecte: înainte de toate încrederea și empatia, despre care am vorbit pe scurt în Introducere (și pe care le-am trecut în revistă la animale în acest capitol). Și mutările sunt importante, iar aici lucrurile devin interesante. Dacă ne uităm mai atent, structura abordării lui Marco se aseamănă izbitor cu *animalele* care vor să fie împăciuitoare: vorbim despre gesturi simbolice, ritualuri menite să dezamorseze conflictul, și să vă „scoată din bucluc".

Să ne gândim de pildă la faza cu scaunele: unul e poziționat mai sus decât celălalt. Dacă mimetismul este varianta nealterată a empatiei, atunci puterea străveche a stimulului cheie, de împăcare, stă în întregime în elementul surpriză. În incongruență. Sau, după cum afirma Darwin în opera *The Expression of the Emotions in Man and Animals,* în „principiul antitezei". Un babuin supus – indiferent de gen – se va întoarce cu spatele către agresor, și se va așeza în poziția de împerechere (pseudo - copulație). OK, poate că nefericitul subordonat se va trezi călărit de masculul dominant – din fericire, doar pentru câteva clipe –, dar adesea, gestul, *antitetic* agresiunii, va fi acceptat ca supunere, iar animalul supus va fi iertat.

Și acum să ne gândim la atitudinea pasivă, la așa-numitul stat „în mâini". Din studiile recente, efectuate pe raci, ajungem cu un pas mai departe decât la babuini, acestea sugerând că împăcarea ar putea fi o strategie mai bună decât dominanța. Când racii masculi se întrec pentru femele, ei își arată puterea întorcându-i pe rivali pe spate, și apoi trec în poziția de împerechere. Animalul supus are două variante. Ar putea să se opună, sau ar putea, în antiteză, să stea în poziția unei femele supuse. Fadi Issa și Donald Edwards de la Georgia State University, au descoperit, spre încântarea racilor mai metrosexuali, că a sta pe spate și a-i lăsa pe masculi să-și vadă de treabă, e o atitudine câștigătoare. După 24 de ore de interacțiuni, jumătate dintre cei care s-au opus, au fost uciși, în vreme ce toți cei care s-au supus, au supraviețuit.

Să accepți ce primești, stând pe spate, sau, în cazul lui Marco, stând jos e o strategie cu avantaje evidente.

Apleacă-te ca să cucerești

Cunoscând faptul că există stimuli cheie, felul în care funcționează aceștia, și influența puternică pe care o exercită în regnul animal ne permit, așa cum ne arată exemplul lui Marco, să-i exploatăm în folosul nostru. Așa cum și cele mai mari și mai robuste dintre clădiri pot fi făcute să se prăbușească sub propria greutate, plasând explozibilii cu atenție, și cele mai dificile dintre probleme pot fi dinamitate prin câteva gesturi și cuvinte bine alese. Toți marii oameni care i-au influențat pe ceilalți, de-a lungul istoriei, cunosc acest adevăr.

În Evanghelia după Ioan, de exemplu, Isus se găsește la un moment dat încolțit. Fariseii îi arată o femeie acuzată de adulter și îi cer sfatul.

„Stăpâne", spun ei. „Această femeie a comis adulter. Moise spunea că astfel de femei trebuie bătute cu pietre. Tu ce spui?"

Pe farisei nu-i interesa, desigur, perspectiva morală a lui Isus. Și el știa asta. În schimb motivele lor sunt mai puțin curate. Ei vor, de fapt, să-l implice într-un paradox juridic. Potrivit legii mozaice, așa cum au subliniat învățații, ea ar fi trebuit lapidată. În mod normal asta nu ar fi fost o problemă. Dat fiind însă, că Palestina era acum sub ocupația romană, situația se schimbase. Legea mozaică lăsase locul legii romane, iar dacă Isus ar fi ținut partea legii mozaice în defavoarea celei romane, ar fi putut fi acuzat de nesupunere. Dar asta nu era decât cea mai mică dintre probleme. Dacă ar fi susținut că femeia nu ar trebui lapidată, ar fi putut să fie acuzat de faptul că a întors spatele tradițiilor străvechi, ale înaintașilor. Nici asta nu ar fi fost o situație de dorit.

Mulțimea se adunase, iar tensiunea era la cote ridicate. Până și celui mai versat dintre înțelepți i-ar fi fost dificil să iasă din această situație, darămite unui tâmplar plimbăreț, fără niciun fel de instruire în retorică.

> Și aceasta ziceau, ispitindu-L, ca să aibă de ce să-L învinuiască. Iar Iisus, *plecându-Se* în jos, scria cu degetul pe pământ. Și, stăruind să-L întrebe, El *s-a ridicat* și le-a zis: Cel fără de păcat dintre voi să arunce cel dintâi piatra asupra ei. Iarăși *plecându-Se*, scria pe pământ. Iar ei, auzind aceasta și mustrați fiind de cuget, ieșeau unul câte unul, începând de la cei mai bătrâni și până la cel din urmă; și au rămas Iisus singur și femeia, stând în mijloc. (Evanghelia după Ioan, 8:6-9; sublinierea autorului).

Acest fragment din Evanghelia după Ioan este unic. E singurul moment din tot Noul Testament în care Iisus scrie. Experții biblici speculează despre ce ar fi putut scrie. Poate păcatele acuzatorilor femeii? Numele lor? Mesajul scris va rămâne, desigur, un mister pentru totdeauna. Dintr-o perspectivă psihologică însă nevoia lui Iisus de a scrie ceva pe pământ, chiar în acest moment, rămâne un mister.

Nu are sens.

Asta desigur dacă nu avea niciun as în mânecă. Să fi fost cuvintele doar un paravan? Semnificația gestului stă, mai puțin în conținutul textului, ci mai mult în simplul gest?

Să analizăm acum limbajul corporal al lui Iisus în cadrul întâlnirii cu fariseii. Interacțiunea constă în trei etape distincte. Care este reacția Lui la începutul confruntării? Putem vedea din text că „se pleacă" imediat (antiteză: incongruență: împăcare). Apoi, când bătrânii insistă pe argumentația sofistă, el „se ridică" din nou, pentru a oferi răspunsul celebru (încredere: asertivitate), înainte de a reveni la o postură joasă și de a-și relua poziția de împăciuire.

E o mișcare bine gândită, menită să deplaseze și să captureze echilibrul de putere.

Cu siguranță, Iisus a venit cu o replică foarte bună când a spus „să arunce cel dintâi piatra". E aproape sigur că era conștient de asta: e unul dintre cele mai bune exemple de convingere spontană, pe care l-am întâlnit. Cu toate acestea, mai avea o problemă. Indiferent cât de bună ar putea fi o replică cât de puternic ar fi argumentul, el contesta autoritatea fariseilor. Astfel, în ciuda genialității replicii, el i-ar fi putut irita destul de rău.

Iar Iisus era desigur conștient de acest aspect.

Astfel se poate explica, în ciuda contextului teologic, de ce a ales să vorbească în *două* limbi în loc de una. O limbă modernă, fonetică, opacă. Una străveche, mută și profundă.

Focul și salvatorii

Marco Mancini nu are prea multe în comun cu Iisus. E drept, Marco semăna puțin cu Iisus, când l-am întâlnit. Dincolo de asta însă asemănările se opresc. Marco a învățat secretul persuadării spontane în curtea școlii. Despre Iisus nu putem ști. Ideea e că, nu avem nevoie de puteri supranaturale, pentru a excela în acest tip de manipulare. Cu toții avem această capacitate. Spre deosebire de rudele noastre din regnul animal, *noi* trebuie să muncim pentru asta.

Această influență nu se limitează, desigur, la momentele critice. Ea ar putea, e drept, să ne scape din când în când de o amendă. Sau de pumnul unui adversar. Ne poate însă ajuta și în alte moduri. Gândiți-vă puțin. Cu cât transmiteți mai multe, fără să rostiți un mesaj verbal, cu atât aveți un avantaj mai mare, indiferent de situația în care vă aflați.

Să luăm de exemplu lumea afacerilor. Studiile arată că cei mai buni oameni din vânzări, se apleacă adesea în față, către clienți, atunci când vor să parafeze o tranzacție: o dublă vrajă, prin care transmit, nu doar empatia (prin apropierea mai mare), ci și o supunere șireată.

Putem să ne gândim și la părinți. Data viitoare când mai aveți de furcă cu un ștrengar de copil de 6 ani, încercați să vorbiți *la nivelul* lui. În loc să-i vorbiți de sus, trageți-l lângă voi, așezați-vă alături de el, și apoi, cu cel mai calm ton cu putință (știu, e mai ușor de zis decât de făcut), spuneți-i ce aveți de zis.

Simplul fapt de a vă putea coborî la nivelul cuiva, transmite adesea foarte mult. Vă mai aduceți aminte de Churchill și de hoțul de la recepție, din Introducere? Mesajul pe care îl transmiteți (fără să spuneți în mod explicit asta), e următorul: „Uite, nu doar *tu* ai dat de dracu. *Amândoi* suntem implicați. De ce nu am colabora, pentru a vedea dacă putem rezolva situația în echipă. Îți convine?"

Iată-l din nou la lucru pe Winston.

În vara anului 1941, un sergent din forțele aeriene, James Allen Ward, a primit medalia Crucea Victoria, pentru că s-a cățărat pe aripa bombardierului Wellington și a stins focul motorului din dreapta, în timp ce avionul zbura la o înălțime de 4.300 de metri. Nu avea decât o funie în jurul mijlocului drept măsură de siguranță.

La puțin timp după fapta de vitejie, Churchill l-a chemat pe timidul neozeelandez, la reședința prim-ministrului din Downing Street 10, pentru a-l decora.

Întâlnirea a debutat mai greu.

Când aviatorul curajos – mut în prezența marelui om de stat – nu a fost în stare să răspundă nici măcar la cele mai simple întrebări, Churchill a schimbat abordarea.

– Trebuie că te simți foarte jenat și neplăcut în prezența mea, a început el."

– Da, să trăiți! i-a răspuns Ward. Așa este.

– Asta înseamnă că-ți poți imagina, a spus Churchill, cât de jenat și neplăcut mă simt eu în compania ta.

Rezumat

În acest capitol am analizat originile influenței, felul în care persuadarea s-a manifestat înainte de apariția limbajului, și cum se petrece ea în zilele noastre în regnul animal. Am ajuns la concluzii dure. Odată cu apariția limbajului și cu evoluția neocortexului, persuadarea, în loc să-și sporească eficiența, a devenit mai puțin funcțională. E clar, în domeniul persuasiunii, animalele se descurcă mai bine decât noi.

Secretul persuasiunii în regnul animal este economia. La animale, unitățile elementare ale influenței sunt ceea ce etologii descriu drept stimulii cheie: gloanțele magice ale manipulării, care, odată trase de către membrii unei specii către alți membri, generează seturi instinctive, preprogramate de reacții. Aceste gloanțe magice – înnăscute, imediate și puternice – rezolvă repede situațiile, și cu un efort cognitiv minim. La oameni însă lucrurile stau diferit. Între noi și rapiditatea instinctului se află stratul de ozon al conștiinței, pe care limbajul, unealta noastră preferată când vine vorba despre influență, îl penetrează cu dificultate. Doar cei aleși reușesc să-l străpungă.

Se pune desigur întrebarea, cum putem exercita o astfel de influență? Suntem cu toții capabili să găsim aceste puncte sensibile ale influenței? Sau este acesta un joc rezervat elitei restrânse, a celor capabili să-i influențeze pe ceilalți?

Răspunsul v-ar putea surprinde. Ne-am născut cu toții sub steaua influenței de geniu. Pe măsură ce îmbătrânim, însă strălucirea ei se stinge.

Capitolul 2

Atracție fetală

O doamnă din Houston, tocmai mi-a spus că, prietena ei a auzit că plânge un copil pe prispă, ieri seară, după care a chemat poliția, pentru că era târziu, și i s-a părut ciudat. Polițistul i-a spus: „Orice ați face, nu *deschideți ușa." Femeia a spus apoi, că se temea că micuțul se apropiase de fereastră și exista riscul să se târască spre stradă și să fie călcat de o mașină. Polițistul i-a spus: „Am trimis deja un echipaj. Indiferent ce faceți, nu deschideți ușa." I-a spus că bănuiau, că un criminal în serie înregistrase un copil, și folosea aceste sunete pentru a le scoate pe femei din casă, făcându-le să creadă că cineva abandonase un copil. Polițistul a spus că informația nu fusese confirmată, dar că primiseră mai multe apeluri, de la femei care spuneau că li se pare că aud copii care plâng în afara casei, când erau singure noaptea...*

Strigătul neajutorat al unui bebeluș nu e slab, ineficient sau arhaic. E cea mai puternică și mai profundă forță a naturii. Sentimentul de părinte stă ascuns în mamă și în tată, până când aud acest strigăt... Strigătul [copilului] nu este lansat în gol, ci ajunge în profunzimile iubirii și compasiunii omenești.
Jonathan Hanaghan, *Society, Evolution and Revelation*

Copilul-minune al persuasiunii

Stau într-o cafenea din sudul Londrei, și urmează să mă întâlnesc cu un bărbat care, acum câțiva ani, nu ar fi călcat nici mort într-un astfel de local. Poate că s-a făcut pulbere în multe alte localuri. Aici, însă? În localul ăsta, unde se servesc cafele Fair Trade, și clienții poartă cizme Ugg? Nu prea cred. Iată-l că intră. Deși nu l-am mai cunoscut niciodată, sunt sigur că e el. E destul de înalt, are cam 1,85 metri. Se apropie de 30 de ani. Și e bronzat. Nu e genul de bronz pe care-l ai din Grecia, este mai degrabă un bronz de bețiv, care a stat în parc prea multă vreme. Îl cheamă Daryl.

Daryl m-a văzut – am avut dreptate, *el* era – și vine spre mine. Primul lucru pe care îl remarc la el, e că are un tremur. În creierul lui, pe undeva, se petrece o furtună, iar unele linii de transport ale curentului electric au picat. Are și o cicatrice. Și niște tatuaje care par o lucrare de amatori. Și o geantă de sportiv pe care o scapă pe piciorul meu. Ce-o avea înăuntru, mă întreb?

Acum câțiva ani, Daryl făcea parte dintr-o gașcă de mici găinari, care opera prin acest cartier. Se droga frecvent cu cocaină la pipă. Se ocupa cu de toate, de la spargeri de locuințe la tâlhării sau pașapoarte false.

Doar că, într-o bună zi, totul i-a mers bine.

În timp ce mergea printr-o parcare, într-o după-amiază de sâmbătă, a văzut o femeie care-și punea cumpărăturile în portbagaj. A scos cuțitul și a venit prin spatele ei. Când s-a întors către el, Daryl a rămas surprins. Femeia ținea un bebeluș în brațe. El a înghețat. Și ea a înghețat. *Toți* au înghețat. Copilul s-a holbat la el, și Daryl s-a holbat la copil. Femeia a țipat, el a scăpat cuțitul pe caldarâm apoi a fugit. După aceea, s-a internat la dezintoxicare.

– Nu știu cum s-a petrecut, îmi spune el, în timp ce sorb dintr-un latte triplu, fără spumă, din lapte de soia, cu vanilie. Ceva s-a petrecut, fir-ar a naibii de treabă. Copilul a fost un mare șoc pentru mine. Felul în care mă privea..., am rămas mască! Nu pot să mai fac asta. Nu am vrut să fac rău nimănui. Voiam doar să fac rost de bani. Îți dai seama, pentru droguri și toate alea. Am fost și eu copil, cândva. Cum de am ajuns să fac asta? Ce s-a petrecut cu copilul *ăla*? Așa mă gândeam.

Misiune imposibilă

Nou-născutul e o mașină de manipulare. Nu ai cum să exprimi altfel lucrurile. Capacitatea nou-născutului de a-și impune voința asupra celorlalți, de a obține ce vrea, de a ne întoarce pe degete e neîntrecută. Nou-născuții stăpânesc tehnicile de influență socială la nivel de artă.

Reacția oamenilor în fața bebelușilor e cam aceeași, indiferent de criteriul de selecție. Cultură, vârstă, sex, oricum ar fi, reacția e aproape identică. Studiile au arătat că, bebelușii de până la 4 luni, se uită mai mult timp la pozele cu fețe de bebeluși, decât la cele cu copii mai mari, sau adulți. Până la vârsta de 18 luni, această preferință pentru fețele de bebeluși este însoțită nu doar de perioade mai lungi de zâmbit, ci și de gesturi și sunete. Ce este și mai surprinzător este că aceste reacții nu se petrec doar la nivelul speciei noastre. Începând cu vârsta de 2 luni, macacii crescuți în izolare vădesc o preferință similară pentru imaginile cu pui de maimuță în defavoarea celor cu maimuțe adulte. Atracția față de bebeluși este profund înrădăcinată în conexiunile neuronale.

Aceste prejudecăți de percepție se regăsesc în profunzimile creierului. Studiile efectuate de neurobiologul Morten Kringelbach la Universitatea Oxford, arată că, văzute prin MEG (magnetoencefalografie, o tehnică imagistică care monitorizează activarea creierului cu o precizie la nivel de milisecunde), zona creierului care răspunde la stimulii de recompensă – cortexul orbito-frontal median – reacționează aproape imediat: la o șeptime de secundă de la apariția imaginilor.

Creierii noștri, susține Kringelbach, au o afinitate înnăscută, grație căreia, chipurile nou-născuților sunt considerate speciale.

Motivul concret, pentru care nou-născuții sunt atât de convingători, nu ar trebui să ni se pară prea complex. La fel ca multe alte lucruri din viață, totul se rezumă la marketing. Puii de cimpanzei se agită. Puii de pescăruș chirăie. Larvele gândacilor bat pe picioarele părinților. În tot regnul animal, puii au o tendință de a atrage atenția părinților, demonstrând o panoplie eclectică de stimuli cheie, ingenioși prin care să pretindă să fie hrăniți și să inhibe agresiunea adulților.

Aceste mesaje au o importanță foarte mare. Era o vreme (deși nu ne aducem aminte prea mult de ea) în care fiecare dintre noi – singur și fără niciun ajutor – ne-am trezit deodată în viață. Era o situație destul de riscantă. Gândiți-vă cu ce provocări ne confruntam. Cumva, încă de la primele clipe în care am venit pe lume, a trebuit să-i influențăm pe cei din jurul nostru și să-i determinăm să aibă grijă de noi, fără să gândim, fără să vorbim, fără să ne putem măcar controla nici măcar cele mai elementare funcții ale corpului. Cumva a trebuit să-i convingem că merită să facă asta.

În zilele noastre, desigur, ni se pare că totul ni se cuvine. Asta, pentru că, deja am reușit. Nu, ar trebui să completez, din meritul nostru (dacă depindea doar de *noi*, cine știe ce s-ar fi putut întâmpla?), ci prin geniul selecției naturale. Prin puterea unei procuri biologice, selecția naturală ne-a pus la dispoziție tot ce ne trebuia: nu doar un atribut cheie – capacitatea de a face mare scandal – ci trei. Trei stimuli ai influenței sociale, echipați ca parte din pachetul standard, și pe care-i găsim irezistibili:

- capacitatea de a plânge cu o eficiență acustică sclipitoare;
- o drăgălășenie diavolească (care funcționează și la maturitate pentru cei care au suficient noroc să și-o păstreze și pe parcursul vieții);
- o capacitate hipnotică de a te privi în ochi.

Indiferent de forma sub care se prezintă, persuadarea nu poate fi mai incisivă de-atât.

În acest capitol vom continua căutarea originilor influenței sociale, studiind arborele genealogic al procesului de a-i face pe ceilalți să se răzgândească, analizând în detaliu acești trei stimuli cheie ai influenței bebelușilor. Ce are plânsul acela de iese într-atât în evidență? Și care sunt trăsăturile chipurilor nou-născuților care ne atrag atât de mult?

Conexiuni sonore

Influența spontană nu apare atât de des în interacțiunile umane. Am putut constata acest lucru din capitolul anterior. În cazul nostru, spre deosebire de animale, lucrurile evoluează mai lent.

Motivul e, că avem creieri enormi. Avem capacitatea de a învăța. De a reflecta. De a decide. Și apoi de a discuta ulterior, despre ce am făcut. Dar creierul conține și vestigii ale trecutului: funcționalități străvechi, abandonate, care se pot uneori reactiva. Anumite moduri de a comunica, anumite mijloace de a interacționa, ne pot determina să facem lucruri fără să gândim, grație importanței lor covârșitoare, pe care au avut-o de-a lungul evoluției. Există momente în timpul vieții, când creierii acționează irațional.

În 1998, Pentagonul i-a cerut lui Pam Dalton, de la Monell Chemical Senses Center din Philadelphia, să facă un studiu destul de neobișnuit. Interesați de ideea ușor comică de a menține ordinea publică prin intermediul mirosului, guvernul Statelor Unite, a însărcinat-o pe Dalton cu unul dintre cele mai periculoase experimente chimice din lume. Ea trebuia să creeze, pentru prima dată în istorie, o aromă respingătoare, universală. Funcționarii superiori din Departamentul Apărării al Statelor Unite, se întrebau dacă există oare, ceva atât de urât mirositor, încât să poată dispersa o masă furioasă de oameni după doar câteva clipe?

Dalton a constatat că există.

Ea a descoperit de fapt, că nu există doar o singură astfel de substanță. O pereche de decocturi puturoase, care reușesc să treacă, nu doar de orice diferențe între indivizi, dar și de toate barierele culturale: e vorba despre Împuțiciunea-Standard de Toaletă a Guvernului Statelor Unite – ce surpriză –, un miros concentrat de fecale, dar și de varianta la fel de puternică, deși cu o denumire mai criptică, Cine, Eu? (o colecție hidoasă de molecule de sulf care simulează aroma unor cadavre în descompunere și a mâncării stricate). Niște rezultate, de să-ți mute nasul din loc.

Avansul tehnologiei s-a dovedit adesea un izvor de inspirație, iar orice om - care s-a întors de pe o parte pe alta neputând să doarmă într-o noapte vântoasă, în timp ce alarma vecinului se declanșează alături, sau care a fost distras de soneria stridentă a unui idiot de peste drum - se va întreba dacă nu cumva, s-au efectuat studii similare și în ce privește sunetul. Și s-au efectuat. Principalii concurenți sunt sforăitul, tușitul, flatulențele și zgomotele de ceartă.

Pentru mulți ar putea fi o surpriză. Prin comparație cu zgomotul unei furci pe o dală de gresie – atestat de un studiu din anii 80, ca fiind probabil cel mai enervant sunet – aceste sunete cu arome mai „organice", par destul de inofensive. Așa cum arată însă Trevor Cox de la centrul de studii acustice de la Universitatea Salford, nu e atât de ușor să deducem cât de enervant este un sunet doar pe baza undei sonore. Și psihologia are un rol aici.

„Nu vă va enerva bubuitul unor difuzoare puternice ale vecinului, dacă aveți de gând să vă alăturați ulterior petrecerii," spune Cox. Și are dreptate. Pe scurt, la fel ca și în cazul altor factori stresanți, cantitatea de stres efectivă, depinde, de fapt, de cât de mult control are ținta sau percepe că are asupra mediului său. „Dacă aveți control asupra zgomotului, atunci el devine mai puțin enervant" spune Cox. „Dacă vă temeți de sursă, atunci el devine și mai enervant".

Inventatorul britanic Howard Stapleton a testat recent teoria lui Cox. La propriu, în piață. Un aparat pe nume Țânțarul – creat, la fel ca și mirosurile dezgustătoare ale lui Dalton, pentru a reduce comportamentul anti-social, prin dispersarea oamenilor – emite un țiuit enervant, cu frecvență înaltă, pe care orice persoană cu vârsta de peste 30 de ani nici nu îl aude. Aparatul, denumit „mașină electromecanică de îndepărtat adolescenții", e folosit pe străzile aglomerate și în mall-urile din Regatul Unit, dovedindu-se cel puțin la fel de eficient ca și predecesorul lui, în războiul împotriva haimanalelor: Wagner. E un sunet ceva mai puternic decât cel de tuse sau de flatulență (are o intensitate de 85 de decibeli,cam ca o mașină de tuns iarba), și cu toate astea, nu e suficient de intens încât să provoace un rău fizic. Marele avantaj al Țânțarului este că reușește să enerveze. Conform ultimelor date, o face destul de bine.[7]

Jocul de-a plânsul

Intervalul normal al auzului la adulți se află între 40 de Hz și 15 KHz. Intervalul vocii omenești e undeva între 100 de Hz și 7 KHz. În acest interval se regăsește punctul în care auzul e cel mai sensibil:

[7] Folosind aceeași tehnologie, Stapleton a inventat și „soneria mută" – un telefon pe care îl pot auzi doar adolescenții, dar nu și profesorii lor. Cu asta lecțiile vor deveni mai interesante.

undeva la 3,5 KHz. Din punctul de vedere al selecției naturale, e un parametru interesant. Multe sunete se regăsesc în zona de 3,5 KHz (de exemplu, sonarul submarinelor: sunt sunete create în mod special, pentru scenariile în care resursele de atenție sunt solicitate).

Există însă și un alt sunet, undeva între 200 și 600 Hz care are o istorie ceva mai lungă. E un sunet care, dintre toți stimulii cunoscuți omului, ne solicită cel mai mult atenția: sunetul unui copil care plânge.

Plânsul unui copil e un sunet de geniu: e cel mai profund lucru care i se poate întâmpla unei molecule de aer. Plânsul acționează asupra a două niveluri fundamentale de influență, dar întru câtva conectate: cel fiziologic și cel psihologic. La fel ca și alte semnale de alarmă și de urgență, proprietățile acustice au evoluat, la propriu, în întuneric: solicitarea atenției și transmiterea poziție către părinți reducând în același timp la minimum demascarea poziției față de prădători (frecvențele înalte ale țipetelor de copii nu sunt la fel de aerodinamice ca cele scăzute; ele sunt mai probabil să fie auzite de membrii propriei specii decât de ucigașii aflați în depărtare).

Țipătul unui nou născut nu servește doar localizării copilului. Pe lângă beneficiul de a semnala poziția copilului, semnalul tonal, treptat provoacă o reacție fiziologică la nivelul părinților: încetinirea ritmului cardiac, urmată de o accelerare rapidă (asociată unei intervenții sau acțiuni iminente), împreună cu creșterea temperaturii la nivelul pieptului și un reflex de lactație, inducând în sâni senzația de greutate, și stimulând-o pe mamă să-l alăpteze pe copil.

Pe vremea strămoșilor, țipătul unui copil era varianta supremă a unui apel la 112. Și a unui apel la livrare de pizza.

În mod paradoxal însă țipătul copiilor „e enervant". Deși varianta auditivă nu e „maximum neplăcerii acustice"[8] (tonalitatea ridicată e suficient de mare pentru a nu fi ignorată, dar suficient de scăzută pentru a nu provoca agresiunea), țipătul nou născutului ocupă un loc destul de înalt în topul stimulilor acustici neplăcuți – atât pentru bărbați cât și pentru femei, pentru părinți cât și pentru copii – provocând o senzație de anxietate, de neliniște și o nevoie copleșitoare de a „ajuta".

[8] În jur de 2 500 - 5 500 Hz, cu modulări temporale între 1 și 16 Hz.

E echivalentul sonor, și în termeni de empatie, al Împuțiciunii Standard de Toaletă a Guvernului Statelor Unite.

Kerstin Sander de la Institutul Leibnitz de Neurobiologie din Germania, a demonstrat în 2007, cât de profund este țipătul unui copil. Sander a redat înregistrări cu patru țipete diferite, unui grup de 18 adulți (9 bărbați și 9 femei), în timp ce aceștia erau conectați la un aparat de RMN funcțional.[9] Ea a amestecat apoi țipetele (împărțind fiecare înregistrare în segmente de câte 150 de milisecunde lungime), le-a recombinat și apoi a comparat rezultatele. Rămâneau tiparele de activare cerebrală constante în ambele situații? Sander voia să știe. Putea recombinarea să schimbe reacția?

Concluziile ei atestă geniul coregrafic al selecției naturale. Rezultatele au arătat o creștere dramatică a activării amigdalei cerebrale (partea creierului care procesează emoțiile), dar și a cortexului cingulat anterior (partea creierului care reacționează la anomalii), atunci când s-au redat țipetele *reale*. La femei fenomenul a fost mai pronunțat decât la bărbați. Sander consideră ca acest tipar ar putea să reflecte o predispoziție neuronală mai concretă a femeilor de a reacționa la sunetele preverbale ale copiilor (vezi Figura 2.1 de la paginile 42-43).

Figura 2.1a – Zonele aproximative activate în creierul femeii la auzul unui adult care plânge. Porțiunile întunecate indică zone de activare cerebrală sporită.

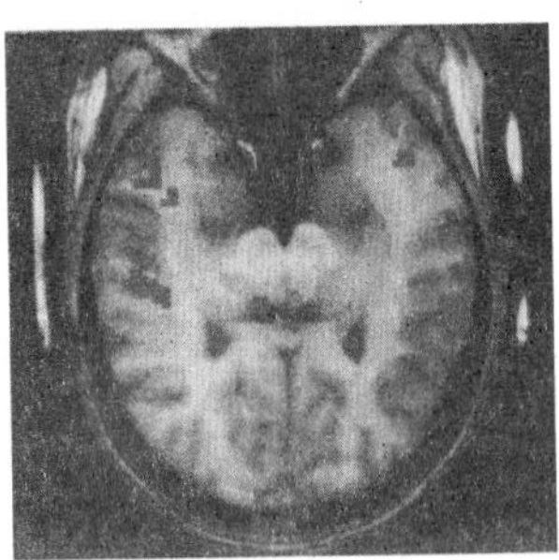

[9] Rezonanța magnetică nucleară funcțională este o tehnică prin care se măsoară nivelul de oxigen transmis prin sânge, permițând cercetătorilor să distingă zonele care sunt cele mai active în creier într-un anumit moment.

Figura 2.1b – Zonele aproximative activate în creierul femeii la auzul unui copil care plânge.

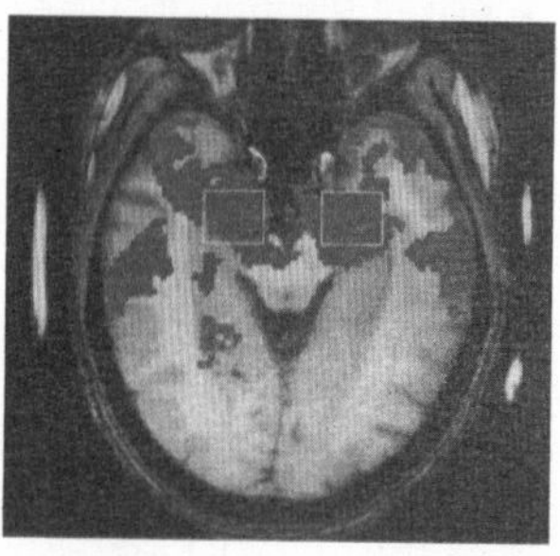

Figura 2.1c – Zonele aproximative activate în creierul bărbatului la auzul unui copil care plânge.

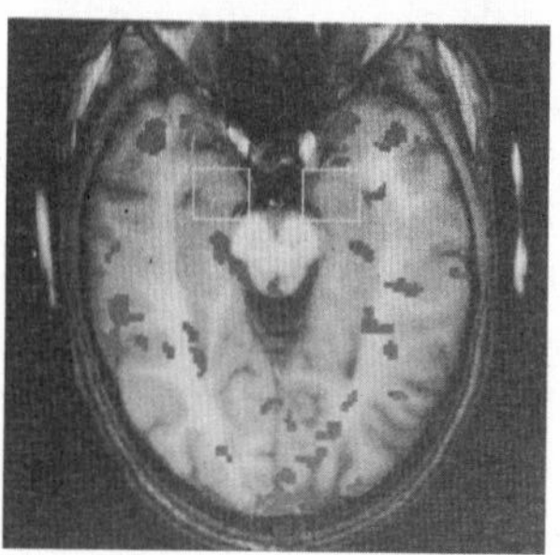

Când Sander a comparat felul în care amigdala cerebrală se activa la o parte dintre participanți între plânsul unui copil și cel al unui adult, a avut un *mare* șoc. Aici diferența era și mai pronunțată, de 900%. Țipătul unui copil, în ciuda aparențelor, nu e un fenomen atât de simplu pe cât se pare.

Când tonul greșit devine corect

Se pare că nu e niciun fenomen complet uniform. Studiile efectuate ulterior au analizat mai în profunzime fenomenul, dezvăluind că, deși sunetele preverbale ale copiilor sporesc activarea amigdalei cerebrale, schimbările dramatice, bruște și neașteptate ale tonului plânsetului – cunoscute sub numele de „vibrato" – sunt cele care transmit cea mai multă emoție, provocând reacțiile afective cele mai puternice ale părinților. De asemenea, chiar aceste schimbări neașteptate sunt cele care ne mișcă atât de profund și în muzică: ele sunt cele care ne fac să simțim un fior pe șira spinării. Nu rezolvarea acordurilor e cea care ne dă frâu liber emoțiilor. Și nici replicile așteptate nu sunt cele care ne fac să râdem în comedii. Senzația de a ne fi înșelat, e cea responsabilă cu umorul.

Să luăm următorul studiu, de pildă. Paul Rozin și colegii săi de la Universitatea din Pennsylvania au atras atenția asupra unui tipar comun al umorului, ceea ce ei au denumit tiparul AAB. Știm cu toții cum funcționează.

(**A1**) Un grup de bărbați urmează să fie executați. Gardianul îl aduce pe primul bărbat în față, iar călăul îl întreabă dacă are vreo ultimă dorință. Bărbatul spune că nu, iar călăul strigă „Gata! Țintiți!"

Dintr-odată, bărbatul urlă „Cutremur!"

Toți sunt uluiți și se uită în jur. În confuzia creată, primul bărbat scapă.

(**A2**) Gardianul îl aduce pe al doilea bărbat, iar călăul îl întreabă dacă are vreo ultimă dorință. Bărbatul spune că nu, iar călăul strigă „Gata! Țintiți!"

Dintr-odată, bărbatul urlă „Tornadă!"

Toți sunt uluiți și se uită în jur. În confuzia creată, cel de-al doilea bărbat scapă.

(**B**) Ultimul bărbat și-a dat seama ce are de făcut. Gardianul îl aduce în față, iar călăul îl întreabă dacă are vreo ultimă dorință. Bărbatul spune că nu, iar călăul strigă „Gata! Țintiți!"

Iar ultimul bărbat urlă „Foc!"

În acest banc (mai am și altele) întreruperea tiparului – B – presupune o interpretare alternativă a ultimului cuvânt. S-a creat așteptarea, ca și cel de-al treilea cuvânt să fie din registrul dezastrelor. În realitate însă cuvântul are o semnificație diferită. Tiparul AAB e poate însă mai puțin cunoscut în muzică.

Figura 2.2 – Structura AAB în tema inițială din Sonata pentru pian în La major, K.331 I (Andante grazioso), măsurile 1-4, de Mozart.

Aici putem remarca motivul inițial cu cinci note (A1) repetat cu un ton mai jos (A2), apoi din nou cu o treaptă mai jos (B). De abia în această a treia repetare secvența de note se schimbă cu totul. Aceste „răsturnări“ sunt frecvente în diferite genuri, de la muzică clasică și contemporană la jazz sau musicaluri. Asta, ca să nu mai aduc aminte de bancurile cu „un englez, un irlandez și un scoțian“, sau „un preot, un pastor și un rabin“.

Constituie această incongruență, această înșelare a așteptărilor, o lege universală a persuasiunii? E destul de probabil. Ea este cu siguranță o componentă la care se referea Darwin, prin principiul antitezei: răsturnarea de situație, atât de importantă în manifestările împăciuitoare ale animalelor. După cum am văzut în capitolul anterior, ea se aplică și oamenilor.

V.S. Ramachandran de la Centrul pentru Cogniție și Studii Cerebrale al Universității din California, scrie că „muzica poate presupune generarea unor modificări de reacție la vârfurile sonore, în anumite vocalizări primitive, pasionale, cum ar fi un țipăț de despărțire; reacția afectivă la aceste sunete ar putea fi parțial programată în creierii noștri.“

David Huron merge chiar mai departe în cartea sa Sweet Anticipation: Music and the Psychology of Expectation.

„Formarea așteptărilor“, susține Huron, „este un mecanism de supraviețuire al oamenilor și al altor animale; doar anticipând viitorul putem fi pregătiți pentru el. Și, întrucât, creierul se asigură că primim o recompensă atunci când anticipăm corect, ne simțim bine când avem dreptate. Legătura dintre predicție și recompensă ne face să căutăm tot timpul o structură și să prevedem cum se vor desfășura evenimentele. Ca textură care evoluează temporal, muzica reprezintă un superstimul în ceea privește aceste previziuni.“

Cu alte cuvinte, atunci când așteptările nu se îndeplinesc, creierii noștri (mai exact, zone precum cortexul cingulat anterior și anumite zone din joncțiunea temporo-parietală) se activează pentru a restabili homeostaza, contracarând senzația respingătoare generată de această încălcare. În arte – de pildă în muzică sau în comedie – această senzație respingătoare face parte din spectacol. Din confortul fotoliului, din lojă, ne lăsăm pe mâinile artistului.

Disponibilitatea noastră nu este la fel de mare în alte domenii ale vieții. Atunci când un stimul sau un eveniment ne frustrează așteptările, suntem forțați să luăm măsuri: fie îl discredităm, fie îl eliminăm. Am putea să ne regândim poziția. Acesta este motivul pentru care e aproape imposibil – mai ales pentru părinți – să ignorăm plânsul unui copil. Acest sunet nu doar că generează el însuși sentimente de frustrare, dar și elementele profunde, esențiale ale structurii lui au același efect.

Frumoasa și bestia

Îi puteți vedea de la mare distanță. Cred că pot fi văzuți și din spațiu: sunt tipii ăia care umblă prin mall-uri cu câte o planșetă. Au darul să apară taman când sunteți pe fugă sau când tocmai ați aflat că v-a luat foc casa.

„Aveți câteva minute la dispoziție pentru a-mi răspunde la câteva întrebări...“

Mulți dintre noi, ne-am făcut strategii elaborate pentru a scăpa din această situație. Ne apucă o criză de tuse. Telefonul mobil se trezește subit la viață. Apar spontan cunoștințe imaginare vizavi. Și toate acestea nu funcționează dacă persoana cu planșeta e o blondă atrăgătoare. În acest caz, în loc să evităm persoana, ne așezăm la coadă.

Pentru un psiholog social, pentru care aspectele spinoase ale atracției interpersonale sunt bine cunoscute, un astfel de fenomen nu constituie o mare surpriză. Se știe că bărbații care arată bine, strâng mai multe semnături pentru petiții decât omologii lor sluți, iar cei care solicită donații au încasări mai mari dacă arată bine. Și în justiție atractivitatea joacă un rol. Inculpații arătoși au o șansă mai mică de a fi găsiți vinovați, decât cei cu un aspect mediocru. În eventualitatea în care sunt totuși condamnați, primesc sentințe mai ușoare. Oamenii care arată bine *sunt* mai buni.[10]

Dacă răsfoiți prin paginile a zeci de reviste de psihologie populară, vă va fi greu să nu găsiți sute de afirmații asemănătoare. Oamenii frumoși sunt mai buni la una sau alta. Oamenii banali sunt mai răi. Da, da. Dar unde sunt dovezile? Mark Snyder de la Universitatea din Minnesota, a efectuat un studiu în care studenților de sex masculin li s-a oferit o mapă cu informații, în care se găseau detalii despre o studentă, colegă de-a lor (care era, de fapt, o colaboratoare a cercetătorilor). Printre informații, se număra o fotografie retușată a studentei, care fusese desemnată de cercetători ca fiind atrăgătoare sau neatrăgătoare. Sub pretextul că discutau cerințele unui curs, cercetătorii au inventat apoi o conversație telefonică de zece minute, între participanți și alți „studenți“ (care era de fapt aceeași persoană), și au observat felul în care interacționau participanții. Cercetătorii se întrebau dacă atractivitatea are un impact asupra amabilității la telefon.

Răspunsul a fost afirmativ. Participanții care credeau că discută cu o persoană mai atrăgătoare, i-au răspuns mai cald, mai amabil, decât cei care credeau că nu e atrăgătoare. Când li s-a cerut, înaintea

[10] Aceste concluzii pot fi puse pe seama *efectului de halou*: prezența câtorva trăsături pozitive concrete – printre care și frumusețea – care generează apoi o aură generală de bunătate, expertiză, sinceritate sau alte superlative deduse automat. În mod interesant, nu e întotdeauna adevărat că inculpații care arată bine scapă cu pedepse mai ușoare. În cazul unei anumite infracțiuni, inculpații frumoși, au de fapt, o probabilitate mai mare de a fi găsiți *vinovați*. Vă puteți imagina despre ce infracțiune e vorba? Răspunsul îl veți găsi la finalul capitolului.

conversației, să-și exprime părerea despre studentă, așteptările difereau în mod evident, pe baza atractivității. Participanții care au primit fotografia atrăgătoare au anticipat că vor interacționa cu o persoană sociabilă, amuzantă și degajată. Participanții care au primit fotografia urâtă nu au avut aceleași așteptări.[11]

Momeală pentru creier

Psihologul evoluționist Geoffrey Miller a mai descoperit un alt factor predictiv al atracției, într-un studiu cu stripteuze și feromoni sexuali, efectuat în 2007; cadrul a fost de data aceasta industria divertismentului pentru adulți. Pe o perioadă de două luni, Miller și colegii lui, Joshua Tybur și Brent Jordan, au studiat un eșantion de 5.300 de dansatoare erotice (da, *chiar* atât de multe) și le-au împărțit în trei grupe, cele aflate la ovulație, cele aflate la menstruație și cele aflate între aceste două perioade. Întrebarea era simplă. Care dintre cele trei grupuri va câștiga cei mai mulți bani până la finalul unei ture de 5 ore?

Conform conceptelor psihologiei evolutive, câștigătoarele ar fi trebuit să fie fetele aflate la ovulație. În caz că s-ar fi consumat un raport sexual, cele aflate în acest grup ar fi avut posibilitatea cea mai mare de a concepe. Și așa au făcut. Au obținut mai mulți bani, vreau să zic. Respectând așteptările, clienții au constatat că femeile aflate la ovulație sunt mai atrăgătoare. Ca urmare, le-au plătit mai mult. Rezultatele experimentului nu ar fi putut fi mai bune. În medie, femeile aflate la ovulație au câștigat 325 de dolari din bacșiș. Cele aflate la menstruație au câștigat 185 de dolari, iar cele între cele două faze, 260 de dolari.

Studiul lui Miller este interesant din mai multe motive,însă principalul este următorul. De cele mai multe ori, suntem la fel de capabili să exprimăm în cuvinte, motivul pentru care o persoană ni se pare atrăgătoare, precum suntem capabili să spunem de ce ne place un anumit gen de muzică. Sigur, am putea vorbi despre anumite

[11] În caz că vă întrebați, fenomenul se manifestă și în sens invers. Susan Andersen, de la Universitatea New York și Sandra Bem de la Universitatea Cornell au inversat rolurile, cu participanți de sex feminin și un student fictiv de sex masculin. Rezultatele au fost similare.

aspecte ale muzicii, cum ar fi ritmul sau armonia, dar întrebările rămân în continuare. De ce *acel* ritm anume? De ce *acea* armonie?

Haideți să privim din partea cealaltă rezultatele studiului lui Miller și să ne gândim la atractivitatea bărbaților. Din Figura 2.3, care față vi se pare mai atrăgătoare? Cea din stânga? Sau cea din dreapta?

Figura 2.3 - Găsiți diferența

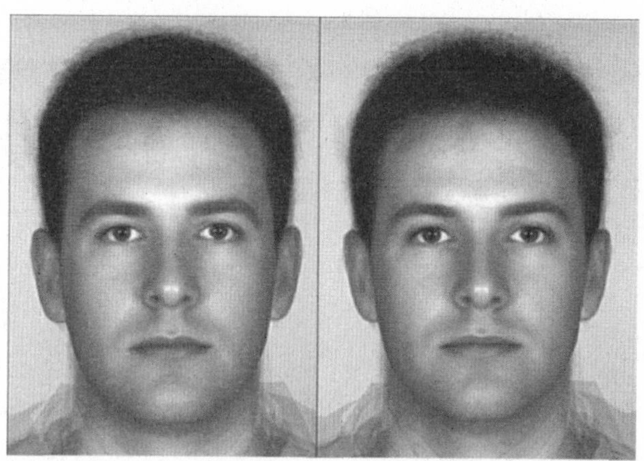

În general, majoritatea femeilor aleg fața din dreapta. Asta dacă nu sunt la ovulație, caz în care preferă chipul din stânga. Indiferent dacă sunt sau nu la ovulație, nu pot să exprime *de ce*. David Perrett, de la Universitatea St. Andrews din Scoția, știe însă exact de unde provine această preferință: ea se bazează pe indiciile imperceptibile ale genului. Printr-un croșeu aplicat în plină figură lui Arnold Schwarzenegger și celor ca el, Perrett a constatat că în medie, femeile preferă fețele bărbaților care se aseamănă cu ale lor. Cu alte cuvinte, chipuri *efeminate*. În acest caz, fața din dreapta a fost efeminată cu 30%, un procentaj optim, care să sporească la maximum atractivitatea. Puteți remarca faptul că maxilarul a fost rotunjit, iar fruntea și zonele din jurul ochilor au fost înmuiate. În timpul ovulației însă, tendința se inversează. Pentru femeile care sunt la ovulație, trăsăturile faciale *masculine* sunt cele considerate mai atrăgătoare. Mai puternice, mai robuste, ele sugerează o imunitate sporită – o rezistență genetică la boli –, iar fețele care emană o masculinitate mai evidentă au un efect subtil mai mare (vezi Figura 2.4 a de alături).

Figura 2.4a – În timpul ovulației, femeile preferă în general caracteristicile chipurilor mai masculine, cum ar fi Bruce Willis (stânga), în defavoarea celor mai feminine, ale unui Leonardo DiCaprio (dreapta). Atracția chipurilor precum cel al actorului britanic Robert Pattinson (Figura 2.4b), constă în combinația de trăsături masculine și feminine: observați maxilarul rafinat, buzele pline și sprâncenele joase, proeminente.

Pe de altă parte, există însă un semnal al atractivității care ne păcălește pe toți; el trece dincolo de barierele stupide cu procesarea conștientă sau inconștientă și, asemenea studentei atrăgătoare din experimentul telefonic, ne scoate în evidență trăsăturile pozitive. Acesta este efectul chipului de copil.

Ai cea mai drăguță față de bebeluș

Etologul austriac Konrad Lorenz a emis o ipoteză radicală, în articolul devenit clasic, publicat în 1943, „The Innate Forms of

Potential Experience". El susținea că ființele umane, au o preferință înnăscută pentru configurația facială a bebelușilor, în favoarea trăsăturilor faciale ale adulților. Principalul motiv din spatele acestei preferințe, susținea el, se referă la îngrijirea copiilor. O prejudecată perceptuală înnăscută față de chipurile nou-născuților sporește stimulentul de a-i proteja și de a-i îngriji pe membrii vulnerabili ai speciei. Pentru a-și demonstra argumentul, Lorenz a desenat o serie de siluete cu fețe de copii atât umane cât și animale, care trasează un set distinctiv de trăsături – *kindchenschema* (sau schema copiilor), după cum le-a denumit el – comune puilor: un craniu moale, rotunjit; o frunte largă, curbată; ochi mari și rotunzi și pomeți rotunzi, proeminenți (vezi Figura 2.5 de la p. 52).

Figura 2.4b

Aceste caracteristici corespund, susține el, unei atracții preprogramate, punând bazele compasiunii. Aceștia sunt stimulii cheie ai îngrijirii la oameni.

Figura 2.5 – Asemănări între specii ale trăsăturilor faciale ale puilor, comparativ cu adulții.

Studiile efectuate ulterior în privința atractivității faciale, au mai descoperit și alte *kindchenschema*: o bărbie mică, nasul mic, scurt și poziționarea relativ „joasă“ a ochilor, a nasului și a gurii. Toate aceste însușiri definesc „drăgălășenia“. Acești stimuli transmit cu atâta forță senzația de imaturitate, încât ei pot fi transferați și unor obiecte aleatorii, *neînsuflețite*.

Să analizăm, de exemplu, seria de profiluri cranio-faciale ilustrată în Figura 2.6 de la pagina următoare:

Figura 2.6 – Modificări ale profilului cranio-facial survenite odată cu maturizarea.

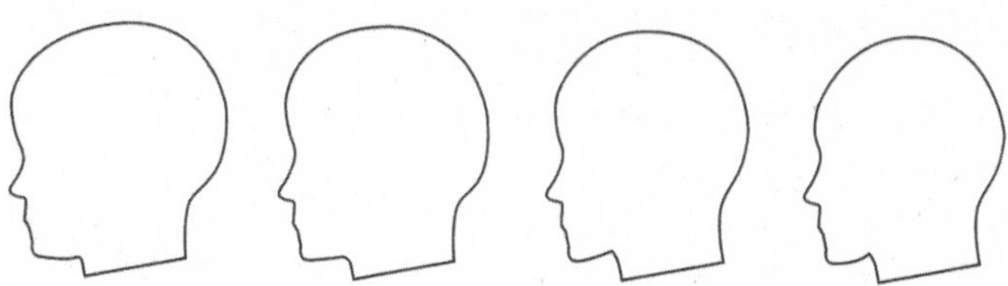

Aici forma capului a fost modificată gradual, folosind o funcție matematică, prin care se simulează efectele maturizării asupra geometriei craniene. Doar puțini dintre noi nu-și dau seama că maturitatea crește de la stânga la dreapta. Cu toate acestea, aici este concluzia importantă. Nu doar că ne este mai ușor să diferențiem între un profil de craniu matur și unul infantil, putem face același lucru cu ușurință și când e vorba despre *mașini* mature și infantile!

Priviți de exemplu Figura 2.7 de mai jos. Aceeași funcție matematică, pe care tocmai am aplicat-o maturizării craniene, a fost aplicată unui Volkswagen Broscuță.

Figura 2.7 – Caracteristici cranio-faciale infantile și mature ale vehiculelor.

Care credeți că e care? Care mașină credeți că e la o etapă de „început“ și care la o etapă „mai avansată“ din ciclul transformărilor de creștere? Care dintre mașini e mai *drăgălașă*?

Acceptarea răspunderii

Melanie Glocker, de la Institutul de Biologie Neuronală și Comportamentală al Universității din Munster, a efectuat în 2009 un experiment pentru a testa teoria lui Lorenz. Chiar e adevărat că o *kindchenschema* ne modifică percepția asupra ființelor și obiectelor? Și, dacă da, cum se reflectă aceste preferințe în creier? Folosind o tehnică asemănătoare cu cea a lui Morten Kringelbach, Glocker le-a prezentat participanților imagini cu nou-născuți, în timp ce erau analizați printr-un aparat RMN funcțional. Ea a mers însă mai departe: în timp ce în studiul lui Kringelbach imaginile erau întotdeauna realiste, Glocker a modificat imaginile printr-un program de editare foto, astfel încât unele să fie mai „infantilizate" decât altele:

Figura 2.8 – Schema copilului în imagini modificate (slab/puternic) și nemodificate

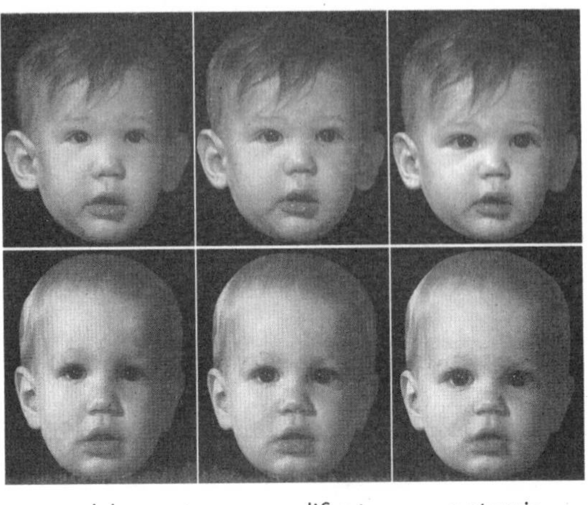

Rezultatele au corespuns întocmai așteptărilor lui Lorenz. Analiza a demonstrat că, cu cât coeficientul de *kindchenschema* era mai mare (de exemplu cu cât ochii sunt mai mari și cu cât fața e mai rotundă), cu atât activitatea în nucleul accumbens e mai mare –

aceasta este partea creierului care gestionează recompensele, atât la oameni cât și la animale. Glock a descoperit astfel, că există nu doar *kindchenschema*, ci și super-*kindchenschema*.

Aventurile lui Glocker în profunzimile creierului, au corelații și în viața de zi cu zi. Imaginați-vă că ați găsi un portofel pe stradă. Ce ați face? V-ați duce la poliție? L-ați trimite prin poștă proprietarului ? L-ați... păstra pentru voi? Psihologul Richard Wiseman, de la Universitatea din Hertfordshire a întrebat locuitorii din Edinburgh ce ar face. Doar ,că nu a făcut asta într-un cadru controlat. Wiseman a lăsat mai multe portofele pe străzile din capitala Scoției, în care era câte o fotografie din următoarele patru variante: un cuplu fericit, care zâmbea; un cățeluș drăguț; un cuplu de vârstnici mulțumiți și un copil drăguț.

Care dintre portofele credeți că a fost returnat cel mai frecvent „proprietarilor“?

Răspunsul nu a întârziat să apară. Dintre cele 40 de portofele din fiecare tip, 28% dintre cele cu poza cuplului în vârstă au fost returnate, 48% dintre cele cu familiile fericite, zâmbitoare, 53% dintre cele cu cățeluși și nu mai puțin de 88% dintre cele cu bebeluși.

„Bebelușul a declanșat un puseu de afecțiune la oameni,“ susține Wiseman, un instinct de îngrijire față de copiii vulnerabili, care s-a dezvoltat pentru a asigura supraviețuirea generațiilor viitoare.

Un alt studiu efectuat în America, a descoperit un instinct asemănător, de protecție, lipind imaginea chipului unui copil pe o țintă de darts. Participanții au primit șase proiectile, și au primit câte 25 de cenți pentru fiecare proiectil care lovea ținta. În ciuda faptului că au avut șase aruncări „de încălzire", folosind un cerc de forma unei fețe, ce credeți că s-a întâmplat? Participanții au avut o acuratețe mai scăzută, atunci când au țintit fața copilului, decât anterior.

Nu doar studiile efectuate pe nou-născuți par să susțină ipotezele lui Wiseman. Studiile cu *adulți* cu „fețe de copil“, par să sugereze că trăsăturile nou-născuților au ceva aparte. Sheila Brownlow și Leslie Zebrowitz de la Universitatea Brandeis, au efectuat o analiză sistematică a 150 de spoturi publicitare de la televizor. Ele se întrebau care este legătura între conținut și prezentator? Pentru a afla, au solicitat ajutorul a două grupuri de studenți. Un grup de studenți a citit stenogramele spoturilor, evaluând apoi nivelul de încredere și expertiză transmis prin fiecare mesaj. Celălalt grup a vizionat înregistrări, notând de această dată fețele comunicatorilor pe o scară a maturității faciale.[12] Exista însă și un secret. Scorurile acordate fețelor trebuiau să fie calculate fără sunet, declanșând astfel o „dublă disociere“ între informațiile la care a avut acces fiecare grup. Primul grup a primit doar mesajul, fără chipuri. Al doilea grup a văzut doar fețele, dar nu a auzit mesajul. Care au fost diferențele dintre grupuri?

Rezultatele indică un tipar bine definit. În situațiile în care puterea de convingere se baza mai puțin pe expertiză (comunicarea unor noțiuni obiective și valide de o manieră care să vădească stăpânirea lor), și mai mult pe încredere (recomandarea sinceră și onestă a unui utilizator al produsului), se apelase la actori și actrițe cu fețe de copil. Când mesajul avea mai degrabă un caracter „faptic“, fața emițătorului tindea către o maturitate mai mare.

Aceste trăsături ale persuasiunii nu se întâlnesc doar în publicitate. Ele sunt numeroase și în politică. Studiile au arătat că, atunci când alegătorii cred că un candidat acționează în interes propriu, politicienii „onești“ cu față de copil sunt considerați mai convingători prin comparație cu colegii lor maturi cu fețe mai impenetrabile. Pe de altă parte însă, atunci când analizăm expertiza, politicienii „șireți“ cu chipuri mai mature, sunt considerați a fi mai buni la manipulare.

Este destul de interesant să comparăm chipurile diferiților politicieni, pentru a vedea cum se descurcă în jocul cinstei. În 2008, o echipă de la Universitatea din Kent a adunat un eșantion de 100 de oameni, care aveau misiunea de a evalua mai multe chipuri, pe o scală de la 1 la 5, în funcție de nivelul de încredere pe care îl inspiră. Pe baza datelor, aceștia au asimilat apoi, mai multe trăsături asociate în general cu onestitatea: o față mai plină, mai rotundă; un maxilar mai lin; ochi mari și rotunzi, și sprâncene mai puțin pronunțate. Vă sună cumva cunoscut? Barba provoacă suspiciuni profunde, dar un

[12] Această scară măsoară intervalul de la fața bebelușului (asociată puternic cu încrederea și slab cu expertiza) la un capăt, până la fața matură (asociată puternic cu expertiza) la celălalt capăt

nas delicat și o gură mare, mai subțire, sunt considerate elemente pozitive.

Folosind un program de editare digitală a imaginilor, echipa a prelucrat chipurile mai multor politicieni, și a evaluat diferențele percepute între aspectul „normal" din viața de zi cu zi, și chipurile care inspiră sau nu încredere. Programul nu a fost singurul lucru care a ridicat semne de întrbare. Remarcați în Figura 2.9a de mai jos, discrepanța dintre caracteristicile faciale normale ale lui Gordon Brown și cele ale clonei sale care „inspiră" mai multă încredere. Priviți apoi Figura 2.9b pentru a vedea același fenomen în cazul lui David Cameron.

Figurile 2.9a și 2.9b - Imagini manipulate digital ale lui Gordon Brown și David Cameron care arată (de la stânga la dreapta) imaginea originală, trăsăturile de încredere și trăsăturile care nu inspiră încredere.

Brown iese mai prost, din cauza „sprâncenelor dese, nasului lat și dimensiunilor gurii". Cameron, pe de altă parte, are „un ten tineresc, o gură mai largă și o formă mai rotundă a ochilor".

Chirurgie plastică pentru a părea mai de încredere? E doar o chestiune de timp...

Aceste studii sunt doar vârful aisbergului. Cercetătorii au descoperit, de fapt, tot soiul de diferențe între chipurile copiilor și cele ale adulților, sau, mai exact, în felul în care interacționăm cu ele. În cadrul relațiilor, femeile au o probabilitate mai mare de a se încrede într-un prieten cu față de copil, decât într-unul care arată mai matur. În sala de judecată, există o probabilitate mai mare ca, ucigașii cu față de copil, să fie condamnați pentru fapte de neglijență, decât cele în care vina presupune o premeditare (în vreme ce pentru indivizii cu chipuri mai mature se aplică reciproc). Și la locul de muncă, indivizii cu fețe de copil au o probabilitate mai redusă de a deține poziții de putere, decât colegii lor cu chipuri mature.

Să analizăm cele patru fotografii cu cadeți de mai jos:

Figura 2.10a – Portrete din albumul The Howitzer, *1950*

A B C D

Credeți că puteți să vă dați seama, doar pe baza aparențelor, cât de mult succes au avut persoanele din imagini? Credeți că puteți să vă dați seama, din felul în care arătau atunci când și-au început cariera militară, ce grad au dobândit la finalul ei? Încercați. Enumerați fețele, începând cu cea care vi se pare că aparține celui care va avea cel mai mult succes, și terminând cu cel care credeți că va avea cel mai puțin succes.

Cum v-ați descurcat? Dacă ați scris ACBD, ați ales aceeași variantă ca 80% din populație. Ceea ce ați făcut a fost să aranjați fotografiile, în ordinea inversă a trăsăturilor de copil. Fața A include trăsăturile stereotip ale maturității (ochi mai mici, sprâncene mai joase, nas mai lung, pomeți mai „duri" și colțuroși, și o bărbie mai pronunțată), fiind așadar asociată cu dominanța. Fața D, pe de altă parte, include trăsăturile stereotip ale chipului de copil (ochi mamari, sprâncene mai ridicate[13], un nas mai scurt, obraji mai puțin pronunțați și o bărbie mai mică), fiind asociată mai mult cu un comportament supus.

În fapt, toți cei patru au atins poziții de vârf. Iată cum arătau la apogeul carierei, dar și identitatea lor:

Figura 2.10b – Portrete preluate de la US Army Military History Institute și Center for Air Force History.

A. General-locotenent Lincoln Faurer (șef al Agenției Naționale de Securitate a Statelor Unite)

B. General Wallace Hall Nutting (Comandant suprem, US Readiness Command)

C. General John Adams Wickham Jr. (Șef de stat major, Armata Statelor Unite)

D. General Charles Alvin Gabriel (Șef de stat major, Forțele Aeriene ale Statelor Unite)

Viața pe marginea prăpastiei

Soția lui Keith Lane, Maggie, s-a sinucis aruncându-se de pe Beachy Head, o stâncă înaltă și abruptă, aflată pe coasta sudică a Angliei. Cei doi fuseseră căsătoriți timp de opt ani. Beachy Head este un loc notoriu pentru sinucigași. În 2004 au avut loc 30 de incidente. Cu puțin timp înainte, în ziua morții, Keith, un spălător de geamuri din Eastbourne, a primit un telefon de la Maggie, la muncă, dar nu a observat nimic neobișnuit. După aceea a auzit știrile.

Câteva zile mai târziu, după ce groaza inițială a avut un pic de timp să se instaleze, Keith s-a suit la volan. Se simțea atras de locul

[13] V-ați întrebat vreodată de ce femeile își „machiază“ sprâncenele într-o poziție mai ridicată decât ar fi în mod anatomic? Acum știți.

în care soția lui își petrecuse ultimele momente. A vrut să vadă cu ochii lui ce a văzut ea. După ce s-a uitat preț de câteva secunde apăsătoare în jur, o femeie i-a atras atenția. Era tânără, în jur de 20 de ani, și ținea în mână un pix și niște hârtii. Stătea pe o bancă, într-un tricou, uitându-se spre mare.

La început, Keith nu i-a dat prea mare importanță. Era poate o scriitoare. Sau o artistă. După aceea mintea a început să i-o ia razna. *Ce scria ea* mai exact, se întreba el. Putea fi o nouă Maggie. Neputând să stea locului, s-a decis să se ducă înspre ea și să-i vorbească. De îndată ce a ajuns, și-a dat seama că luase hotărârea corectă.

Emoțiile lui erau încă rănite după șocul morții lui Maggie. Keith pășea pe un teren periculos. Trecuseră, la urma urmei, doar câteva zile. Cu toate acestea, în ciuda faptului că pierderea devastatoare pe care o suferise era foarte recentă – de fapt, poate chiar *din cauza ei* –, a încercat toate variantele pentru a o convinge pe femeie. A pomenit chiar și numele lui Maggie. Cu cât el o implora mai mult, cu atât ea părea să se îndârjească mai tare.

– Familia mea nu dă doi bani pe mine, i-a spus. Are vreun sens să mai continui?

În cele din urmă, s-a săturat. A îndesat foile pe care le-a scris între scândurile băncii, și a început să alerge. Keith a alergat după ea. Marginea prăpastiei nu era la o distanță mai mare de 15, poate 20 de metri.

– Mi-a revenit în minte tot antrenamentul de rugby, și-a adus el aminte, și am sărit să o plachez, sperând că voi reuși.

Antrenamentul i-a prins bine. Keith a reușit să se țină din răsputeri de ea.

Femeia i-a fost foarte recunoscătoare. După câteva zile, când Keith a vizitat-o la spital, i-a trântit ușa în față. În cele din urmă, i-a mulțumit.

După aceea i-a venit o idee. Dacă ar putea să salveze viața unei sinucigașe, de ce nu i-ar putea ajuta și pe ceilalți? De ce nu ar înființa un punct de pază la Beachy Head, tocmai în acest scop? Zis și făcut.

Am vorbit cu Keith la Eastbourne, în noiembrie 2009, la vreo cinci ani și jumătate de când Maggie își luase viața. O terminase cu viața la marginea prăpastiei, iar echipa de pază de la Beachy Head – compusă din 6 membri, și cu 29 de suflete salvate la activ – se destrămase. Intervenția autorităților, dar și acuzațiile, au pus capăt activității lor.[14]

– Ce făceai, l-am întrebat, atunci când vedeai că cineva voia să-și ia viața? Ce le spuneai?

Răspunsul lui a fost de-a dreptul fascinant.

Factorul cel mai important în a convinge pe cineva să nu se sinucidă, a răspuns el, era contactul vizual.

– Când *eu* mă uitam la ei, și *ei* se uitau la mine, mi-a spus, atunci știam că i-am convins.

Nu mulți oameni știu asta

Comentariile lui Keith Lane nu îi vor surprinde pe cei care au încercat să se strecoare printr-o intersecție aglomerată. Secretul, așa cum știe toată lumea, este să-i privești pe șoferi în ochi. Odată ce ați stabilit contactul vizual, șansele de a vi se permite să treceți, cresc dramatic. Acesta e motivul pentru care e mult mai dificil să vă strecurați prin trafic într-o zi cu soare, decât atunci când plouă. E mai probabil ca șoferii să fie într-o dispoziție mai bună când vremea e însorită, dar în 90% dintre cazuri ei poartă și ochelari de soare. De asemenea, șansele sunt mai bune ziua decât noaptea. Să reformulez. De câte ori ați blocat pe cineva fără să vreți și atunci v-ați străduit din răsputeri să *evitați* să-l priviți în ochi? Vedeți ce vreau să spun? Contactul vizual – ca și o înfățișare drăgălașă – e un stimul-cheie omenesc în persuasiune.[15]

---

[14] Atât Paza de Coastă cât și echipa de asistență spirituală din Beachy Head l-ar fi acuzat pe Keith că nu are pregătirea necesară pentru salvarea de vieți, punând astfel în pericol atât propria viață cât și, în mod ironic, viața persoanei pe care încearcă să o salveze. Răspunsul lui Keith e pragmatic. „Fiecare secundă contează“, spune el. „Când încerci să salvezi vieți, nu ai întotdeauna timp să ceri ajutorul altora. Trebuie să acționezi“..

[15] Contactul vizual este, de asemenea, un element esențial al empatiei – stabilirea unei conexiuni cu ceilalți. Un exemplu poate fi întâlnit în contexte militare. Forțele de menținere a păcii din Irak, care poartă ochelari de soare, sunt mai frecvent atacate și înregistrează mai multe victime decât cele care nu au ochii acoperiți.

La începutul carierei, actorul britanic de film Michael Caine, înțelegea intuitiv puterea de convingere a ochilor. Într-o campanie menită să-i crească notorietatea la Hollywood, Caine a început prin a se antrena să nu clipească,sporind intensitatea prim-planurilor (atunci când ochii săi, măriți pe ecran, puteau atinge dimensiuni de câteva zeci de centimetri), și să reducă șansele ca regizorul să-și abată privirea de la el. Publicul, gândea Caine, se bucura de atenția pe care o primea. Încercând în mod activ să-i fixeze cu privirea, el putea spori iluzia că i-ar considera atrăgători. Există desigur și reversul medaliei: cât de atrăgător îl găseau *ei*.

Experimentele au demonstrat validitatea metodei lui Caine. Să ne gândim la convingerea simplă, cotidiană. Să ne imaginăm că vă ofer un argument cu care nu sunteți de acord. Vă prezint avantajele și dezavantajele, apoi încerc să vă atrag de partea mea. Cum aș putea să-mi îmbunătățesc șansele de a vă câștiga? Una dintre modalități, s-a demonstrat, este de a mări durata contactului vizual. Studiile arată că, doi oameni aflați în conversație, nu se privesc în egală măsură. Persoana care ascultă se uită direct la persoana care vorbește în cam 75% din timp; comparativ, cel care vorbește îi privește pe cei care-l ascultă în doar 40% din timp. Dacă însă creșteți acest procentaj, până spre aproximativ 50% (dincolo de acest nivel începe să devină stânjenitor), începeți să vă creați o aură de autoritate.

Aceste statistici constituie adesea o surpriză pentru mulți oameni, deși cei mai mulți dintre noi putem cu siguranță să „ne prindem", atunci când ne aflăm în poziția receptorului. E posibil ca o creștere atât de mică a contactului vizual, să provoace o diferență atât de mare? Răspunsul este da, aproape întotdeauna. Studiile au arătat că prin contactul vizual, se poate ajunge la un procentaj de până la 55% din informația transmisă printr-o conversație, restul fiind împărțit între componenta „auditivă non-verbală" (de exemplu, intonație) cu 38% și componenta verbală „formală" cu doar 7%. Acesta este doar unul dintre motivele pentru care psihopații – acești regi fără egal ai persuasiunii pe care-i vom cunoaște mai târziu – se bucură de o asemenea notorietate. În medie, psihopații au tendința de a clipi mai puțin decât noi ceilalți, o particularitate fiziologică, prin care li se conferă adesea un aer hipnotizant, dezarmant.

G.K. Chesterton a afirmat cândva: „Există un drum de la ochi către inimă care nu trece prin intelect."

Totul stă în ochi

Copiii nou-născuți au multe în comun cu psihopații. Întrebați-l pe oricare părinte dacă e așa. Sunt lipsiți de empatie, au un farmec superficial, nu au nici cea mai mică înțelegere în ceea ce privește consecințele acțiunilor lor, și sunt interesați doar de propriul interes. Ei mai au însă ceva în comun cu acești omologi superalunecoși: puterea de a-i hipnotiza pe ceilalți prin privire. Această constatare este bine cunoscută oricui a atras privirea unui copil, și a încercat să se holbeze la el mai mult decât copilul. Dacă nu sunteți Uri Geller, lăsați-o baltă.

Copiii nu ne atrag privirea la întâmplare. Studiile au arătat că această orientare a percepției, este preprogramată, atât în cazul lor *cât și al nostru*. În 2007, o echipă de la Universitatea din Geneva a comparat gradul de „captare a atenției" pe care îl au diferite imagini cu chipuri de adult și de copil, într-un exercițiu de testare a timpului de reacție pe calculator. Rezultatele au arătat că, timpii de reacție sunt mai mici în cazul fețelor copiilor, acest fapt semnalând capacitatea lor mai mare de a ne „distrage" atenția.

Pe de altă parte, psihologul Teresa Farroni de la Universitatea din Londra le-a arătat copiilor cu vârste între 2 și 5 zile fotografii cu chipuri omenești. În unele fotografii ochii priveau înainte, în altele în lateral. Ea a făcut o constatare remarcabilă: copiii se uitau mai îndelung la fețele cu care puteau stabili un contact vizual, decât la cele cu care nu puteau. Un studiu ulterior, a arătat și că în creierul copiilor de 4 luni există o activitate electrică sporită, în cazul orientării către chipuri care îi priveau direct. Se pare că o astfel de prejudecată ne urmărește pe tot parcursul vieții. Studiile efectuate în galeriile de artă, ne arată că, ori de câte ori privim portrete, atenția noastră se îndreaptă în principal, în zona ochilor.

De ce? Ce avem de câștigat? Ce ar putea să ne comunice ochii mai mult decât, de pildă, gura sau nasul?

Un răspuns la această întrebare este legat de supraviețuire. Ochii nu au nimic special *în sine* care să ne atragă, aici fiind mai degrabă vorba despre direcția către care se îndreaptă privirea. Pe parcursul evoluției noastre, îndreptarea bruscă a privirii către un anumit loc constituia un indiciu puternic în privința unor potențiale amenințări, iar receptivitatea față de astfel de semnale conferea un avantaj considerabil în ceea ce privește evitarea pericolelor.

Pentru a demonstra această ipoteză, Chris Friesen de la North Dakota State University, și Alan Kingstone de la University of British Columbia, au creat un experiment care surprinde întocmai puterea acestor captări ale atenției. În prima etapă, în centrul unui ecran de calculator apar contururi de fețe fără trăsături și fără ochi timp de aproximativ jumătate de secundă. În cea de-a doua etapă, apar pupilele ochilor, orientate într-una din trei posibile direcții: drept înainte, către stânga, sau către dreapta (vezi Figura 2.11 de mai jos). În cea de-a treia etapă apare o literă (un A sau un F), fie pe partea stângă sau pe cea dreaptă a ecranului; cu alte cuvinte, fie în aceeași direcție, fie în direcția opusă celei în care se uită ochii. Friesen și Kingstone voiau să știe care ar putea fi efectul acestor regiuni oculare orientate diferit asupra atenției, în special asupra felului în care procesăm informațiile despre mediul înconjurător? Poate direcția privirii să crească viteza cu care indivizii pot localiza ținta, sau nu are ea niciun efect?

Figura 2.11 – Fețe abstractizate, cu orientări diferite ale privirii, similare cu cele folosite de Friesen și Kingstone.

Rezultatul a fost cât se poate de clar. Performanța a devenit mai bună. Rezultatele au arătat că, indivizii localizau mai repede poziția literei-țintă (la dreapta sau la stânga), în cazurile în care litera apărea în *aceeași* direcție în care priveau și ochii, decât în cazul în care ea apărea în direcția *opusă*.

Priviri intense

Paradigma lui Friesen și a lui Kingstone oferă cu siguranță o explicație plauzibilă a prejudecății noastre perceptive, înnăscute pentru ochi. Ne spune însă ea ceva nou? În anii '60, psihologul social Stanley Milgram a adunat un grup de oameni la un colț de stradă. „Priviți în sus", le-a spus. Ce s-a petrecut? Toți ceilalți au procedat la fel.[16]

Și asta nu e tot. Se poate analiza și dacă ipoteza sugestionării ne spune tot ce ar fi de zis despre ochi. Ne putem gândi, de pildă, la deficitul profund de atenție, pe care îl prezintă cei care suferă de autism.

Copiii cu autism sunt excepția de la regula conform căreia privirea se concentrează în zona ochilor, aceștia privind mai degrabă zona gurii. Pe măsură ce îmbătrânesc, persoanele care suferă de autism pierd capacitatea de a vedea, atât din punct de vedere cognitiv, cât și afectiv, „de unde vin" ceilalți, acest deficit fiind cunoscut drept absența teoriei minții. Majoritatea copiilor încep să dobândească elemente ale teoriei minții în jurul vârstei de patru ani, iar capacitatea este verificată printr-un experiment devenit clasic, denumit *exercițiul Sally Anne:*

[16] Milgram a constatat și că gradul de conformism diferă în funcție de dimensiunea grupului. Când o singură persoană se uita în sus, numărul trecătorilor care l-au imitat era de 40%. Procentajul a crescut la 60% atunci când se uitau 3 indivizi în sus, 75% pentru 10, respectiv 80% pentru 15.

Figura 2.12 – Exercițiul Sally Anne

Până la vârsta de 4 ani, copiii vor da negreșit un răspuns greșit: în cutie. Din cauză că *ei* știu unde a fost mutată piatra, li se pare de neconceput ca ceilalți să nu știe. În cele din urmă însă, de la vârsta de 4 ani, răspunsul corect începe gradual să apară, iar procesele neurologice ale percepției de sine încep să separe propria minte de cea a celorlalți.

Asta cu excepția autismului. Din punct de vedere clinic, e o concluzie interesantă. Tulburările din spectrul autist sunt singurele din DSM IV (Manualul de Diagnostic și Clasificare Statistică a Tulburărilor Mintale, publicat de American Psychological Association), caracterizate prin absența teoriei minții. De asemenea, ele sunt singurele tulburări în care incapacitatea de a menține contactul vizual, reprezintă o trăsătură esențială a diagnosticului. Să fie oare cu putință ca prejudecata noastră perceptuală instinctivă pentru ochi să nu fie doar responsabilă pentru o capacitate de a detecta mai bine amenințările, ci să prefigureze și capacitatea noastră de a-i „citi" pe ceilalți? De a deduce stările psihice ale celorlalți?

Gândiți-vă o clipă la potențialele consecințe pe termen lung, ale incapacității de a menține un contact vizual. Dacă ne lipsește capacitatea de urmări privirea celorlalți, de a extrage chiar și cele mai elementare unități de informație despre obiectul pe care îl privesc, cum am putea vreodată să înțelegem faptul că ei au o perspectivă diferită de a noastră? Iar dacă nu putem să ne reprezentăm nici măcar aceste elemente fundamentale ale autonomiei, ce speranță am putea avea să sondăm vreodată zona subiectivității, speranțele și fricile, intențiile și motivațiile altora?

Influența ochilor

Transmiterea atenției și a stării de spirit, constituie explicațiile cele mai frecvente în privința atracției noastre față de ochi; și ele explică destul de mult. Cu toate acestea, rămâne de văzut dacă pot explica *totul*. De ce este, de pildă, contactul vizual o metodă prin care o persoană poate spori încrederea pe care o inspiră? Și de ce sunt ochii noștri cu atât de mult alb și irisuri mici, atât de diferiți – cel puțin în aparență –, de restul celor pe care îi întâlnim în regnul animal?

Răspunsurile la aceste întrebări sunt legate, cred, de starea de dependență totală, cu care venim pe lume. Știm că nou născuții au o prejudecată perceptivă înnăscută față de ochi. E oare posibil ca această prejudecată să fie mai complexă decât pare? Să fie oare vorba nu doar despre ochii înșiși, ci despre ceva puțin mai fundamental? De contrastul perceptual între lumină și întuneric, care le caracterizează forma? Să fie vorba, de fapt, nu despre un proces unitar, ci despre un model al influenței cu două niveluri? În acest model contrastul de percepție atrage atenția nou născutului, iar nou născutul menține atenția cu o strânsură puternică de farmec, ca de menghină?

Pentru a discuta mai întâi acest al doilea factor fermecător, nu trebuie să ne îndepărtăm de nou-născutul însuși. Nu doar că ochii acestuia sunt disproporționat de mari prin comparație cu fața (fața, spre deosebire de ochi, continuă să crească după naștere), dar și pupilele sunt disproporționate în raport cu sclera (suprafața exterioară albă a globului ocular; vezi Figura 2.13 de mai jos).

Figura 2.13 – Chipul unui copil în format superstimul. Notați ochii supradimensionați, irisurile și pupilele.

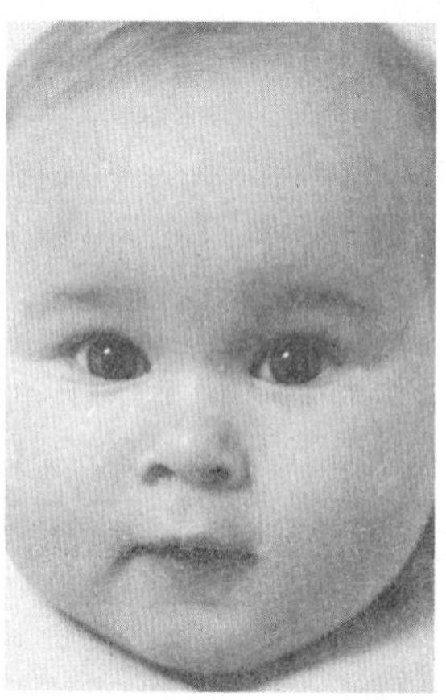

Se consideră că această constatare reflectă ineficiența relativă a retinei imature, de a captura lumina. Studiile au arătat însă, și că pupilele dilatate pot servi o funcție complet diferită: cimentarea legăturilor de atracție.

– Ce parte a corpului se dublează în dimensiuni atunci când este stimulată? întreabă profesoara în primul an de facultate.

În clasă se lasă o tăcere jenantă.

– Haideți, insistă ea. Trebuie să știți. Încercați să ghiciți.

Tăcere deplină. În cele din urmă singurul bărbat din sală ridică mâna, însă profesoara îi spune să o lase jos.

– Lăsați-o baltă, spune ea. E pupila!

Aceasta e o anecdotă care circulă frecvent în rândul medicilor și pe care, poate nu e de mirare, femeile o cunosc destul de bine. Am însă o bănuială că, dacă profesoara și-ar fi adresat întrebarea femeilor din Italia secolului al XVI-lea, ar fi primit un alt răspuns decât cel la care se aștepta. În Italia acelor vremuri, era la modă ca femeile să-și picure câteva picături de beladonă – un extras din mătrăgună – în ochi, pentru a-și dilata pupilele, și a se face mai atrăgătoare în ochii potențialilor pretendenți. Ele știau cu siguranță ce făceau, însă mă îndoiesc că știau care e motivul pentru care metoda lor dădea roade.

Dacă privim două imagini cu fețe identice - în care una are pupilele dilatate și cealaltă nu -, apoi ni se cere să spunem care ni se pare mai atrăgătoare, majoritatea va alege fața cu pupilele dilatate (vezi Figura 2.14 de mai jos). Cu toate acestea, atunci când ni se cere să oferim motivul pentru care am făcut alegerea, nu suntem capabili să-l oferim. Simțim în mod intuitiv că una dintre fețe e mai „drăguță" decât cealaltă. Mai atrăgătoare poate. Sau mai prietenoasă. Puși să explicăm însă nu putem decât să ne dăm cu presupusul.

Figura 2.14 – Dacă ar trebui să alegeți, care dintre aceste două fețe vi se pare mai atrăgătoare? Majoritatea oamenilor „cred" că e vorba despre cea din dreapta. Dacă li se cere să explice de ce, nu sunt în stare. Uitați-vă și la ochi.

De fapt, motivul pentru care fețele cu pupile dilatate ne atrag mai mult decât cele fără, este *reciprocitatea.* Pupilele noastre se dilată atunci când sunt stimulate, când întâlnim un stimul frumos, sau despre care vrem să aflăm mai multe. În astfel de ocazii, ne străduim să-l sorbim, la propriu, din priviri. Aceste reacții ale pupilei sunt automate – dincolo de controlul conștient –, dar la fel este și receptivitatea altora față de ele. Astfel, ori de câte ori ni se prezintă o față în care pupilele sunt dilatate, vom deduce, inconștient, că subiectul ne consideră atrăgători pe baza legii reciprocității. Noi, la rândul nostru, ne simțim mai atrași de *ei.*

Acesta este motivul pentru care o cină la lumina lumânării e mai romantică decât la McDonald's. (Sau, mă rog, e cel puțin unul dintre motive). În condiții de iluminat slab, pupilele se dilată pentru a compensa întunericul din jur, și a permite mai mult luminii, să ajungă la retină. Acum știți (doar în caz că vă întrebați) de ce în multe restaurante de tip fast-food aveți nevoie de ochelari de soare ca să puteți sta jos să mâncați. Accentul e pe *viteză.* Nu aveți timp să priviți languros cartofii prăjiți!

Lumea în alb și negru

Ochii nou-născutului par programați să dezarmeze. Proporțiile lor incongruente, și empatia, acționează ca un magnet asupra atenției, atrăgându-ne în profunzimile lor sclipitoare, inocente. Ce putem însă spune despre reversul medaliei: o prejudecată înnăscută față de contrast, care le permite nu doar să ne întâlnească privirea, ci să ne și fixeze fără niciun efort? Și aici dovezile sunt la fel de clare. Studiile au arătat că, atunci când nou născuților li se prezintă două figuri alăturate – una cu un cerc negru în interiorul unui oval (simbolizând un ochi), și un cerc negru într-un pătrat – copiii nu par să aibă o preferință clară. Când aceste figuri sunt prezentate lângă un oval și un cerc pe cont propriu, fără cercurile întunecate dinăuntru, rezultatele se schimbă. Se degajă o preferință puternică pentru stimulii în formă de ochi.

Figura 2.15 - Preferințele copiilor pentru combinații de forme și contraste.

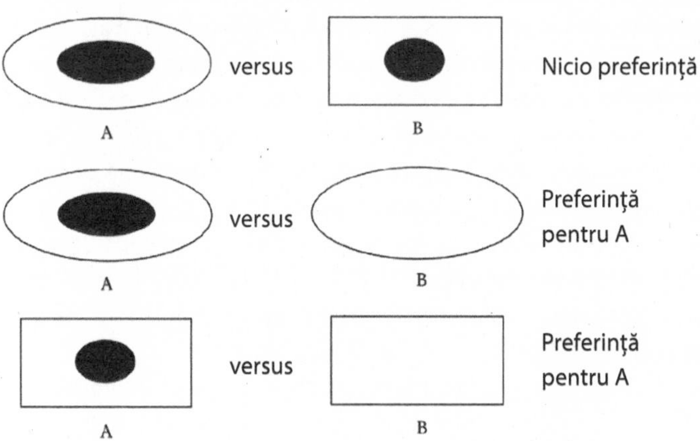

Concluziile de acest gen par să sugereze că nu există nimic special la ochi care să capteze atenția nou-născutului, ci pur și simplu „noutatea" stimulului – contrastul de percepție, inerent aspectului ochiului – care îl face neobișnuit de interesant. De asemenea, cu cât contrastul este mai mare, cu atât este mai simplu să delimităm orientarea.

„Avem o capacitate incredibilă", susține etologul american R.D. Guthrie, " de a stabili poziția exactă a privirii unui individ, chiar dacă e în cealaltă parte a camerei, doar pe baza estimării aliniamentului de simetrie al unui tipar rotund (iris) pe unul sferic (globul ocular). Expunerea sclerei albe ajută considerabil în acest sens. [Sclera] permite transmiterea unor semnale precise prin intermediul ochilor." Și iată cum am revenit la fețele abstractizate și privire. Și la beneficiile evolutive ale atenției sensibile la ochi.

Să fie deci talentul de a persuada spontan explicația atracției copilului nou născut pentru ochi la fel ca și plânsetele și aspectul lor drăgălaș? Stăpânesc nou născuții arta manipulării în starea cea mai pură? O capacitate străveche de a-și transmite mesajul: „Sunt vulnerabil. Sunt neajutorat. Iar voi – da, VOI! – trebuie să faceți ceva în privința asta?"

Dovezile prezentate în acest capitol par să susțină acest argument. Atât scenariul, cât și coloana sonoră a comportamentului nou-născutului, constituie o coregrafie ingenioasă sub bagheta selecției naturale, urmărind un obiectiv simplu: inducerea imediată a comportamentelor de îngrijire și de protecție. Simplitatea și empatia, elemente integrale stimulilor cheie ale convingerii la animale, se regăsesc și la copii. Țipătul unui nou-născut împreună cu aspectul lui, constituie un prototip străvechi, un exemplu prelingvistic de convingere. Observați, cum și incongruența percepției joacă un rol: în ceea ce privește aspectul, acei ochi largi, supradimensionați, în ce privește plânsul, acele modificări subite, dramatice, neașteptate ale tonalității.

Momentul în care ne naștem este cel în care suntem cei mai vulnerabili. Grație unei excelente pregătiri a evoluției, suntem și la maximumul capacității noastre de convingere.

Daryl, tâlharul londonez pe care l-am întâlnit la începutul acestui capitol, sigur nu m-ar contrazice. Dacă nu s-ar fi întâlnit cu unul dintre cei mai convingători oameni din lume, ar fi ajuns la pușcărie și în loc să bea cafele, ar fi mâncat terci.

Rezumat

În acest capitol, am continuat să analizăm fundamentele biologice ale influenței, urmărind puterile extraordinare de convingere ale copiilor. Nou născuții vin pe lume având doar două obiective simple – siguranța și hrana – și un stimulent copleșitor de a le obține. Cu toate acestea, nou născuții nu au un bagaj mare la îndemână. Lipsindu-le structurile neuronale pentru comunicarea sofisticată, par din cale-afară de nepregătiți pentru provocările care-i așteaptă. Cum ar putea avea o șansă de a supraviețui fără să poată vorbi?

Răspunsul, la fel ca în cazul animalelor, constă în stimulii-cheie. Un plâns irezistibil, o aplecare fundamentală către contactul vizual, și o drăgălășenie naturală, construiesc împreună o rază laser psihologică, a influenței: un fascicul țintit direct, către sistemele de recompensă ale creierului nostru. Nici cel mai mare șarlatan din istorie nu ar putea concura cu un bebeluș. Nu suntem niciodată mai convingători decât în prima noastră zi pe pământ.

În următorul capitol vom îndrepta reflectorul persuasiunii într-o direcție ușor diferită. Deși vom rămâne în zona influenței incisive, imediate, ne vom muta atenția către un alt tip de stimul-cheie, un stimul care afectează nu doar sistemele străvechi, subcorticale de recompensă, ci și procesul cognitiv: felul în care creierele noastre evaluează lumea.

În sfera persuasiunii, după cum am văzut, animalele și copiii au două avantaje distincte asupra noastră. Mai întâi, ele nu pot gândi. În al doilea rând, ele nu pot vorbi. Cogniția și limbajul au propriile căi de influență; și ele sunt la fel de rapide, precum cele mai primitive.

După cum vom constata, putem *învăța* să fim convinși.

Întrebare: Care este tipul de infracțiune pentru care e *mai* probabil să fiți condamnați dacă arătați bine?

Răspuns: Infracțiunile de înșelăciune și fraudă. Datorită efectului de halou, un aspect atrăgător constituie una dintre armele cele mai redutabile ale escrocului.

Capitolul 3

Jaful minții la drumul mare

Un bărbat pleacă la pescuit cu o undiță într-o mână, și o valiză în cealaltă. În timp ce urma să se urce în avion, unul dintre stewarzi îl oprește. „Cât de lungă e undița dvs.?“ întreabă stewardul. „150 de centimetri,“ răspunde bărbatul. „Îmi pare rău, domnule“, spune stewardul, dar nu se permite nimic mai lung de 120 de centimetri în avion. O puteți cumva îndoi?“ „Nu“, zise bărbatul. „Atunci îmi pare rău, dar va trebui să lăsați undița“ spune stewardul. Bărbatul e furios. La ce bun o excursie de pescuit, fără undiță? se gândea el. În timp ce încerca să se resemneze cu ideea de a anula excursia, i-a venit o idee. După câteva minute, atât el cât și undița erau la bordul avionului. Cum a rezolvat problema?

Pescar de oameni

Geniul unui escroc șmecher, psihopat presupune ceva mai mult decât încredere, șarm și aspect fizic (deși niciuna dintre ele nu strică). Nu mă credeți? Faceți cunoștință cu Keith Barrett.

În bună parte din anii 80 și la începutul anilor 90, Barrett a fost un escroc în serie. Se pricepea de minune la asta. Stăpânea la perfecție înșelătoriile cu bătaie lungă, care ținteau de regulă, dar nu în exclusivitate persoane juridice și care implicau sume mari de bani. Într-o bună zi, i-a venit și lui rândul. O escrocherie financiară, complexă, în valoare de un milion sau poate mai bine, l-a făcut să-și ia un concediu forțat. Când a fost eliberat, după 5 ani și după ce a avut o romanță cu psihologul închisorii, a văzut lumea diferit. L-a găsit pe Dumnezeu.

Încă de când era în școală, Barrett s-a priceput întotdeauna să-i convingă pe ceilalți să facă lucruri. Se considera un om de știință, iar mintea omenească era laboratorul lui. A reușit să învețe pe cont propriu majoritatea formulelor din manualele de psihologie.

Era un talent înnăscut în arta manipulării.

Nu a fost de mirare, că la șase luni de la momentul în care s-a alăturat bisericii din cartier, parohia a cunoscut o creștere nemaiîntâlnită a numărului de enoriași, iar pastorul cel tânăr era foarte încântat, dar și un pic nedumerit și se gândea serios să facă rost de o biserică mai mare. Grație lui Barrett, biserica era bine finanțată. Nu Barrett l-a găsit pe Dumnezeu, glumea pastorul, ci Dumnezeu l-a găsit pe Barrett.

Pentru Barrett, realitatea era ușor diferită. În loc ca biserica să reprezinte un nou început, ea oferea doar o nouă serie de oportunități. O nouă structură, pe care să încerce vechile experimente.

– „Persuadarea a fost și este o dependență“, îmi spune el. „Am o problemă cu înșelatul. Mă stimulează faptul că oamenii fac lucruri pe care altminteri nu ar fi dispuși să le facă. Și cu cât rezistența pe care trebuie să o depășesc e mai mare, cu atât mă simt mai bine. Toți le închidem ușa în nas celor care ne vin cu Biblia la ușă, nu? Așa că mi-am spus: mă pricep la ceea ce fac. Sunt unul dintre cei mai buni. Am un talent. Un dar de la Dumnezeu, cine știe? Doar că în trecut am folosit acest talent pentru propriile interese. De ce nu aș face-o ca să fac un bine?

Zâmbește.

– Sau asta i-am zis pastorului, în fine. Idiotul ăla pretențios ar fi înghițit orice, doar ca să dea bine în fața enoriașilor!

Tehnica lui Barrett era cel puțin neortodoxă. Era de-a dreptul ilegală. Abandonând hainele scumpe din vremurile de odinioară:

cravatele de mătase, pantofii Gucci, cămășile Armani și costumele de 2.000 de lire de pe Savile Row, a început să se îmbrace modest. În blugi, tenişi și cămăși sport: un adevărat simbol al stilului shabby chic. O asemenea schimbare de înfățișare (făcută, arată el glumind, împotriva tuturor instinctelor lui vestimentare *naturale*) subliniază atenția extraordinară la detalii, priceperea glacială, de prădător a unui virtuoz al persuadării.

Iată ce spune Vic Sloan, un alt escroc cu care am vorbit și care consideră că, o ținută trebuie să țină cont nu doar de stil, ci și de culori, precum și de proprietățile ascunse, de convingere ale unei cămăși roz:

– Creierul reacționează bine la culoarea roz, explică el. E un fapt dovedit științific. Rozul calmează. Această culoare produce un tipar unic de unde cerebrale. El provine din evoluția noastră. Oamenii din preistorie vedeau rozul la răsărit și la apus, momente care, dată fiind lumina ambientală și ritmurile circadiene, au devenit asociate cu somnul și relaxarea. Așa că, dacă încercați să țineți lucrurile sub control, rozul e o culoare bună.

Sloan ar putea să aibă dreptate. Succesul unei anumite nuanțe de roz – rozul Baker-Miller – în a-i calma pe criminalii violenți a fost atestat în multiple studii din Statele Unite. S-au raportat atât reducerea nivelului de anxietate, cât și tensiunea sistolică și diastolică la deținuții găzduiți în camere de această culoare, atât în centrele de detenție civile, cât și militare.[17] De fapt, în urma unui experiment de la University of Iowa, în care vestiarele echipelor oaspete au fost vopsite în roz Baker-Miller, pentru a reduce competitivitatea acelor jucători, Western Athletic Conference a adoptat imediat o reglementare, care interzice explicit aceste imixtiuni în designul vestiarelor. Legea nu ar fi putut fi mai clară. Pe viitor,

[17] După Alexander Schauss de la American Institute for Biosocial Research, dușumeaua de culoare maro-închis sau gri-neutru e cea mai bună, iar nivelul optim de iluminare – „care transmite o senzație mai blândă de luminare insuficientă, cu o distorsionare cromatică în spectrul roșu-portocaliu" – de aproximativ 100 de wați. În ceea ce privește știința din spatele acestor fenomene, există câteva speculații-studiile se concentrează asupra modificărilor metabolice la nivelul neurotransmițătorilor, precum serotonina sau noradrenalina, sau asupra hormonilor care deservesc hipotalamusul (partea creierului care supraveghează controlul emoțiilor). Se pare că rozul este Prozacul naturii.

se spunea, vestiarele pot fi orice culoare, atât timp cât, și cele ale gazdelor, și cele ale oaspeților sunt *aceeași* culoare.

M-am abătut de la subiect. După ce și-a schimbat garderoba, Barrett – îmbrăcat adecvat – se apuca de treabă. Și făcea asta printr-o tehnică pe care a descris-o drept cei „Trei A" ai influenței sociale: atenție, abordare și afiliere. Un astfel de cocktail, după Barrett, umple fluxul sangvin al creierului, cu atâta psihologie, încât beneficiarii își pierd orice rezistență la convingere. E echivalentul rohypnolului în convingere. Și totul e atât de ușor.

Țintind sistematic un grup preselectat de cartiere bogate, Barrett reușea să intre pe ascuns în mașinile locatarilor. După aceea dădea drumul la faruri, și apoi făcea pe „vecinul binevoitor" bătând la ușă, și spunându-le că au „omis" să stingă farurile. După ce începea o conversație cu victima (ca mulți din specia lui, Barrett ar putea să vândă spumă de ras talibanilor), el îi spunea că „trecea din întâmplare prin zonă" și apoi îi cerea, dacă putea, să facă o mică donație. În 90% dintre cazuri, avea succes. Solicitarea era atât de perfect sincronizată, încât era făcută nonșalant: taman atunci când Barrett se *îndepărta* de ținta lui. Încă o dată, atenție la detalii.

– Dacă trebuie să vă sune înapoi, trebuie să *preia inițiativa,* și să vă ceară intenționat să vă opriți, explică el, (fără să știe, și-au asumat un angajament mai mare decât dacă doar ați sta acolo pasivi și ați aștepta să vă dea ceva).

După ceva timp, locuitorii urmau să vadă în ziarul local anunțul bisericii pe care Barrett l-a convins pe pastor să-l publice. Legile psihologiei se vor ocupa apoi de restul. Faptul că au făcut o donație în trecut le induce locuitorilor un angajament față de Biserică. Și – ce naiba! – unii dintre ei chiar s-au uitat la anunț. Evident, nu toți. Doar unii dintre ei. Mai mulți decât ar fi fost, dacă ar fi văzut pur și simplu anunțul, *fără* să fi făcut o donație.

Și asta a fost, cum se spune. Simplu. Floare la ureche. Biserica era plină, iar Barrett și-a luat o parte din câștiguri.

Necunoscute sunt căile Domnului, așa e. Iar căile lui Keith Barrett sunt cele mai misterioase.

Liniile drepte

Keith Barrett e un geniu al răului. E un psihopat. Un agent dublu al evoluției. Un spărgător de minți, care și-a dedicat viața interceptării și decodării ADN-ului psihologic al voinței. Comutatoarele din creierul lui sunt montate altfel decât ale noastre, iar meteorologia lui neuronală e imprevizibilă. Cu toate acestea, Keith Barrett are o metodă. Dincolo de faptul că e un escroc lipsit de scrupule și rece, e unul dintre cei mai buni convingători. Iar ceea ce poate face cel mai abil dintre escrocii psihopați putem face și noi.

Am studiat de peste 15 ani principiile influenței sociale. Am întâlnit în această perioadă, multe taxonomii care, ca un soi de teorie a stringurilor în psihologie, pretind că au redus știința convingerii la niște formule bune de pus pe un tricou. Unele dintre ele, trebuie să recunosc, sunt mai bune decât altele. Vreți să știți ceva? Cei trei A ai lui Barrett – atenție, abordare și afiliere – se numără printre cele mai bune formule, și îmi oferă o validare empirică propriului meu model al influenței, pe care îl voi prezenta mai târziu.

– Poți privi situația astfel, spune Barrett. Știi caricaturile cu oameni celebri din ziar? Poți să recunoști persoana aproape din nimic, din detalii. Dacă desenezi câteva linii corect – dar *trebuie* să fie când trebuie – și apoi el o să zică ceva la modul „Hei, da, am înțeles!“ La fel și cu convingerea. Trebuie doar să știi, care sunt punctele creierului pe care trebuie aplici presiune. Unde sunt punctele psihologice oarbe ale oamenilor.

Are desigur dreptate în privința caricaturilor. Priviți exemplul de la pagina urmatoare.

Figura 3.1 – Economia artei: câteva urme de pix pot transmite foarte multe.

Știm cu toții despre cine e vorba, nu? Uitați-vă însă, cât de multă informație e transmisă de atât de puține elemente. Cum poate întreaga fizionomie a unei persoane să fie comprimată prin câteva mâzgălituri strategice. Exact cum spunea și Barrett, nu e vorba despre cantitatea de detalii, ci despre cum le plasezi.

Are dreptate și în privința punctelor de presiune. În paginile care urmează vom analiza câteva dintre ele. Vom decoda secretele psihologiei lui tenebroase. Folosind cei trei A ca un ghid, vom obține perspectiva escrocului despre cum putem îngenunchea un creier.

ATENȚIA

În orice moment, mii de stimuli ne inundă creierul din mediul înconjurător. Cu toate acestea, suntem conștienți – suntem atenți – doar la câtiva. Gândiți-vă la ce faceți în această clipă; de pildă, citiți această carte. În timp ce ochii se plimbă pe acest text, sunteți conștienți de cuvinte și de paginile pe care sunt tipărite, dar probabil că nu conștientizați – până când nu vă sugerez eu – ce fel de textură are cartea în mâna voastră. Motivul este simplu. Creierul dispune de un birou, care atribuie informațiilor priorități. Li se permite să treacă, doar informațiilor care sunt relevante pentru ceea ce facem în acel moment, care sunt proeminente în acel moment. Celelalte ajung în coșul de gunoi.

Încă din Antichitate, se știe că există modalități, prin care se poate accesa ilicit biroul de informații al creierului și poate modifica prioritățile acestuia. De pildă, în cazul hipnozei, capacitatea hipnotizatorului de a umbla la butoanele conștiinței, de a o orienta, ca un soi de antenă de satelit neuropsihologică, reprezintă un element esențial inducerii stării de transă. Și în magie derutarea atenției este un fenomen frecvent.

Distragerea atenției cognitive, face parte însă, și din persuadare. Ca și în cazul magiei, puterea constă în derută, o derută de ordin lingvistic, nu fizic. O persoană abilă în arta convingerii, ca și un iluzionist profesionist, va putea să controleze cu ușurință „direcția în spre care privim," dar, și mai important, în spre care *gândim*. De fapt, linia de demarcație dintre magie și convingere (mai țineți minte episodul cu Drayton Doherty și șopârla?), poate fi destul de difuză.

Un nebun și banii lui

Trei colegi de apartament intră într-un magazin de electrocasnice dorind să cumpere un televizor la mâna a doua, pentru sufragerie. Găsesc un model care le place, și îl întreabă pe vânzător cât costă. Vânzătorul le spune că prețul este 25 de lire, iar ei se decid să îl împartă în mod egal. Fiecare dă câte o bancnotă de 10 lire, iar vânzătorul se duce în spatele magazinului, unde are casa, pentru a le aduce restul.

În timp ce se duce să le aducă restul, îi vine o idee. Își spune că, dacă le-ar spune că a greșit, iar televizorul costă, de fapt, 27 de lire, ar putea să obțină un profit mai mare, și nimeni nu și-ar da seama. Vânzătorul se hotărăște așadar să procedeze astfel. Pune cele trei bancnote de 10 lire în casă, și scoate cinci monede de o liră, iar pe două dintre ele și le bagă în buzunar. Le spune apoi celor trei că a greșit la preț – televizorul costă 27 de lire, și nu 25, cum le-a spus inițial –, apoi îi dă fiecăruia câte o monedă de o liră.

Cei trei pleacă din magazin mulțumiți – chiar și la acest preț televizorul era un chilipir – iar vânzătorul e mulțumit că i-a mai stors de două lire. Toată lumea e mulțumită.

Dar stați puțin, sigur e o problemă aici, nu? Haideți să recapitulăm.

Cei trei colegi de apartament i-au dat vânzătorului 30 de lire, iar vânzătorul s-a întors cu cinci monede de o liră de la casă. Scăzând cele două pe care le-a oprit pentru sine, și cele trei monede de o liră pe care le-a dat celor trei ca rest, cât a plătit fiecare dintre ei pentru televizor? Nouă lire; corect.

3x9 lire = 27 de lire + 2 lire = 29 de lire.

Dintr-odată, ne lipsește o liră.

Așa apare o problemă spinoasă, deși foarte simplă. Majoritatea oamenilor – da, și eu mă număr printre ei – sunt nimiciți de această pseudoaritmetică. De ce? De ce ne încurcăm într-un lucru atât de simplu? Răspunsul ne aduce la realitate. Motivul pentru care ne încurcăm adesea în astfel de probleme, constă în faptul că avem un soi de „predispoziție" pentru a fi înșelați: avem un talent impresionant de a ne lăsa fraieriți.

Mecanismul e următorul. De-a lungul evoluției noastre, creierii noștri, prin asimilarea repetată a milioane și milioane de mici bucăți de informații, au învățat să o ia pe scurtătură. Să se folosească de reguli elementare în loc să calculeze de la zero fiecare problemă. Pentru a folosi o frază cunoscută, „am văzut deja asta." Facem presupuneri despre lume. Ne formăm anumite așteptări. Transformăm calculul diferențial, pentru a parafraza faimoasa remarcă a lui La Place, într-un exercițiu de bun simț. Pe baza acestor așteptări, devenim vulnerabili la trucuri mentale.

Scriitorul Kurt Vonnegut scria că „viața se întâmplă prea repede pentru a apuca să ne gândim la ea."

Selecția naturală îi dă dreptate.

Problema lirei lipsă se rezumă la ceea ce Keith Barrett ar fi definit ca fiind un „virus" al atenției. Creierul nostru este păcălit să caute răspunsul acolo unde nu ar trebui. După aceea – bum! –, la fel ca în cazul hipnozei, incredibilul se petrece chiar sub ochii noștri. Efectele sunt mult mai puternice decât am crede.

Priviți, de pildă, cele două fotografii cu Margaret Thatcher din Figura 3.2 de la pagina 82. OK, știu că sunt cu susul în jos. Trecând peste asta, care dintre ele vi se pare mai realistă? Cea din stânga sau cea din dreapta?

Figura 3.2 – Iluzia Thatcher

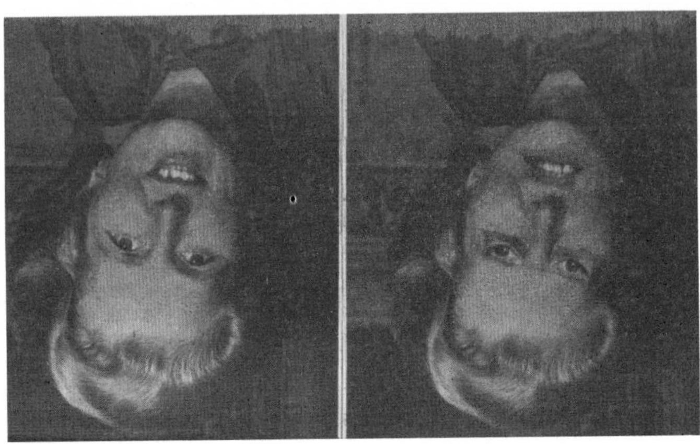

Gândiți-vă apoi la următoarea întrebare: câți de 9 sunt între 1 și 100?

Haideți, numărați: 9, 19, 29...

Citiți apoi următoarea afirmație. Citiți-o o singură dată – la viteză normală –, apoi numărați câți de A puteți găsi.

Rețineți, citiți textul o singură dată.

FOILE FINALE PAR SĂ FIE REZULTATUL UNOR ANI DE STUDIU FERVENT AL TEXTELOR DAR ȘI AL UNOR ANI DE EXPERIENȚĂ ȘTIINȚIFICĂ FRECVENTĂ.

OK, de câte ori apare litera F? Trei? Patru? Cinci?

Răspunsul corect e, de fapt, șase.

Nu vă faceți griji dacă nu ați nimerit răspunsul corect, se întâmplă și la case mai mari. Mulți oameni fac aceeași greșeală. Chiar și dacă ați citit de mai multe ori textul, e probabil că nu ați numărat corect. Majoritatea oamenilor au nevoie de cel puțin trei încercări.

Același lucru e valabil și în cazul cifrei 9. Câți de 9 ați nimerit? Zece? Unsprezece, poate? Dacă v-aș spune că răspunsul e 20, nu m-ați crede. Cum rămâne cu 90, 91, 92, 93...?

Și „iluzia Thatcher“ e la fel de bizară. Dacă nu ați făcut asta deja, încercați să întoarceți Doamna de Fier.

În ceea ce-l privește pe pescarul de la începutul capitolului, Pitagora ar fi putut rezolva problema. E un exemplu de gândire în interiorul cutiei.

Figura 3.3 Triunghiul 3-4-5

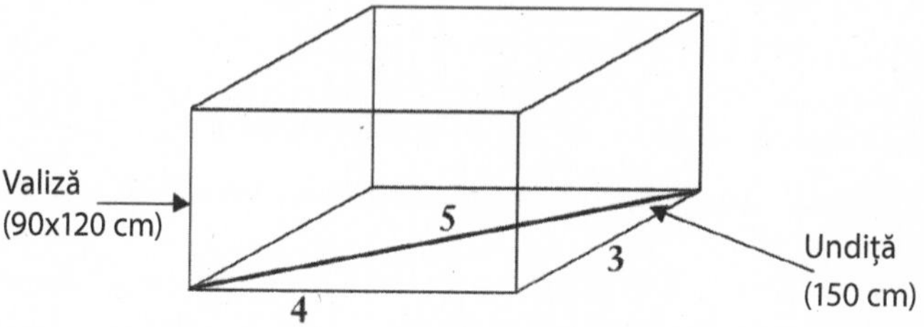

Confuzii deja trase

Aceste coji de banană cognitive, și tendința creierului nostru de a aluneca pe ele, constituie ceea ce în limbaj psihologic denumim un „set mental“. În limbajul de zi cu zi, un set mental se traduce aproximativ prin „stare de spirit“, referindu-se la starea de „pilot automat“ în care ne achităm de responsabilitățile cotidiene, fără să ne dăm seama.

În ceea ce privește felul în care porcesăm limbajul, de plidă, o astfel de stare de pilot automat, ne dezvăluie puterea fenomenală a minții omenești. Conform studiilor efectuate de Universitatea Cambridge, nu contează în ce ordine sunt prezentate literele din cuvinte, atât timp cât prima și ultima literă sunt la locul lor. Restul poate fi o harababură totală și, cu toate acestea puteți citi fără nicio problemă.

Acest fenomen se datorează faptului că mintea omenească nu citește fiecare literă în parte, ci cuvântul în ansamblul lui. Acest fenomen se manifestă mai ales în cazul cuvintelor relativ comune, cum ar fi „care“, ceea ce înseamnă că, e mai puțin probabil ca în astfel de exemple să fie procesate componentele individuale. Uimitor, nu?

Setul mental explică și de ce manipulatorii precum Keith Barrett pot adesea să-i convingă pe niște străini să facă lucruri scandaloase, fără niciun motiv întemeiat. Ellen Langer, profesor de psihologie la Universitatea Harvard, a demonstrat acest fapt într-un experiment efectuat în apropierea unui copiator. Știind că toți detestă persoanele care se bagă în față la coadă și copiatul (pe lângă incest și crimă, nu m-ar mira ca antropologii să le declare tabuuri universale), Langer a inventat două tipuri de scuze care i-ar fi permis unui coleg să se bage în față. Prima dintre scuze era că persoana în cauză se grăbea teribil și avea de copiat o singură foaie: o aberație standard, dar eficientă. Cea de-a doua era următoarea: *Vă rog, pot să folosesc eu primul copiatorul, pentru că trebuie să folosesc copiatorul*?

În mod incredibil, se pare că această a doua aberație s-a dovedit la fel de eficientă ca prima: o dovadă clară că, în aceleași împrejurări, motivele sunt procesate la fel precum cum cuvintele de tipul „care". Atât timp cât există, nu ne obosim să le analizăm prea mult. Ele sunt prezente – la marginea atenției – și asta e suficient. Ele constituie, pe scurt, o parte inviolabilă a sintaxei vieții cotidiene (ați depistat greșeala? uitați-vă cu două propoziții mai sus.)

Mireasa și vuietul mașinii

Virușii atenției, precum setul mintal, sunt o slăbiciune la care suntem cu toții predispuși, din când în când. Și nu doar când stăm la coadă la copiator. După cum am constatat mai devreme cu literele A și cifra 9, sunt ocazii în viață când creierii noștri au iluzii de mărire: când se hotărăsc înaintea *noastră*!

Jim și Ellie Ritchie au aflat de setul mental într-o situație dificilă. Pe la jumătatea petrecerii de nuntă, organizată la un hotel luxos din Scoția, cavalerul de onoare a constatat dintr-odată că nu mai găsea cadourile unde le pusese. După ce a întrebat personalul, o fată de la recepție a lămurit situația. Cu vreo oră înainte, veniseră câțiva bărbați și un camion. Bărbații erau în uniformă și au prezentat o hârtie. Nu vă faceți griji, au spus ei, totul a fost aranjat. Au încărcat camionul și s-au cărat.

„Aranjat?" a întrebat cavalerul de onoare. „Cum adică, aranjat?" Recepționera a început să intre în panică. „Aranjat", a zis ea.

„Cadourile. Au fost duse înapoi acasă." „Care casă?" a întrebat cavalerul de onoare. „Uhm, nu știu", a zis recepționera. „Am crezut că... poate..." A izbucnit în lacrimi. „La casa mirelui?" Căcat! și-a zis cavalerul de onoare. Cuplul locuia la peste 1.000 de kilometri distanță.

Totul a ieșit la iveală mai târziu. Se pare că recepționera nu verificase actele de identitate ale bărbaților. Chiar în timp ce intraseră acei bărbați, ea discuta de mult timp cu clientul de la camera 308. Era o problemă cu room-service-ul, spunea ea. I-a lăsat pur și simplu să intre. În plus, remarcase ea, de ce i-ar fi bănuit? Păreau credibili. Nu erau?

Din păcate pentru Jim și Ellie, nu erau. Și nici tipul de la camera 308 nu era. Camera fusese rezervată pe numele Smith. La momentul în care Smith se plângea de chelner, camera era, ați ghicit, goală. Smith încă nu apăruse. De fapt, nu a mai apărut niciodată.

Infracțiunile bazate pe distragerea atenției, sunt la ordinea zilei pentru escrocii obișnuiți. Nici nu trebuie să vă pricepeți prea mult la asta. Când i-am povestit lui Keith Barrett, a început să râdă. Ăștia probabil că s-au uitat în ziarul local, credea el, căutând nunți. După aceea și-au încercat norocul. Nimic personal, desigur. Era vorba doar despre afaceri. Nu trebuie decât să pari credibil. Să ai un pic de încredere. Și să te bazezi pe capacitatea creierului de a trage concluzii. O zi necinstită de muncă.

(Vreți o demonstrație a felului în care – la fel ca recepționera noastră – lipsa de atenție ne face să tragem concluzii? Încercați exercițiul de la finalul capitolului, pagina 110.)

Poate că nu ar trebui totuși să blamăm prea mult recepționera. La urma urmei, nu *ea* a fugit cu cadourile. Dacă ar trebui să acuzăm pe cineva, timidul Smith este adevăratul arhitect al jafului, misteriosul oaspete din camera 308. Smith acționează deviind atenția: e un magnet care derutează toate resursele psihologice ale recepționerei de la problema reală, către una inventată; la fel cum un fals om de la gaze ar putea arăta o legitimație contrafăcută, apoi imediat după, sau mai bine simultan ar începe o conversație pentru a vă face să nu vă uitați mai atent. Poate că vă stă bine părul. Sau mașina din fața casei e frumoasă. Și vă treziți dintr-odată că aveți datorii. Și că vă sună oamenii de la bancă. Cuvintele, mai ales cele frumoase, pot întrerupe foarte bine circuitele cognitive.

Eforturi cerebrale

Efectele distragerii atenției asupra capacității noastre de a lua decizii ilustrează nevoia de a rămâne atenți sub presiune. Să verificăm legitimația tipului de la gaze. Să cerem informații despre el. Resursele cognitive sunt la fel ca oricare alte resurse. Sunt limitate. Acest fapt are consecințe asupra felului în care le alocăm. V-ați întrebat vreodată, când citiți despre ei în ziare, cand auziți de ei la televizor, de ce mulți dintre cei mai buni escroci din lume sunt adesea și cei mai buni fermecători? Există un motiv. Vorba dulce nu e ieftină. E o stare cerebrală dificilă, greu de întreținut și constituie o *povară cognitivă* mult mai mare – ne solicită mult mai mult resursele cognitive limitate – decât opusul, verificarea realității. Aceasta înseamnă că, dacă acceptăm complimentele, ne consumăm resursele. Resursele cerebrale. Ne rămân astfel mai puține resurse pe care să le investim în gândire critică.

Principiul „poverii cognitive" – anume cu cât creierul nostru trebuie să efectueze mai multe operațiuni simultan, cu atât resursele disponibile se epuizează mai repede – poate fi demonstrat printr-un exercițiu simplu de atenție de mai jos. Acoperiți mai întâi ambele figuri cu o foaie albă de hârtie. După ce le-ați acoperit, dezvăluiți figura din stânga și localizați „X"-ul îngroșat. Descoperiți figura din dreapta și faceți același lucru.

Figura 3.4a și 3.4b -Găsiți X-ul.

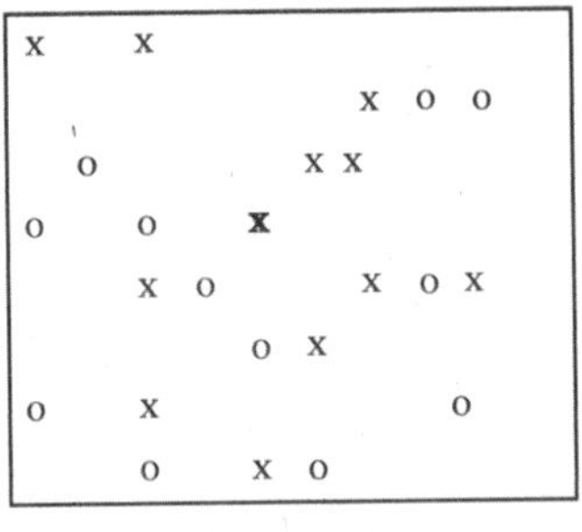

Figura 3.4a

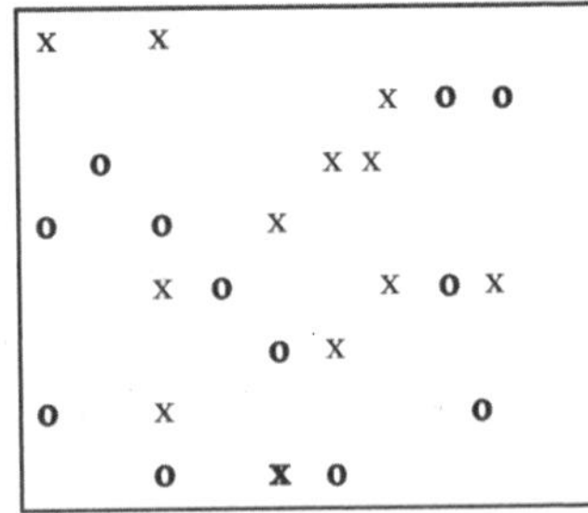

Figura 3.4b

A fost mai ușor să găsiți **X**-ul îngroșat în prima sau în a doua imagine? Pun pariu că în prima. Motivul? În a doua imagine, creierul este solicitat de *două* ori mai mult decât în prima. În prima imagine, creierul nu trebuie să distingă decât contrastul. În cea de-a doua, trebuie să distingă atât contrastul cât și forma.

Cu toate acestea, povara cognitivă ne poate fi și favorabilă. În mod ironic (dat fiind că e o metodă preferată a escrocilor), când creierul nostru se află sub un pic de presiune – sporind cantitatea de informații pe care trebuie să le proceseze –, el poate detecta mai ușor dacă cineva minte. Și totul are sens, dacă vă gândiți. Cu cât îi dați cuiva mai mult timp ca să se gândească, cu atât creierul are mai puține resurse disponibile prin care să poată ascunde adevărul. De fapt, în interogatoriile poliției și armatei, aceasta constituie o practică standard. Tehnici validate - precum schimbul de priviri „pline de semnificație" între polițiști, apropierea fizică, manipularea brutală, poziționarea deținuților departe de așa-numitele puncte de control (cum ar fi comutatoarele de lumină sau clanțele), ofițeri chemați în afara camerei sub pretextul unor „informații noi" care ar fi ieșit la lumină, „dovezi incriminatoare" (care sunt uneori doar foi goale) puse pe masă și dosare cu toate informațiile ascunse, în afară de numele suspectului - constituie, dacă sunt introduse la momentul potrivit, arme din arsenalul persuadării bazată pe distragerea atenției.

Asta ca să știți. Pentru data viitoare.

ABORDAREA

Nu există doi oameni care să vadă același obiect în mod identic. Vechii empiriști ne spuneau asta, și aveau dreptate. Există întotdeauna mici diferențe de percepție între indivizi. Pe de altă parte, când vine vorba despre felul în care vedem lumea, în general, avem mult mai multe în comun decât am crede.

Gândiți-vă la următorul scenariu. Imaginați-vă că cineva alege la Loto numerele 1, 2, 3, 4, 5 și 6. Care dintre variante vi s-ar părea mai amuzantă?

Dacă numerele câștigătoare ar fi 4, 14, 22, 33, 40 și 45?

Sau dacă ar fi 7, 8, 9, 10, 11 și 12?

Aproape toată lumea spune că a doua variantă e mai amuzantă (asta dacă nu cumva era chiar biletul lor la Loto). De ce însă? De fapt, probabilitatea ca biletul de loterie să conțină fie prima variantă, fie a doua este complet egală.

Să luăm un alt exemplu. Imaginați-vă că participați la o tombolă, iar biletul câștigător are numărul 672. Când v-ați simți mai nedreptățiți? Dacă aveați biletul numărul 671? Sau dacă aveați biletul 389?

Aceste două exemple ne dezvăluie o particularitate interesantă a creierilor noștri. Ei sunt leneși și cad pradă adesea obișnuinței. În loc să decidă de fiecare dată pe baza unor ingrediente proaspete, de sezon, ei preferă varianta ambalată: un raționament descongelat, plin de presupuneri și de idei preconcepute.

O astfel de informație poate fi periculoasă dacă nu ajunge unde trebuie. În sport, capacitatea de a citi intenția adversarului și de a ști ce-l motivează și cum va juca o anumită fază constituie obiectivul oricărui sportiv.

Și în persuasiune e exact la fel.

Povești cu oameni înalți

Imaginați-vă că lucrați pentru o companie de marketing, și procesați sondaje ale unui eșantion de bărbați adulți din Statele Unite. Unul dintre bărbați, care a declarat că are o înălțime de 1,95 metri, nu a oferit un răspuns exact în privința locului de muncă. Nu e clar dacă a bifat „bancher" sau „baschetbalist". Veți decide în locul lui. Ce profesie ați alege?

Dacă ați ales „baschetbalist", vă felicit! Ați ales același răspuns ca 78% dintre studenții de anul I de la Cambridge. Din nefericire însă ați ales răspunsul greșit; ca și ei.

Să încep prin a vă pune următoarea întrebare. Din populația totală a Statelor Unite, care credeți că este grupul mai bine reprezentat: baschetbaliștii profesioniști sau bancherii? Cred că veți fi de acord că bancherii sunt mai numeroși. Să dăm fiecărui grup o cifră arbitrară. Să zicem că sunt 300 de baschetbaliști profesioniști și 15.000 de directori de bancă.

OK, acum dintre acești 300 de baschetbaliști profesioniști, câți credeți că au peste 1,95 metri? 60%? 70%? Să zicem 70. Asta înseamnă, după calculele mele, că ar fi 210 baschetbaliști profesioniști peste 1,95 metri.

Să ne gândim la bancheri. Dintre cei 15.000, câți dintre *ei* credeți că au peste 1,95 m? Să luăm o estimare conservatoare și să spunem 2%.

Cu toate acestea, chiar dacă doar 2% dintre bancheri ar avea peste 1,95 metri, sunt totuși 300 de oameni, ceea ce înseamnă că sunt cu 90 de bancheri peste 1,95 metri, mai mult decât baschetbaliști.

O, Doamne!

Acest exemplu cu baschetbaliști și bancheri ne introduce în cel de-al doilea ingredient esențial al influenței: *abordarea*. În sistemul lui Barrett abordarea se referă la atitudinile și la convingerile noastre despre lume. Sau, mai exact, la felul în care aceste atitudini și convingeri afectează deciziile pe care le luăm. Motivul pentru care ne descurcăm atât de prost la sarcinile de acest tip, e foarte simplu. E vorba despre felul în care creierul nostru procesează informațiile despre lume. Despre cum își organizează hârțoagele.

În exemplul de mai sus, creierul trebuie să rezolve un mister. E nevoie de aptitudini de detectiv. „Crima“ este faptul de a avea peste 1,95 metri și există doi „suspecți“: bancherul și baschetbalistul. În baza acestor informații preliminare, creierul scanează baza de date – „E doar un control de rutină, domnule“ – obținând niște informații interesante pe ecran. Baschetbalistul are un „cazier“ pentru acest gen de crime. Bancherul nu are însă niciun cazier. Pe baza unor astfel de „probe“, ce face creierul? Ca orice detectiv cu experiență, el îl cheamă pe baschetbalist la audieri și decide să nu se mai deranjeze în ceea ce-l privește pe bancher.

Analogia cu creierul ca bază de date criminalistică nu o veți întâlni prea frecvent în paginile cărților de psihologie. Și există motive întemeiate pentru asta. În ce ne privește pe noi, ea se potrivește destul de bine. La fel ca un astfel de sistem, creierul nostru creează un profil prin care procesează informațiile conform unor probabilități percepute, și a unor asocieri cunoscute. Raționează rapid. Sau, ca să folosim terminologia corectă, se folosește de *euristici*.

Cât despre înălțime, a avea 1,95 metri sau peste reprezintă un factor „cunoscut“ de asociere cu noțiunea de jucător de baschet. Prin urmare, pare mult mai probabil că există o corespondență între înălțimea de 1,95 metri și a fi jucător de baschet, decât între această înălțime și un bancher. În limbajul formal al psihologiei cognitive, ne formăm o *schemă* sau o *rețea asociativă* de bancheri și baschetbaliști – un concept general despre „cine suntem“ –, iar aceste scheme se bazează pe anumite caracteristici proeminente, cum ar fi „e înalt“ sau „poartă cravată și cămașă.“ Odată ce aceste date sunt introduse în sistem, cei aflați la dosar care „se potrivesc descrierii“, sunt etichetați pentru a fi analizați. Cu toate acestea, după cum am putut constata, adevărații vinovați nu sunt detectați.

Pătratul magic

Euristicile constituie o metodă indispensabilă în viața cotidiană. Ele sunt echivalentul cortical al tiparelor fixe de acțiune ale animalelor pe care le-am analizat în Capitolul 1: rafale scurte, acute de comportamente automate, declanșate de prezența unui stimul cheie. Ele ne oferă scurtături subterane pe sub traficul aglomerat de zi cu zi al conștiinței, care permit creierului să ajungă de la un punct la altul mai rapid. Aceste scurtături sunt periculoase, iar escrocii precum Keith Barrett le cunosc foarte bine. Sunt rapide. Sunt întunecate. Și sunt pline de gheață neagră psihologică. Accidentele, după cum am putut constata, sunt frecvente.

„Creierul“, spune Barrett, „e ca un joc de-a Șerpii și Scările. Poți merge pe drumul lung și să treci prin fiecare căsuță. Sau poți atinge scara la 9 și sări direct la 90“.

E o scară pe care a urcat frecvent.

Din punctul de vedere al evoluției, nu putem ocoli aceste concluzii. Poate cu excepția aparatelor de la ghișeul de check-in de la aeroportul Heathrow, creierul omenesc e cea mai complexă mașină din lume. Cu toate acestea, suntem programați să luăm țeapă. Cu toate acestea, luând în calcul rezultatele pe termen lung, această nebunie are sens. Indiferent cât de inteligenți sunt creierii noștri, nu putem verifica dacă toate informațiile care ni se prezintă, sunt adevărate. Viața e, la propriu, prea scurtă. Vom proceda la fel ca un doctor care diagnostichează o boală (sau ca un detectiv care rezolvă o crimă) și va trebui să ne bazăm pe simptomele „cunoscute" – pe stimuli cheie care ne oferă superinformații – pentru a ne ghida comportamentul. Nu sunt pete, ca la pescăruși. Sau orăcăieli, ca la broaștele-clopoțel din Louisiana. E vorba despre înțelepciunea profundă, acumulată a asocierilor învățate. Uneori, din cauza afinității nefericite a creierului pentru scurtături, vom greși răspunsul.

Marile speranțe

Fenomenul de mai sus în privința bancherului și a baschetbalistului, e cunoscut în psihologie sub numele de *euristica reprezentativității*: o regulă pe baza căreia creierii noștri calculează probabilitatea unei ipoteze, luând în calcul în ce măsură se acordă cu datele de care dispunem deja. Și asta nu se întâmplă doar când completăm formulare. Într-un studiu care analizează efectele așteptărilor asupra gustului, Hilke Plassman și colegii ei de la California Institute of Technology, au schimbat etichetele de preț de pe o sticlă de cabernet. Unor voluntari li s-a spus că sticla costă 10 dolari. Altora li s-a spus 90 de dolari. A afectat această diferență de preț felul în care persoanele au perceput vinul?

Cu siguranță.

Participanții cărora li s-a spus că sticla costă 90 de dolari au considerat că e un vin mult mai bun decât cei care credeau că face 10 dolari.

Și asta nu a fost tot. După ce a analizat cu un aparat de RMN funcțional efectul asupra creierului subiecților – în activitatea neuronală din profunzimile creierului –, Plassman a constatat că această percepție are rădăcini organice. Nu doar că vinul mai „ieftin" avea un gust mai ieftin, iar cel mai „scump", mai scump, dar vinul mai prețios a stimulat și cortexul orbito-frontal median, partea creierului care reacționează la experiențele plăcute.

Și în cazul experților s-au constatat rezultate asemănătoare. Cognitivistul Frederic Brochet de la Laboratorul General de Oenologie din Franța a luat un Bordeaux obișnuit și l-a pus în două sticle diferite. Una dintre etichete era un grand-cru luxos, cealaltă variantă era un *vinul casei.*

Au avut sticlele un impact asupra bolții palatine rafinate a cunoscătorilor? Sau au putut experții să-și dea seama că sunt înșelați?

Nicio șansă.

În ciuda faptului că era vorba, ca și în studiul lui Plassman, despre același vin, experții au evaluat sticlele diferite... diferit. Grand cru a fost descris ca fiind „agreabil, lemnos, compelx, echilibrat și bine rotunjit", în vreme ce *vinul casei* a fost desființat: „slab, scurt, lejer, plat și defect."

John Darley și Paul Gross de la Universitatea Princeton au dus experimentul și mai departe: au demonstrat efectul într-un studiu despre clasele sociale. În varianta lor, participanții evaluau performanța unui copil care rezolva o serie de probleme de matematică. Participanții au fost împărțiți în două grupe. Una dintre grupe știa că copilul provine dintr-un context socio-economic *sărac*, în vreme ce cealaltă grupă credea opusul: li s-a spus că copilul provine dintr-un context socio-economic bogat.

Care grupă credeți că a evaluat favorabil inteligența copilului? Corect: cei cărora li s-a spus că copilul are un statut socio-economic bogat. De asemenea, această prejudecată nu se rezumă doar la matematică ci se regăsește și în evaluarea inteligenței *generale*. Cei care credeau că copilul are un statut socio-economic scăzut au considerat că performanța lui e sub medie, în timp ce aceia care credeau că are un statut socio-economic înalt au considerat că e peste medie. Statutul socio-economic – fie că e vorba despre vin, oameni sau orice altceva – constituie un stimul cheie al abordării. Și ne viciază percepția mai mult decât suntem dispuși să ne dăm seama.[18]

[18] Puteți verifica acest fapt în Anexa 1 (p. 283) oferind prietenilor descrierile sumare – și exercițiul de formare a opiniilor – prietenilor voștri. Veți fi uimiți cât de multe le transmite celorlalți, chiar și un amănunt atât de simplu, precum tipul de casă în care trăim!

Mă gândesc la ceva

Așteptările nu au desigur impact doar asupra *percepțiilor* performanței. Ele pot să afecteze chiar și performanța în sine. Să luăm de pildă mediul academic. Când susțin examenul GRE-Graduate Record Examinations în Statele Unite, voluntarii negri se descurcă mai puțin bine dacă li se spune înaintea examenului, că rezultatele reflectă inteligența unei persoane. Acest tip de concluzii, în care senzația de inferioritate legată de un *grup* căruia îi aparținem ne poate afecta rezultatele ca *indivizi*, reflectă așa numita „amenințare a stereotipului“ - „stereotipul pozitiv“ descrie, pe de altă parte, fenomenul opus: atunci când senzația superiorității unui grup *înlesnește* performanța.

Margaret Shih de la Harvard a reușit să demonstreze acest fenomen printr-un experiment. Studiind rezultatele femeilor din Asia, Shih a constatat că, atunci când femeilor li se sugera să se considere „femei“, se descurcau *mai rău* la matematică, decât bărbații, confirmând astfel stereotipurile legate de creierul „masculin versus feminin“. Pe de altă parte, atunci când li s-a spus să gândească că sunt „asiatice“, au avut o performanță *mai bună* decât bărbații; stereotipul despre asiatici este că au o performanță mai bună decât alte grupuri la matematică. Jeff Stone de la Universitatea din Arizona a constatat rezultate similare în sport. Când își reprezintă golful ca o măsură a capacității atletice, sportivii negri sunt mai buni decât albii. Dacă golful este descris ca un joc de strategie cognitivă, tendința se inversează în mod misterios: albii au o performanță mai bună decât negrii. Ca și statutul socio-economic, rasa e un alt stimul cheie al abordării.

Disponibilitatea este un concept înrudit cu reprezentativitatea. În timp ce reprezentativitatea se referă la felul în care creierul nostru face deduceri *probabilistice* despre relațiile dintre diferite variabile (de exemplu, ocupație și înălțime, statut socio-economic și capacitate de învățare), disponibilitatea descrie o deducere cu un caracter mai degrabă „temporal“: tendința noastră de a încurca *frecvența* cu care se petrece un eveniment, cu ușurința cu care ne putem aduce aminte de exemple ale respectivului fenomen.

Pentru a demonstra acest fenomen, gândiți-vă la aceste propoziții fericite:

Mai mulți oameni mor împușcați decât din cauza astmului.

Mai mulți oameni mor de cancer decât din cauza unui accident vascular cerebral.

Mai mulți oameni mor în accidente decât din cauza emfizemului pulmonar.

Mai mulți oameni mor din cauza omorurilor decât în inundații.

Cu câte dintre aceste estimări sunteți de acord? E vorba doar de șansă? Dacă o să credeți că e vorba despre noroc, se întâmplă și la case mai mari. Majoritatea oamenilor sunt de aceeași părere. Veți avea însă o surpriză. Toate aceste estimări sunt greșite. Unele dintre ele sunt foarte greșite. Întrebați-vă următorul lucru. Dintre toate genurile de morți de mai sus, care sunt cele despre care auziți cel mai des? Care sunt cele care sunt cele mai „disponibile" în memoria voastră?

E greu de transmis puterea unei euristici a disponibilității fără un exemplu concret. Să analizăm deci un astfel de exemplu chiar acum. Uitați mai jos o listă cu nume. Citiți-le cu atenție și apoi, după ce ați terminat, acoperiți-le cu o foaie de hârtie:

Elizabeth Taylor	Mark Radcliffe	Michelle Obama	Hillary Clinton
Andrew Marr	Raymond Carver	Agatha Christie	Stuart Rose
Angelina Jolie	Madonna	Norman Foster	Amy Winehouse
Ian Poulter	Margaret Thatcher	Cheryl Cole	Chris Martin
Oprah Winfrey	Anthony Eden	Steve Jobs	Paul Simon
Robert Frost	Kate Moss	Rowan Williams	Britney Spears
James Nesbitt	Barbara Streisand	Damien Hirst	Bruce Chatwin
Ruby Wax	Florence Nightingale	Ranulph Fiennes	Prințesa Diana

OK. Acum, că ați citit numele, încercați să vă aduceți aminte cât mai multe dintre ele. Estimați apoi, dacă sunt mai multe femei sau mai mulți bărbați în listă.

Doar după ce ați estimat, continuați să citiți...

Ați estimat? Grozav, care e răspunsul? Sunt mai multe femei decât bărbați? E în regulă, majoritatea oamenilor cred asta. Uitați-vă din nou la listă. Numărați numele. Nu e amuzant?

Numărul bărbaților și al femeilor este identic. Ați observat și altceva; poate că femeile sunt mai cunoscute?

Iată un alt exemplu. Dați-vă 60 de secunde pentru a găsi cât mai multe cuvinte care să corespundă tiparului _ _ _ _ _ n_ . După ce ați terminat, repetați testul, doar că după tiparul _ _ _ _ _nă.

E destul de probabil că veți găsi mai multe cuvinte cu al doilea tipar decât cu primul. De fapt, *nu* ar trebui. Dacă vă uitați, primul exemplu e identic cu al doilea, doar că litera „ă" este ștearsă. Aceasta înseamnă că orice cuvânt care respectă primul tipar îl va respecta automat și pe al doilea. Ceea ce înseamnă că – așa e – cuvintele care se potrivesc cu primul tipar sunt mai frecvente.

Cuvintele care se potrivesc cu al doilea tipar sunt mai ușor de evocat în minte.

Atingere ușoară

Predispoziția noastră naturală de a trece la concluzii, de a reacționa, complet instinctiv, la ceea ce am putea defini drept stimuli cheie „conceptuali" – constructe care conțin niveluri ridicate de reprezentativitate și disponibilitate, de pildă – oferă ținte ușoare rechinilor influenței sociale. Și desigur, celorlalți dintre noi. După cum ne subliniază cu o oarecare răceală Keith Barrett, dacă știți unde sunt scările, și vă descurcați cu zarurile, jocul și pentru acești tipi chiar *e* un joc se termină destul de repede.

Să-l luăm pe Shaffiq Khan, de exemplu. Khan, ca și Barrett, e un alt psihopat superalunecos. Khan, spre deosebire însă de Barrett, își concentrează puterea de convingere asupra indivizilor, nu a corporațiilor. Motivația lui Khan e viața bună. „Nu există lux la care să nu aspir", îmi spune în timp ce luăm masa într-un restaurant șic din Londra. După cum arată – Rolex, Porsche, Armani –, ar fi dificil să-l contrazici.

Metoda lui Khan e dezarmant de simplă. El călătorește peste tot ca un antreprenor fermecător (ceea ce și este, într-un fel), manifestând o aplecare fără scrupule, către arta de a arăta bine. Stă la cele mai bune hoteluri. Frecventează cele mai la modă baruri.

Zboară întotdeauna la clasa întâi. În aceste zone exclusiviste își face meseria: farmecă și apoi seduce, uneori angajatele, alteori alți clienți, pe care îi jupoaie apoi de bani.

Khan e discret când vine vorba despre metodele lui, însă ne oferă următorul pont:

– Atingerea e importantă – contactul fizic. Vedem asta la primate, în timp ce se îngrijesc unele pe celelalte. E o metodă de a te face plăcut. Tu mă scarpini pe spate, și eu te scarpin pe spate. În cazul oamenilor, cei cu statut scăzut se fac plăcuți în fața celor cu statut mai ridicat față de ei.[19] Din nou, la fel ca la primate. E un comportament programat de evoluție. Ei încearcă să construiască un raport, să obțină favoruri prin atingeri. Prin urmare, creierii noștri sunt programați să se aștepte de la oamenii cu statut mai scăzut să fie mai tactili. Dacă inversați această așteptare – și eu asta fac întotdeauna: încep întotdeauna atingând cu blândețe brațul sau spatele – veți transmite un semnal puternic. Veți spune: *sunteți* valoros pentru *mine* în loc să fie invers. Și ei se vor întreba: de ce sunt *eu* valoros pentru *el*? El are deja tot ce îi trebuie. Trebuie că chiar mă place.

Deși aparent superficială, metoda lui Khan, e de fapt, destul de stimulantă. Pentru lingăi, atât euristica de reprezentativitate, cât și cea de disponibilitate ne spun că cei cu un statut mai scăzut se gudură pe lângă cei cu un statut mai ridicat. Dacă sfidăm această așteptare, introducem un element de antiteză- dăm drumul la luminile de avarie pe autostrăzile cognitive super-rapide, și dintr-odată, în mod dramatic, apăsăm pe frână. Trebuie să înțelegem ce se petrece.

Psihologul David Strohmetz și colegii lui de la Monmouth University, au demonstrat un principiu foarte asemănător cu cel folosit de Khan. În cazul lui Strohmetz însă scopul nu este să-i

---

[19] La fel ca Sloan cu cămășile lui roz, Khan ar putea să aibă dreptate aici. În cartea lui *The Right Touch: Understanding and Using the Language of Physical Contact (Hampton Press, 1994)*, Stanley E. Jones descrie un experiment efectuat într-o organizație de sănătate publică. El scrie următoarele: „Grupul studiat era o clinică de dezintoxicare, unde se tratează alcoolismul. Era un context ideal în care să studiezi statutul, rolurile de gen și atingerea...[Concluziile] demonstrau două tendințe clare. Mai întâi, femeile îi ating mai mult, în medie, pe bărbați decât invers. În al doilea rând, *atingerea are tendința de a se îndrepta în sus, nu în jos, în cadrul ierarhiei.*" (sublinierea autorului.)

jupoaie pe oameni de bani, ci doar să mărească suma lăsată bacșiș în restaurant. Strohmetz i-a împărțit pe clienți în trei grupuri, în funcție de câte dulciuri a primit fiecare la finalul mesei. Un grup de clienți a primit o bomboană, un alt grup, două, iar al treilea... aici e șmecheria. Mai întâi le-a adus o bomboană, apoi a plecat. După care s-a întors (de parcă s-ar fi răzgândit) și a mai pus o bomboană. Așa că un grup a primit o bomboană. Și două grupuri au primit două . Dar cele două grupuri care au primit două bomboane, le-au primit în moduri diferite. Ați înțeles?

Au avut numărul, și felul în care au fost distribuite, vreun efect, așa cum se aștepta Strohmetz, asupra dimensiunii bacșișului?

Cu siguranță. Spre comparație cu un grup de control de clienți care nu au primit *nicio* bomboană (grozav!), cei care au primit *una* au plătit, în medie, cu 3,3% mai mult. Nu e o investiție rea pentru o cheltuială de mai puțin de 10 cenți. În mod similar, cei care au primit două bomboane, au lăsat la masă un bacșiș, din nou, în medie, cu 14,1% mai mare. Chiar și mai bine. Cel mai mare procentaj l-au înregistrat însă cei care au primit mai întâi un dulce, apoi un altul: o creștere uluitoare cu 23% a generozității!

Această neașteptat și aparent inexplicabilă răzgândire (Hei, vouă m-am decis să vă aduc două!), a reușit să treacă prin portofelul clienților ca un cuțit prin unt-la fel cum felul în care Shaffiq Khan folosește atingerea, într-un mod neașteptat și aparent inexplicabil, pentru a-și ușura de bani victimele naive.

Evoluția ne-a programat, pe de o parte, creierul cu o bandă de mare viteză: e vorba despre euristicile cognitive precum reprezentativitatea și disponibilitatea. Evoluția ne-a mai oferit și un program mai specializat: o capacitate internă de a înțelege lumea, de a transforma datele în semnificație, iar aleatoriul și norocul în tipare. Dacă faceți ca aceste programe să se lupte unul cu celălalt – sfidând așteptările – sistemul se oprește pentru un moment. Treceți prin clipe periculoase când aveți de-a face cu cineva precum Khan.

AFILIEREA

Un rege a vizitat o închisoare din țara lui și a ascultat atent, în timp ce mai mulți deținuți se rugau de el să fie eliberați, pe motiv că sunt nevinovați. Dintr-odată, regele a observat un deținut retras și amărât, care stătea singur într-un colț.

Regele s-a apropiat de bărbat și l-a întrebat:

– De ce ești așa de tulburat?

– Pentru că sunt un criminal, a răspuns bărbatul.

– Chiar așa e? a întrebat regele.

– Da, a zis bărbatul. Ăsta e adevărul.

Impresionat de onestitatea acestuia, regele a dat ordin să fie eliberat, cu următorul comentariu: „Nu vreau ca acest criminal să stea în preajma atâtor nevinovați. Ar fi o influență proastă asupra lor."

„Niciun om nu e o insulă", scria poetul John Donne , care, cu toate scuzele de rigoare față de Kurt Lewin, ar trebui să fie lăudat drept părintele psihologiei sociale. Comportamentul nostru, încă din vremuri străvechi, este legat de comportamentul celor din jur. Cea mai mare influență asupra noastră o reprezintă... ceilalți.

In-fluența grupului

Oamenii sunt preprogramați să stea împreună. Să formeze grupuri. Nu doar atât, dar suntem preprogramați și să preferăm grupurile cărora le aparținem, în detrimentul celor cărora nu le aparținem.

Nu din vreun motiv anume.

Pare o afirmație ciudată, dar e adevărată. Pe vremea strămoșilor noștri, a face parte dintr-un grup era un soi de poliță de asigurare de viață. Și ce nevoie aveam de ea! Plătim și acum prima pentru polița asta.

În anul 1971, răposatul Henri Tajfel de la Universitatea din Bristol a efectuat un experiment prin care demonstra ce fel de înțelegere avem cu selecția naturală. Într-adevăr, experimentul a ajuns atât de revelator, încât a devenit clasic, dând numele unei paradigme din psihologia socială: paradigma *grupului minim*.

Tajfel a făcut următoarele. Mai întâi a luat un eșantion de elevi de gimnaziu și le-a arătat mai multe puncte.

„Câte puncte vedeți pe ecranul din fața voastră?“, a întrebat el pe fiecare.

Fiindcă erau destul de multe – puncte – iar timpul permis era de mai puțin de jumătate de secundă, elevii nu și-au putut da seama cam cât de precise erau estimările lor. Ei au oferit totuși aceste estimări, permițându-i lui Tajfel să-i împartă în grupe. Două „grupe minimale“, complet arbitrare: cei care estimează prea mult și cei care estimează prea puțin. „Minimale“, deoarece împărțirea pe categorii a fost făcută pe baza unei diferențe triviale, inexistente. „Grupuri“, pentru că erau mai mulți oameni.

Odată efectuată categorisirea, Tajfel a cerut apoi fiecărui participant să aloce puncte – elevilor li s-a spus că punctele au un echivalent în bani – unuia dintre participanții la studiu. Acești elevi puteau fi identificați doar pe baza unui cod – cu alte cuvinte, erau anonimi – și pe baza uneia dintre următoarele etichete: „din grupul vostru“ sau „din celălalt grup“.

Influențează alocarea punctelor simpla apartenență a elevilor la un grup sau altul? Răspunsul – prezis corect de Tajfel și de colegii săi – era da. Și e chiar o influență puternică.

Față de cei din propriul grup, recompensele financiare au fost generoase și austere față de membrii grupului opus. De asemenea, acest fenomen a fost constatat în ciuda faptului că, înainte de a se prezenta la studiu, niciunul dintre participanți nu-i cunoștea pe ceilalți, iar șansele de a se reîntâlni după finalul experimentului erau foarte mici. Rezultă că reciprocitatea nu e atât de importantă. Recompensele au fost acordate pur și simplu pe baza unor etichetări: ai mei versus ai voștri.

Linii greșite

Uitându-ne la starea lumii, nu e greu să constatăm cât de puternice sunt prejudecățile în interiorul grupurilor. E suficient să ne ducem la un meci de fotbal pentru a înțelege asta. Ceea ce surprinde poate, este că efectele apartenenței la un grup, depășesc cadrul unui favoritism de suprafață. Ele se extind până și la felul în care *vedem* lucrurile.

Să luăm, de pildă, problema simplă din Figura 3.5 de mai jos. Care dintre cele trei linii perpendiculare din Cutia A este la fel de mare cu cea din Cutia B?

Figura 3.5- Un exercițiu simplu de percepție.

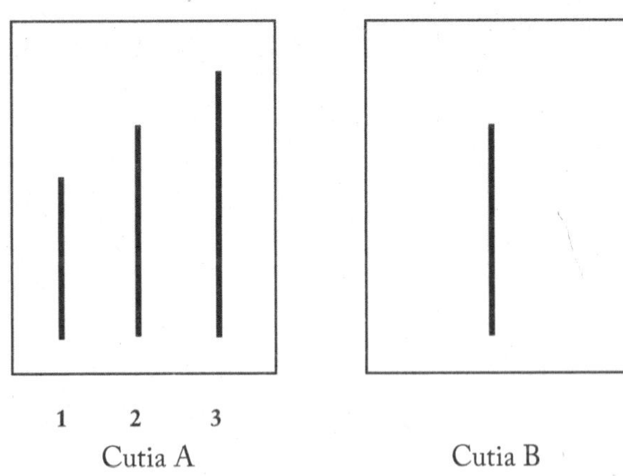

Simplu ca bună ziua, nu? Linia din mijloc, nr. 2. Dacă ați greșit, probabil că aveți nevoie de un consult oftalmologic. Cu toate acestea, pun pariu că v-ar putea convinge să-mi dați un răspuns greșit, folosind un truc foarte simplu. Nu mă credeți? Din fericire, nici nu trebuie.

Psihologul social american Solomon Asch, a efectuat în 1955 un experiment cu acești parametri, devenit între timp un exemplu clasic al puterii *conformismului*. Asch a procedat în felul următor: mai întâi, a cerut unui grup de 9 oameni să stea în fața unui proiector. După aceea el a prezentat grupului o serie de 18 exerciții cu linii identice cu exemplul din Figura 3.5. Mai apoi, înainte de început, el i-a instruit pe 8 dintre cei 9 membri ai grupului (complicii lui) să ofere un răspuns *greșit* prestabilit, pentru 6 dintre cele 18 comparații. La final, a urmărit reacția celui de-al 9-lea membru.

În fața unui consens unanim, putea el să-și susțină punctul de vedere și să ofere răspunsul corect și evident? Un răspuns care era, la propriu, în fața ochilor? Sau urma să cedeze presiunii de grup, și să se dezică de ceea ce-i spun propriile simțuri?

Asch a ajuns la niște concluzii uluitoare. Dintre participanții la studiu, 76% a dat cel puțin un răspuns greșit în cadrul experimentului. Reflectați o clipă la această concluzie. Au dat un răspuns greșit – peste trei sferturi dintre ei – într-un exercițiu la fel de simplu ca cel pe care tocmai l-am exemplificat. Concluzia este pe cât de evidentă, pe atât de înfricoșătoare. Dorința noastră de a ne integra este atât de mare, încât majoritatea dintre noi, suntem gata să nu luăm în calcul chiar și ce ne spun proprii ochi, pentru a nu ieși în evidență. Opinia majorității este una dintre cele mai puternice forțe din univers. Se pare că puțini dintre noi au atributele psihologice pentru a se putea opune acestei forțe.[20]

De ce credeți că râsetele pe bandă sunt atât de populare în serialele de comedie? Sau că în timpul campaniilor electorale nu toate aplauzele sunt – să zicem – atât de spontane pe cât par?

Acest fel de subterfugii se strecoară în creierul nostru prin ușa din dos și ne declanșează emoțiile ca un soi de pantomimă neurologică. Ele ne conving (sau mai degrabă ne ajută să ne convingem singuri) că oamenii sau lucrurile pe care le observăm sunt mai amuzante, mai distractive sau mai interesante decât sunt de fapt. La urma urmei, dacă toți cei din jurul nostru râd sau aplaudă sau huiduiesc, de ce nu am face-o și noi?

Această pantomimă are însă și aspecte mai profunde. Faptul că un emițător este aclamat sau respins de un public ne modelează nu doar felul în care percepem cât este el de amuzant sau de distractiv,

---

[20] Un studiu recent efectuat de Vasily Klucharev de la Donders Institute for Brain, Cognition and Behaviour la Universitatea Radboud din Olanda, a revelat o posibilă corelare neuronală a conformismului. Într-un exercițiu de evaluare a atractivității faciale, Klucharev și colegii acestuia au constatat că un conflict individual față de opinia grupului declanșează o activitate sporită, atât în secțiunea rostrală a cortexului anterior cingulat, cât și a striatumului ventral: acestea sunt zone ale creierului implicat în detectarea erorilor și în luarea deciziilor în situații neobișnuite (Vezi Klucharev, Vasily, Hytonen, Kaisa, Rijpkema, Mark, Smidts, Ale și Fernandez, Guillen, „Reinforcement Learning Signal Predicts Social Conformity," *Neuron* 61 (1), (2009):140 -151.

ci și ce fel de influență poate exercita. Cât de potrivit este el să ocupe o funcție. Și aici lucrurile încep să devină serioase.

Puține exemple din domeniul influenței sunt mai bune decât un studiu efectuat în 1993, în timpul celei de-a treia dezbateri dintre candidații Bush și Clinton. Trei grupuri de câte 30 de studenți au fost alcătuite atent, pe baza preferințelor politice. Primul grup (care consta, de fapt, doar din 20 de participanți „adevărați", un amestec de republicani și democrați) conținea 10 membri implantați, care îl aclamau pe Bush și îl huiduiau pe Clinton. Cel de-al doilea grup – care consta, de asemenea, din 20 de participanți „adevărați" – conținea 10 membri implantați care, v-ați prins, îl aclamau pe Clinton și îl huiduiau pe Bush. Cel de-al treilea grup – cel de control – rămânea neutru.

Ce impact aveau cele două facțiuni rivale, asupra participanților „adevărați", în ceea ce privește felul în care-i priveau pe cei doi candidați?

Rezultatele din grupul pro Clinton (grupul cu cei 10 membri implantați care-l aclamau pe Clinton și-l huiduiau pe Bush) pot fi observate în Figura 3.6 de mai jos. Ele ne oferă o revelație.

Figura 3.6 - Efectul reacției publicului asupra preferințelor politice

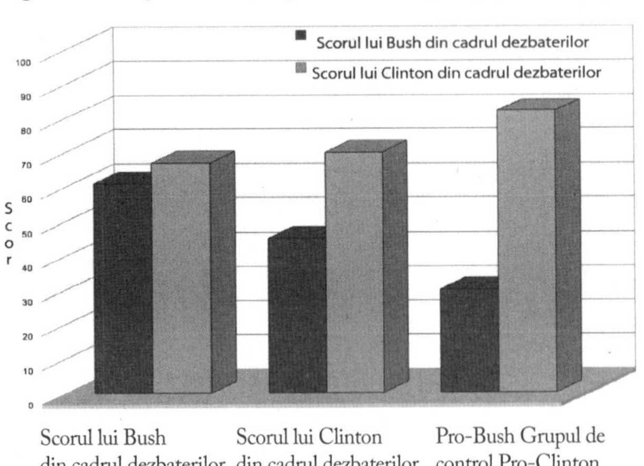

Afinitatea politică a participanților adevărați

În partea dreaptă – în rândul suporterilor *adevărați* ai lui Clinton – putem observa că scorul lui Clinton crește fulminant, atunci când Bush e huiduit iar Clinton e aclamat. Nicio surpriză până acum. Priviți însă ce se petrece pe eșichierul stâng – în tabăra lui Bush – în aceleași condiții. În mod incredibil, chiar și suporterii „adevărați“ ai lui Bush au considerat că Clinton e un candidat mai bun, atunci când Bush a fost huiduit, și Clinton aplaudat. Se pare, uneori, că felul în care îi percepem pe ceilalți, depinde doar de felul în care *alții* îi percep pe ceilalți.

Justa valoare

Astfel de exemple sunt renumite în științele influenței sociale sub numele de *validare socială*. Validarea socială ar putea fi descrisă de Keith Barrett ca un virus al afilierii: ea se produce în contextele sociale ambigue, în care nu putem stabili cu precizie o „concluzie“. Am fost cu toții în astfel de situații. Presupun că un astfel de exemplu ar fi o masă fastuoasă cu 35 de feluri, în care descoperim că tacâmurile seamănă cu instrumentarul dintr-o sală de operație. Ce facem? De unde începem? Ce cuțit folosim pentru unt? Ce e chestia aia ascuțită cu cârligul ăla la capăt? Presupunând că tipul de lângă noi a mai trecut prin așa ceva, recurgem la tactici de gherilă. Îl supraveghem cu coada ochiului. Vedem la ce tacâm apelează... și apoi luăm și noi același tacâm, fără să ne dăm seama că omul de lume de lângă noi n-a făcut nimic altceva decât să se uite la *noi*.

Nu cu multă vreme în urmă, la televiziunea americană a avut loc o demonstrație fascinantă a puterii validării sociale. Colleen Szot, un lucrător în publicitate, a reușit să crească exponențial vânzările unui canal, modificând doar trei cuvinte ale unui slogan. Performanțele acelui canal aveau o vechime de 20 de ani. Desigur, canalul se folosea de toate chichițele obișnuite de marketing: prezența celebrităților, refrene antrenante și un public care arăta de parcă era drogat. Cu toate acestea, niciunul dintre acești parametri nu a reușit să crească astronomic vânzările. Modificarea părea chiar să fie de rău augur.

Manevra de geniu a lui Szot a fost să schimbe replica standard „agenții noștri așteaptă, vă rugăm să apelați acum“ în „agenții noștri sunt ocupați, vă rugăm să reveniți.“ La prima vedere, o astfel de nuanță pare dezastruoasă. Cum se poate să-i previi pe clienți, că ar putea să fie deranjați – să sune repetat la același număr nenorocit – să se transforme într-o creștere a vânzărilor? Logica e defectă însă în acest caz, și nu ține cont de magia validării sociale.

Gândiți-vă puțin. Ce fel de imagine vă evocă propoziția „agenții noștri așteaptă, vă rugăm să apelați acum?“ O armată de agenți telefonici care se uită în gol? Dacă da, în ciuda tuturor tacticilor de promovare, veți avea o impresie negativă asupra produsului. Se creează o imagine în care vânzările sunt scăzute și cererea e limitată. De ce dracului ați vrea să cumpărați un produs pe care nimeni altcineva nu-l vrea?

Puneți-vă acum această întrebare. La ce vă gândiți când auziți propoziția „Agenții noștri sunt ocupați, vă rugăm să reveniți“. Un centru de apeluri plin de oameni copleșiți, care se zbat să țină pasul cu cererea? Așa mai merge! Dacă toți vor să comande, atunci cu siguranță, că nu veți vrea să ratați oferta!

Exact același principiu funcționează și pe eBay. Din analiza licitațiilor online, rezultă că în comportamentul consumatorilor există o tendință primitivă, profundă și de-a dreptul scrântită: dacă vreți să scăpați de un tablou de Rembrandt, pe care l-ați găsit în pod, începeți licitația de la 10 dolari! Aspectul psihologic e cât se poate de simplu. Dacă începeți licitația cu o valoare scăzută veți atrage un număr mare de ofertanți; astfel, veți crea aparența că produsul e mai căutat. Veți atrage astfel și mai mulți ofertanți, care, cu fiecare ofertă mai mare, vor spori nu doar investiția lor financiară în produsul pe care-l scoateți la vânzare, ci și pe cea afectivă.

Un prieten care predă teoria deciziilor demonstrează acest fenomen în amfiteatru. Desigur, nu cu un Rembrandt, ci cu o monedă de 1 liră. În fiecare an, la începutul semestrului I, stă în fața amfiteatrului plin de boboci, și anunță că scoate la licitație... 1 liră. *Care sunt ofertele?* întreabă el. Licitația are două reguli simple. Prima regulă – la fel ca oricare altă licitație – e că persoana care licitează cel mai mult câștigă. Până aici nicio problemă. Cea de-a doua regulă e că persoana care face oferta de pe locul doi trebuie să plătească suma respectivă persoanei care licitează. Nici aici nu e nicio problemă-atât timp cât câștigi.

Încă de la prima licitație pentru o liră de acum câțiva ani, studenții prietenului meu, fără excepție, au rămas indiferenți din punct de vedere neuro-economic, la alăturarea acestor două condiții. De fiecare dată consideră că au o ocazie unică de a obține un câștig, fără să ofere nimic în schimb. Sau, chiar dacă fără ceva la schimb, atunci cel puțin la o valoare mai mică decât 1 liră. *O fi nebun*, se gândesc ei. Prima ofertă e în jur de 1 penny. Mare surpriză. Apoi, 2 pence. Apoi, 3 pence. Și așa mai departe. Cu toții licitează. Nimeni nu se prinde. Dintr-odată, în timp ce se ajunge la etapa 50/51, se întâmplă o minune. Prietenul meu începe să facă bani! Gândiți-vă. Dacă licitația s-ar termina în acest punct, conform regulilor jocului, el a câștigat deja 1 penny în plus. Ce țeapă!

Licitația nu se termină desigur aici. Ea continuă și continuă. Nu e deloc neobișnuit ca moneda de o liră să fie vândută cu 2 lire, oferind un profit net față de investiția inițială de aproape 3 lire (2 lire ale câștigătorului și 1 liră 99 de la persoana de pe locul 2). Ceea ce părea inițial să fie doar lăcomie se metastazează rapid într-un joc hidos, cu *dependențe* reciproce – dar și *excluderi* reciproce în același timp – în care limitarea pagubelor e principalul obiectiv. Nu concurăm doar pentru a ne spori câștigurile. Cine ar fi crezut că putem concura și pentru a ne spori *pierderile*?

Și voi lor

Manchester United a câștigat primul titlu, în 1993, după o pauză de 26 de ani. Era primul dintre cele 11 (și câte or mai urma), sub comanda legendarului antrenor Sir Alex Ferguson. Ferguson e încă antrenor la Manchester United și e cel mai longeviv și mai de succes antrenor de fotbal. În 1993 însă lucrurile stăteau altfel. Până la acel prim campionat, în vitrina cu trofee a clubului bătea vântul, iar Ferguson era îngrijorat că un trofeu li s-ar putea sui jucătorilor la cap. Ce era de făcut?

Unii antrenori i-ar fi lăsat pe jucători în pace, să se bucure de gloria mult râvnită. Și Ferguson i-a lăsat, ca să fim drepți. Doar că, până la un punct. Șiretul scoțian nu se mulțumea doar cu un titlu. El se gândea deja cum să intre în istorie. A conceput un plan pentru a-i propulsa pe o traiectorie fulminantă: o simplă lovitură de geniu, care nu doar că a reușit să scoată ce era mai bun din jucătorii lui, ci i-a și speriat de mama focului.

Ferguson își aduce aminte astfel momentul:

> Am zis: „Am scris trei nume. Le-am pus într-un plic. Aceștia sunt cei trei jucători care ne vor dezamăgi în sezonul următor". Și toți se uită unul la celălalt și spun: „A, nu sunt eu!" Așa că sezonul următor am făcut din nou la fel... *Desigur, nu aveam niciun plic...* dar pentru ei era doar o provocare pentru că nu e ușor să te confrunți cu succesul.

Strategia lui Ferguson a fost letală. Nu doar că Manchester a câștigat și anul următor campionatul, însă după 16 ani de mandat, a câștigat 22 de trofee importante. Jucătorii s-au îmbătat cu succesul, dar de o manieră constructivă. Au vrut să aibă *mai mult* succes. Și de ce? Pentru că Ferguson a eliberat o tulpină virulentă a convingerii, care i-a nimicit pe toți. Care a făcut apel la nevoia lor străveche, preprogramată de a fi membri ai unui colectiv. Și a fost doar o simplă păcăleală.

Un amic polițist folosește o strategie similară, la muncă, atunci când are de-a face cu copii-problemă. Richard Newman, care lucrează în cadrul echipei pentru delincvenți minori din Cambridge, subliniază că adolescenții sunt foarte sensibili la presiunile colegilor și că o remarcă precum „te faci de râs" e adesea mai eficientă decât o pedeapsă sau o tentativă de a convinge. Pentru a demonstra acest lucru, el amintește un incident petrecut în urmă cu câțiva ani, în cadrul unei ieșiri în grup, la grădina zoo.

> Erau 15 copii în dubă, și unul dintre ei, un tip foarte dur, nu voia să-și pună centura. „Gavin", i-am zis, „pune-ți centura. Acum!" Nu voia să asculte. Așa că am tras pe stânga și i-am spus că voiam să vorbesc cu el puțin afară. „Haide", mi-a

zis, în timp ce ieșea, „lovește-mă!“ I-am zis „Gavin, nu o să te lovesc. Vreau însă să-ți spun ceva. Nu o să plecăm nicăieri până nu-ți pui centura“.
După care am arătat către interiorul dubei.
„Ai 14 colegi care vor cu toții să meargă la zoo,“ am zis. „Cu cât petrecem mai mult timp aici stând de vorbă, cu atât vom avea mai puțin timp la dispoziție când vom ajunge acolo. Ce zici, îți pui centura și plecăm?“ Rezultatul a fost aproape imediat. S-a gândit preț de cinci secunde, a urcat în mașină. După aceea s-a comportat exemplar.

Dorința mortală de apartenență

Înțelepciunea abordării lui Newman nu e nicio mare surpriză pentru colegii lui din forțele de ordine. E drept, nu toți adolescenții se lasă duși de nas la fel de ușor ca ceilalți. Cei care nu se lasă duși de nas sunt, conform unui studiu recent, persoane cu diferențe neuro-anatomice subtile: o activitate mai redusă în cazul expunerii la stimuli relevanți social în zonele creierului, asociată cu pregătirea mișcării, planificarea și controlul atenției (cortexul premotor dorsal drept și cortexul prefrontal dorso-lateral stâng), și o conectivitate funcțională crescută între aceste regiuni, anumite zone din cortexul temporal asociate cu observarea și procesarea acțiunilor. Tendința este totuși greu de ignorat, iar asta ar putea să spună o mulțime de părinți.

Sindromul adolescentului reprezintă un tipar comportamental cunoscut criminaliștilor și polițiștilor. Segmentul de populație cu cea mai mare incidență a omorurilor și victimelor, este cel al bărbaților tineri, între adolescență și 25 de ani. Acest interval corespunde celei mai acerbe concurențe pentru partenere.

De pe margine, pare adesea de neconceput cum se poate ajunge la crime sau la vătămări corporale grave, din dispute aparent triviale. Nu ar trebui să fim însă atât de surprinși. Există conexiuni ascunse ale evoluției, de la mesele de biliard și ringurile de dans ale barurilor din centru la pădurile și savanele din trecutul nostru: o șoaptă primitivă care ne spune că nu contează atât de mult cum ne percepem noi, ci cum ne percep ceilalți. Și dacă stați să vă gândiți, are sens. O sâmbătă seara în Londra sau în New York nu e, la nivel fundamental, prea diferită de o seară în savana Africii de Est primitive. Poate că sunt mai multe cozi, presupun, dar dinamica e în linii mari aceeași.

De fapt, pe la vreo 25 de ani, bărbații au o probabilitate de șase ori mai mare decât femeile de a fi victime ale omorurilor. De asemenea – și aici e informația esențială – majoritatea acestor omoruri sunt comise de față cu alții. Pe stradă. Într-un bar. Într-un club. Ele sunt un soi de reclame. Dar reclame pentru ce?

Cu câțiva ani în urmă, am interogat un pervers care violase o femeie, amenințând-o cu cuțitul. Doi dintre prietenii lui o violaseră și ei. De ce ai făcut-o? l-am întrebat. Cu detașarea ca de gheață, tipică psihopatului, a dat din umeri.

„E ca și cum ai cumpăra băutură de la bar" a spus el. „Se naște un soi de identitate. O camaraderie."

Literatura de specialitate confirmă veridicitatea acestor păreri. Deși nimeni nu poate nega și putem constata destul de frecvent o legătură insidioasă între identitatea de grup și violență, polaritatea acestei dinamici poate fi inversată. Comportamentul violent poate întări coeziunea grupului.

„Una dintre dinamicile specifice violului în grup", scrie psihologul Nicholas Groth „o reprezintă senzația de cooperare, de relație și de frăție cu complicii. Se pare că agresorul folosește victima ca pe un mijloc prin care să interacționeze cu alți bărbați... comportându-se... conform așteptărilor pe care crede că le au ceilalți față de el... validându-se singur, și luând parte la o activitate de grup."

Un fenomen asemănător se petrece și în comunitatea homosexuală. Există o practică prin care indivizii sănătoși fac sex deliberat, pentru a se infecta cu virusul HIV. Persoana în cauză face sex cu mai mulți parteneri seropozitivi, unul după celălalt, apoi își astupă rectul pentru a împiedica împrăștierea spermei. În comunitățile homosexuale aceasta este cunoscută drept „darul".

Am întrebat un tip într-un bar din San Francisco de ce a făcut asta.

Mi-a spus fără nicio ezitare:

– Te simți, nu știu, mai integrat, spune el. Ca și cum ai avea o apartenență mai puternică.

Un prieten de-al lui – tânăr, frumos și seropozitiv la rândul lui – vine la noi la masă. Îi pun aceeași întrebare. Zâmbește.

– E un semn că ești serios, spune el. De solidaritate. E transformarea unui aspect negativ într-unul pozitiv. E ca și cum ți-ai face un tatuaj, doar că pe interior. E un soi de tatuaj imunologic.

Rezumat

Am continuat în acest capitol, turul stimulilor cheie ai influenței, trecând granița conștiinței. Am intrat în spațiul aerian al percepției și cogniției sociale, și am descoperit că sofisticarea neuronală nu înlătură în vreun fel seturile instinctive de reacții rapide pe care le-am observat la animale. Conștiința e utilă, dar e înceată: prea înceată uneori, pentru a putea face față vieții. Astfel, pentru a acoperi acest gol, creierul se folosește de euristici, reguli simple bazate pe experiența acumulată; pe asocierile învățate dintre stimulii întâlniți anterior. Dacă conștiința ar avea roți, atunci ar avea 18. Și o remorcă atât de mare, încât ați avea nevoie de autorizație de la primărie ca să o conduceți. Nu e tocmai scenariul ideal pentru un vehicul cu care să ajungeți rapid dintr-o parte în alta a orașului.

După sfatul unui escroc psihopat de geniu (de ce l-am ignora?), am analizat trei domenii ale procesării cognitive: atenția, abordarea și afilierea. Am observat cum în fiecare dintre aceste trei domenii creierul poate fi îngenuncheat la fel de repede ca orice tipar fix de acțiune pe care l-am putea întâlni în regnul animal. Am descoperit, folosind tehnici simple de influență, cum am putea exploata impulsivitatea creierului în folosul nostru. Și cum, în mâinile unei persoane care are geniul convingerii, aceleași tehnici ne pot ușura de bani.

În capitolul următor vom extinde raza reflectorului cercetării. După ce ne-am familiarizat cu magia neagră a influenței sociale, vom pătrunde pe teritoriul legitim, și vom analiza felul în care spărgătorii psihologici discreți, precum avocații, oamenii care lucrează în publicitate sau în vânzări și liderii cultelor – cei care lucrează *cu* noi, și nu împotriva noastră – ne pot decoda tiparele neuronale. E mai simplu decât credeți. Sistemul de securitate al creierului nu e tocmai etanș, iar dacă știți ce faceți, puteți intra și ieși în câteva secunde.

Test de memorie

Aveți 10 secunde la dispoziție ca să vă uitați la cuvintele tipărite mai jos. După ce s-au scurs cele 10 secunde, dați pagina și răspundeți la întrebarea din josul paginii. Întoarceți apoi foaia și citiți mai departe...

ACRU BOMBOANĂ ZAHĂR AMAR BUN GUST MIERE SIFON DINTE DRĂGUȚ MAZĂRE CIOCOLATĂ TORT INIMĂ TARTĂ PLĂCINTĂ

OK. Câți dintre voi ați zis BUMERANG? Dacă ați zis, atunci sunteți în majoritate. Uitați-vă mai bine și veți vedea că nici DULCE nu e pe listă. Fenomenul funcționează în felul următor. Creierului îi place să ordoneze lumea. Să facă lucrurile cât mai ușoare. Acolo unde există lacune, creierului îi place să le umple: avem un soi de bănuială, de intuiție despre lucruri.

Citiți din nou lista, ce observați? Așa e, mai toate cuvintele sunt legate de DULCE, ceea ce vă induce senzația că acest cuvânt ar fi fost prezent, când, de fapt, nu era.

Creierul vostru a riscat și a plătit prețul pentru asta. De data aceasta, din fericire, nu a fost un cost prea mare.

Care dintre următoarele patru cuvinte NU apare pe listă: ZAHĂR, GUST, DULCE, BUMERANG?

Capitolul 4

Marii maeștri ai manipulării

Într-o dimineață, ajuns la cabinet, un avocat descoperă un colet surpriză pe birou. După ce desface ambalajul, găsește o cutie cu trabucuri: un cadou de la unul dintre clienți pentru un rezultat extraordinar. Dată fiind raritatea trabucurilor și valoarea lor semnificativă, avocatul se decide să le asigure. Pe o sumă de 25.000 de dolari. În următoarele câteva luni, el fumează unul câte unul trabucurile (sunt 12) până când, într-o seară, în timp ce trage mulțumit din ultimul, îi vine o idee. Nu asigurase trabucurile chiar împotriva sorții care le-a răpus? Distrugerea prin, hmm, foc?

Printr-o mișcare îndrăzneață, avocatul depune o solicitare de rambursare la compania de asigurări. Compania de asigurări, poate că în mod nesurprinzător, hotărăște să conteste solicitarea. Cazul ajunge în instanță, iar avocatul – vă vine să credeți? – câștigă. Deși pretenția lui pare ridicolă, remarcă judecătorul, termenii contractuali nu exclud plata despăgubirii. Prin urmare, se decide în favoarea reclamantului. Avocatul tocmai a câștigat 25.000 de dolari. Ce bine-i stă.

Mai trec câteva săptămâni și problema pare că a fost repede uitată. După care, într-o dimineață, totul se schimbă. La cabinetul avocatului sosește un plic. De la compania de asigurări. Ei îl dau în judecată pe avocat pentru piromanie – repetată de 12 ori – iar procesul a intrat pe rol. De data aceasta, avocatul e în dificultate. Arătând că avocatul nu are cum să se dezică de argumentul care i-a asigurat victoria în cazul anterior, judecătorul decide în favoarea companiei de asigurări: o sumă de 40.000 de dolari, inclusiv cheltuieli de judecată. Cum s-ar spune: nu iese fum fără foc.

Publicitatea ar putea fi descrisă drept știința capabilă să aresteze suficient de mult timp inteligența omenească, încât să o ușureze de bani Stephen Butler Leacock, *The Garden of Folly* (1924)

Arta unei povești bune

Cum ajunge un avocat să fie bun? Mă refer aici la avocații *foarte* buni. Care este diferența dintre unul care e sclipitor, și unul care e mediocru? Ce au starurile față de ceilalți? Când am început să-mi pun aceste probleme, nu știam la ce răspuns voi ajunge. Îl cunoșteam însă pe un bărbat care ar putea ști.

Michael Mansfield e unul dintre cei mai mari avocați din lume. Cu o carieră de 40 de ani în barou, și-a făcut o reputație din cazuri de care nu s-ar atinge niciun alt avocat. Detestând ipocrizia și nedreptatea, parcursul lui Mansfield pare un soi de rezumat al istoriei sociale britanice moderne: ancheta masacrului de la Bogside, naufragiul navei *Marchioness*, grupul celor șase din Birmingham, Stephen Lawrence, Dodi Fayed și Prințesa Diana și, cel mai recent, uciderea lui Jean Charles de Menezes.

L-am întâlnit la cabinetul lui din centrul Londrei. E un bărbat elegant, cu părul lung dat pe spate și ochi mari și albaștri, ca de metal. Poartă un costum închis la culoare și o cămașă, fără cravată, în carouri roz-albe, iar părul e argintiu. Keith Barrett, mă gândeam eu. Doar că de data asta e de partea *corectă* a legii.

L-am întrebat ce-l face să fie un avocat grozav.

„Câștig sau pierd nu doar pe baza argumentelor," îmi spune el „ci și pe baza impresiilor. Poți face multe prin puterea sugestiei.

Un avocat cu experiență spune o poveste în instanță și reușește să convingă juriul să-l creadă. În primul rând, jurații acționează după intuiție. Se hotărăsc cu inimile. Secretul este așadar să le prezinți probele într-o manieră care să se coreleze cu acea intuiție inițială. E ca în viața de zi cu zi. E mult mai ușor să convingi pe cineva că a avut dreptate de la început decât că a greșit de la început! Avocații buni sunt și psihologi buni. Nu e vorba doar despre a prezenta probele, ci și despre *cum* le prezinți".

Importanța unei povești coerente constituie unul dintre principiile fundamentale ale oricărui tip de convingere. Nu doar în instanță, ci și în sala de consiliu, în viața de zi cu zi sau în campania electorală. Frank Luntz e un scriitor și sociolog american, și specialist în convingere politică. La începutul carierei, Luntz a lucrat pentru candidatul independent la președinție Ross Perot, când acesta se afla în floarea vârstei și în formă maximă. Luntz își amintește că a organizat un grup de sondare, pentru a evalua nivelul de atractivitate al mai multor spoturi televizate cu Perot. Erau trei: o biografie, un discurs al lui Perot și mărturii ale altora.

Când Luntz a redat clipurile în această ordine – biografie, discurs, mărturii – a constatat că evaluarea lui Perot din cadrul grupului reflecta exact scorurile sondajelor efectuate cu publicul larg. Până aici, nimic surprinzător.

Când a redat, din greșeală, spoturile în ordinea „greșită" – mărturii, discurs, biografie – s-a petrecut ceva foarte bizar. Dintr-odată, oamenii din grup nu l-au mai plăcut pe Perot; în absența istoricului personal, opiniile lui păreau inflamate. Luntz susține că asta demonstrează că „ordinea în care prezinți informația stabilește părerea oamenilor."

Roz, o prietenă de-ale mele, are un exemplu minunat cu „efectul ordinii" asupra convingerii. Molly, mama lui Roz, are 85 de ani și e de o independență feroce. De când o cunosc, Molly s-a opus oricărui fel de ajutor în casă, în ciuda faptului că acum are probleme în a se îmbrăca și memoria a început să o lase. Săraca Roz! A încercat de nenumărate ori să o convingă pe mama ei să raționeze. Să ia măcar în calcul posibilitatea unui ajutor, adăugând un comentariu cum ar fi: „Pentru viața ta ar fi o adevărată schimbare: așa a făcut și doamna McIntyre de după colț". Strădaniile ei au fost însă în zadar.

Apoi, într-o bună zi, la fel ca Frank Luntz, a schimbat ordinea informațiilor.

Mai întâi, a amintit că doamna Kay McIntyre de după colț, pare să se simtă mult mai bine de când beneficiază de asistență la domiciliu. *Abia după,* i-a recomandat mamei să solicite același serviciu.

Noua poveste a funcționat. Molly a agreat ideea.

„Era ca și cum cineva ar fi avut o baghetă magică", își aduce aminte Roz. „Dacă înainte era complet împotrivă, dintr-odată a spus doar: «Hmm. Ei bine, presupun că am putea să încercăm. Cred că am nevoie de un pic de ajutor de dimineața. Și dacă lui Kay îi e bine, presupun că n-are ce să fie rău.»"

Kay era fundația pe care s-a putut construi influența.

Din următorul exemplu vom vedea cât de ușor putem fi luați de val de o poveste bună și cât de ușor putem fi impresionați. Rețineți că în sala de judecată aceste aspecte sunt esențiale.

Citiți scenariul de mai jos, apoi răspundeți la întrebare:

John conduce cu 60 km/h într-o zonă cu limită 50 km/h și intră într-o altă mașină la o intersecție. Mașina e avariată pe partea șoferului. Șoferul celeilalte mașini are multiple traumatisme, o claviculă și o încheietură fracturate. John a scăpat teafăr. John conducea cu viteză pentru că se grăbea să ajungă acasă, ca să ascundă un cadou pentru aniversarea părinților lui, pe care-l uitase din greșeală pe masa din bucătărie. Accidentul a fost provocat și de faptul că a trebuit să ocolească o baltă de ulei, în timp ce se apropia de intersecție.

Întrebare: Pe o scară de la 1 la 10, în care 1 = complet nevinovat, iar 10 = complet vinovat, în ce măsură credeți că John e în culpă în ceea ce privește accidentul? Răspundeți încercuind pe scara de mai jos:

1 2 3 4 5 6 7 8 9 10
COMPLET NEVINOVAT COMPLET VINOVAT

Dați apoi scenariul de mai jos unui prieten, și cereți-i să facă o evaluare similară.

John conduce cu 60 km/h într-o zonă cu limită 50 km/h și intră într-o altă mașină la o intersecție. Mașina e avariată pe partea șoferului. Șoferul celeilalte mașini are multiple traumatisme, o claviculă și o încheietură fracturate. John a scăpat teafăr. John conducea cu viteză, pentru că se grăbea să ajungă acasă, ca să ascundă de părinții lui o pungută cu cocaină, pe care-o uitase din greșeală pe masa din bucătărie. Accidentul a fost provocat și de faptul că a trebuit să ocolească o baltă de ulei în timp ce se apropia de intersecție.

Sunt dispus să pariez că nu ați avut același scor cu al prietenului. Și că prietenul are o părere mai proastă despre capacitățile de șofer ale lui John decât voi. Dar stați puțin. De ce? *De ce* ar fi John mai vinovat când se duce acasă să ascundă cocaina? Indiferent ce lăsase din greșeală pe masa din bucătărie, viteza era tot de 60 km/h într-o zonă cu limită 50, nu?

Acum probabil că vă simțiți deja într-o capcană. Nu sunteți. Aceste două scenarii au fost prezentate unui grup de studenți de universitate, ca parte a unui experiment efectuat de psihologul Mark Alicke de la Universitatea din Ohio. Și știți ceva? Răspunsurile lor au fost exact aceleași cu cele ale voastre și ale prietenului vostru. Când John se ducea acasă să ascundă cadoul, cauza accidentului era undeva la jumătate între „ceva e în neregulă cu John" și „ceva e în neregulă cu situația" (mai precis cu balta de ulei). Când se ducea să ascundă drogurile, povestea se modifica total. Acum doar *el* e de vină. Cumva, intențiile inițiale ale lui John îl fac un individ mai „culpabil". Și cu cât percepem o persoană a fi mai culpabilă, cu atât vom atribui o cauză internă, de „dispoziție" atunci când acțiunile au consecințe negative.

Judecând coperta în funcție de carte

Un bărbat e pe ultima sută de metri cu pregătirile de nuntă. Totul merge bine, mai puțin sora extrem de atrăgătoare a viitoarei lui soții. Într-o după-amiază, cu o săptămână înainte de marea zi, rămâne singur cu ea în casă. Ea se așează lângă el și-l invită să urce la etaj, înainte ca el să-și înceapă căsnicia de vis. Bărbatul începe să intre în panică. Evaluându-și variantele, iese din casă; acolo însă, în grădina din fața casei era familia fetei, care aștepta ca el să apară. De îndată ce iese, încep să-l aplaude.

– Felicitări, spuse viitorul socru. Ai trecut testul. Te-ai dovedit un bărbat onorabil și integru, și mă bucur să-ți dau mâna fiicei mele.

Logodnicului nu-i vine să creadă, și răsuflă ușurat. Viitoarea soție îl pupă cu foc pe obraz.

Morala poveștii? Să vă lăsați întotdeauna prezervativele în mașină.

În domeniul psihologiei sociale, eroarea pe care probabil tocmai ați făcut-o – și genul de capcană în care am căzut anterior cu John, drogurile și cadoul de aniversare – stau la baza unei multitudini de studii, legate de felul în care creierii noștri ne păcălesc. De modul prin care, într-o clipă, cel mai complex computer al lumii poate deveni, sub ochii noștri, o bătaie de joc. O astfel de flatulență cognitivă – tendința irezistibilă de a acorda prioritate, în evaluarea comportamentelor individuale, factorilor interni, legați de dispoziție, în favoarea celor externi, situaționali (mai ales când acel comportament e al nostru și se întâmplă să fie bun, sau e al altora și se întâmplă să fie rău) – se numește, în psihologie, *eroarea fundamentală de atribuire*. Și pe bună dreptate. Așa cum sugerează și numele, este ceva fundamental.

Un studiu efectuat de Lee Ross, profesor de psihologie socială la Universitatea Stanford, ne arată cât de fundamentală este. Niște perechi de studenți au tras la sorți pentru a stabili cine va juca rolul de stăpân al întrebărilor, și cine va fi concurentul, într-un joc simulat de cultură generală. Fiecare stăpân al întrebărilor primea apoi la dispoziție un interval de 15 minute, în care să genereze o serie de întrebări de cultură generală. Aceste întrebări trebuiau însă să fie compuse în mod concret, pentru ca răspunsurile să fie greu de ghicit de către oricine altcineva în afara stăpânilor întrebărilor. După cum era de așteptat, odată ce concursul a început, majoritatea concurenților au dat rateuri. Mare șmecherie. Scopul studiului nu era însă să-i facă să dea greș. La finalul concursului, toată lumea – stăpânii întrebărilor, concurenții și câțiva observatori care nu au participat, ci doar s-au uitat la joc – a fost chemată să estimeze nivelul cunoștințelor generale ale fiecărui participant.

Rezultatele sunt ilustrate mai jos.

Figura 4.1 – Faptele sunt mai importante decât vorbele, chiar și atunci când sunt înscenate.

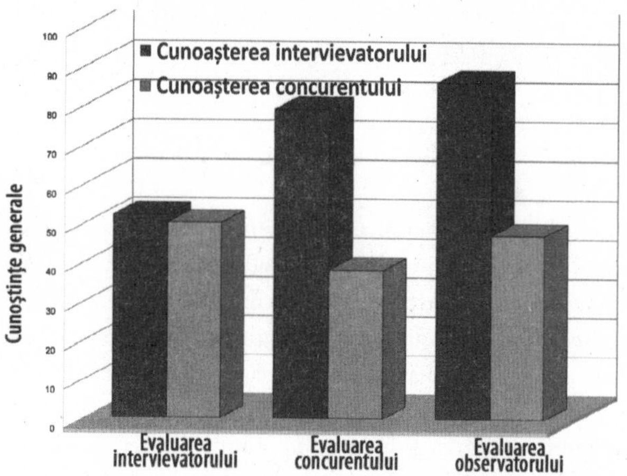

După cum puteți vedea, intervievatorii – fie din falsă modestie, fie din recunoașterea adecvată a constrângerilor contextuale – s-au evaluat ca având o cunoaștere doar puțin mai mare decât cea a concurenților. Ar fi putut sau nu să fie așa. Concurenții și observatorii... ei, aici e cu totul altă poveste. Remarcați ce discrepanțe există în partea dreaptă și din mijloc între percepția referitoare la întrebători și cea referitoare la „victimele“ lor.

Deși concurenții au auzit cu siguranță instrucțiunile cercetătorului, anume ca întrebările să reflecte cunoștințe particulare, pe care doar întrebătorul le-ar fi putut avea... și cu toate că își aminteau că au tras la sorți pentru a vedea cum se vor împărți rolurile, astfel încât, într-un univers paralel, rolurile ar fi putut fi foarte ușor inversate... chiar dacă au trăit pe propria piele și cunoșteau cât se poate de bine cât de potrivnică le era situația...cu toate acestea, au demonstrat *totuși* o indiferență flagrantă față de impactul pe care l-ar fi putut avea aceste probabilități asupra rezultatului final.

Intervievatorul *s-a prefăcut* că e inteligent. Prin urmare, deducția a fost că el sau ea *e* inteligent. De fapt, observatorii au fost de părere că intervievatorii sunt superiori unui număr de peste 80% dintre ceilalți studenți din universitate!

Eroarea fundamentală de atribuire ne oferă un exemplu excelent al fenomenului descris de Michael Mansfield, atunci când aducea aminte de impresii și de puterea poveștilor. Să luăm, de pildă, un caz de viol. În instanță, violul reprezintă adesea o bătălie crâncenă, în care avocații încearcă să-i convingă pe jurați, nu atât mințile lor, cât inimile lor. Să vedem argumentele părților, începând cu acuzarea.

Procurorul știe că pentru orice comportament atribuirea unei dispoziții (a unei răspunderi personale) e mai importantă decât situația (influențele externe), atunci când atenția se îndreaptă asupra *agentului* respectivului comportament. Inteligența (dispoziția intervievatorului sau a agentului) a fost mai puternică decât protocolul experimentului (situația în care acționa agentul), iar efectul a fost spontan. Pur și simplu nu ne putem abține. Avem o prejudecată puternică, înnăscută, care ne predispune să gândim într-un anumit fel: anume, că facem lucrurile pe care le facem, pentru că suntem genul de oameni care fac acele lucruri! E o scurtătură a evoluției, un mecanism de economisire a timpului programat în creierul nostru de către selecția naturală, pe parcursul a milioane și milioane de ani. Dacă pentru fiecare comportament individual nu am avea de ales și am fi nevoiți să analizăm orice factor implicat, cât de departe credeți că am ajunge? Exact. Așa că începem cu persoana.

Un procuror experimentat cunoaște bine acest principiu. După cum spunea și Mansfield, el e psiholog pe cât este jurist. Și atunci ce va face? Care este planul lui de bătaie? Ei bine, e în felul următor. Procurorul va încerca să atragă atenția juriului doar asupra violatorului. El va încerca să-i influențeze pentru a-și pune întrebarea: *De ce a făcut-o?* El va stărui asupra relațiilor anterioare ale inculpatului cu femeile. (Poate că și în trecut a avut tendințe agresive?) Sau poate va atrage atenția asupra stării psihice de la momentul faptei. (Poate că era băut sau sub influența drogurilor?) Combinând aceste aspecte cu sublinierea caracterului violent, și nu erotic al faptei, se construiește o „poveste" simplă, coerentă, una care pregătește terenul erorii fundamentale de atribuire. Având atenția concentrată exclusiv asupra inculpatului și fiind forțați să-i ia în considerare faptele, din punctul de vedere al juriului rezultă o singură concluzie rezonabilă. Ei vor presupune că el e vinovat.

Apărare va încerca, pe de altă parte, să atragă atenția juriului doar asupra comportamentului victimei. Ei vor încerca să facă juriul să se întrebe: *De ce a fost violată?* Vor aduce în discuție factori precum ținuta victimei. (Provocatoare?) Cum se comportase victima înainte de atac. (Flirtase?) Și pe antecedentele sexuale. (Promiscuitate?) Aceste aspecte împreună cu sublinierea posibilelor elemente erotice ale violului constituie o „poveste" complet diferită, una care va genera probabil o deducție antagonică: ea și-a căutat-o.

Și, în caz că vă întrebați ce legătură ar putea avea antecedentele sexuale, răspunsul este că ele sunt, din păcate, destul de relevante. În studii efectuate pe jurii fictive s-a arătat că vina atribuită unui violator depinde, cel puțin la fel de mult de caracteristicile victimei cât depinde de violul în sine. Un violator este considerat mai puțin vinovat, de exemplu, dacă atacă o stripteuză față de o călugăriță sau de o femeie divorțată în locul uneia căsătorite.

La fel ca în cazul lui John. Și al drogurilor. Și al cadoului de aniversare.

Priviți lucrurile astfel

După multe speculații apărute în presă, legate de moartea lui Ossama bin Laden, acesta se decide să-i scrie o scrisoare lui Barack Obama, ca să-i demonstreze că e încă în viață. Deschizând scrisoarea, Obama descoperă următoarea criptogramă:

370HSSV-0773H

După mai multe ore de analiză atentă, președintele e complet nedumerit, așa că-i trimite mesajul lui Hillary Clinton.

Nici Hillary, nici asistenții ei nu reușesc să descopere semnificația, așa că trimit mesajul mai departe la CIA. Din nou, niciun rezultat. Așa că mesajul se plimbă de-a lungul timpului pe la NSA, MIT, NASA, și în cele din urmă la Serviciul Secret. Cu toate acestea, nimeni nu-l poate descifra. Disperați, cei de la Serviciul Secret îl trimit la MI6 la Londra.

„Aceste mesaj", spuneau ei, „nu a putut fi descifrat de cele mai luminate minți din America, și nici de Hillary Clinton. Am apelat la voi în speranța că l-ați putea descifra."

După cinci minute sosește o telegramă la Casa Albă: „Spuneți-i Președintelui să citească mesajul întorcând foaia."

HELLO, ASSHOLE[21]

Șicanele psihologice pe care le vedem în justiție, sunt bine cunoscute celor care studiază influența socială. Ele au chiar și un nume – *încadrare* – și nu sunt folosite doar în instanță. Sigur, poate că Mansfield și colegii sunt cei mai buni din domeniu, dar există și alți oameni care sunt la fel de ageri. Publicitatea, politica și vânzările, de pildă, sunt doar câteva exemple de meserii în care se practică această artă simplă a sugestiei.

Pe de altă parte, așa cum o demonstrează criptograma, există și în viața de zi cu zi. Psihologul George Bizer de la Union

[21] SALUT, CRETINULE (n. trad.).

College, New York, a studiat rolul încadrării în politică, mai exact, în campaniile electorale. Afectează puterea persuasiunii felul în care votanții vin să-și exprime punctele de vedere?

Pentru a putea afla, Bizer a cerut unui grup de studenți să citească „reportaje de știri" scurte despre doi candidați fictivi (Rick, conservator, și Chris, liberal). El i-a împărțit apoi pe studenți în două grupuri. Un grup a trebuit să aleagă între afirmațiile „Îl sprijin pe Rick" și „Sunt împotriva lui Rick". Celălalt grup a avut de ales dintre afirmații similare legate de Chris. În această etapă, fiecare grup a trebuit să spună ce preferințe are pentru ambii candidați, pe o scară de la „puternic contra" la „puternic pro".

Apoi a intervenit o schimbare.

După ce au notat nivelul sprijinului pentru Rick și Chris, fiecare grup a citit un articol de știri în care politica practicată de candidatul preferat era criticată pe față. S-au reevaluat apoi opiniile.

Avea vreo influență felul în care și-au încadrat preferințele membrii grupurilor asupra modificării părerii în această a doua etapă de vot?

Răspunsul s-a dovedit a fi afirmativ.

În general, studenții care și-au reprezentat preferința față de un candidat în funcție de *opoziția* față de celălalt candidat (de exemplu, „sunt împotriva lui Rick" mai degrabă decât „îl susțin pe Chris") au fost mai rezistenți la schimbare (adică aveau o probabilitate mai mare de a-l susține pe Chris atunci când a fost atacat) decât cei care aveau o încadrare *pozitivă* a preferințelor inițiale.

„O simplă modificare a încadrării, prin care oamenii să-și definească evaluarea, în funcție de oponenți, în loc de persoanele pe care le sprijină", spune Bizer, „produce o opinie mai puternică și mai rezistentă."

Încadrarea nu se aplică doar în cazul emoțiilor. Ea este, în termenii lui Keith Barrett, un virus al atenției. Pentru a vă oferi un exemplu, puneți unui prieten următoarea întrebare:

De câți litri de combustibil e nevoie pentru a umple un avion Boeing 747: *mai mult sau mai puțin de 500?*

Puneți apoi altui prieten aceeași întrebare, doar modificând ușor conținutul?

De câți litri de combustibil e nevoie pentru a umple un avion Boeing 747: *mai mult sau mai puțin de 500 de mii de litrii?*

Cereți-le ambilor să estimeze cam de câți litri e nevoie de fapt. (cifra e undeva pe la 220.000). Probabil că veți observa ceva interesant la răspunsurile lor. Prietenul căruia i-ați adresat cea de-a doua întrebare (mai mult sau mai puțin de 500.000) va oferi o estimare mai mare decât prietenul pe care l-ați întrebat prima dată (mai mult sau mai puțin de 500).

Motivul din spatele acestei diferențe, este fenomenul de *ancorare*. El funcționează în felul următor. Ambii prieteni folosesc numerele pe care le-ați sugerat (500 versus 500.000) drept cadru de referință – puncte de ancorare – pe baza cărora să-și fundamenteze deciziile. Aceste numere nici nu trebuie să fie relevante pentru întrebare (în exemplul cu avionul, am fi putut la fel de bine să fi zis 1 litru versus 1 milion de litri.) Numerele doar trebuie să fie oferite. Ele conving prin simpla lor prezență.

O echipă de psihologi germani – Birte Englich, Fritz Strack și Thomas Mussweiler – a oferit în 2006 o demonstrație clasică a puterii ancorării în domeniul juridic. Echipa a adunat câțiva judecători cu experiență și i-a rugat să citească rezumatul unui caz. În speță, era vorba despre un bărbat care fusese condamnat pentru viol. Odată ce s-au familiarizat cu amănuntele cazului, judecătorii au fost împărțiți în două grupuri. Unui grup i s-a cerut să-și imagineze următoarele: în timp ce Curtea rămăsese în pronunțare, primesc un telefon de la un jurnalist. Acest jurnalist le-a pus următoarea întrebare: Condamnarea urma să fie mai mare sau mai mică de trei ani? Celuilalt grup i s-a pus o întrebare ușor diferită: de data asta însă, jurnalistul întreba dacă sentința urma să fie mai mare sau mai mică decât *un* an.

Urma această simplă diferență de cifre – trei versus unu – să aibă vreun efect asupra *lungimii* sentinței date de judecători?

Cu siguranță. Așa cum ne-am fi așteptat, pe baza ipotezei ancorării, durata medie a condamnărilor din primul grup a fost de 33 de luni, în vreme ce al doilea grup a avut o durată medie de 25 de luni.

Diavolul e în detalii

Locul cel mai evident în care ne putem întâlni cu ancorarea, este, desigur, în piață. Ne-am târguit cu toții pentru un produs sau altul, și am deschis cu o cifră pe care știam că va trebui s-o creștem. Ceea ce nu este însă la fel de evident este ușurința cu care unele tehnici mai sofisticate de persuasiune – pe care de-abia le sesizăm – ne pot acapara mintea. Să luăm prețul, de exemplu. V-ați întrebat vreodată de ce cosmeticele preferate costă 9,95 lire în loc de 10, o cifră rotundă? Chris Janiszewski și Dan Uy de la University of Florida au analizat recent această întrebare și au ajuns la o concluzie surprinzătoare. În loc de „9 pare pur și simplu mai ieftin decât 10“ (motivul invocat de majoritatea oamenilor atunci când sunt întrebați despre asta), lucrurile sunt un pic mai complicate.

Janiszewski și Uy au efectuat o serie de experimente prin care voluntarii primeau diferite scenarii. În fiecare scenariu, voluntarii își imaginau că cumpără un produs (de exemplu, un televizor cu plasmă) la un anumit preț *de magazin*. Li s-a cerut apoi să ghicească prețul de vânzare *en gros* către magazin. „Consumatorii“ au fost împărțiți în trei grupuri. Unui grup de cumpărători i s-a spus că televizorul costa 5.000 de dolari, cel de-al doilea grup a aflat că costă 4.988 de dolari, iar celui de-al treilea că este de 5.012 dolari.

E cu putință ca aceste puncte de ancorare diferite – cu diferențe neglijabile raportate la prețul total – să aibă un impact asupra estimărilor participanților, referitoare la prețul en gros?

În mod surprinzător, ele au avut un efect.

Cumpărătorii cărora li s-a spus că produsul costă 5.000 de dolari au estimat un cost semnificativ mai redus decât cei care au primit cifre mai puțin rotunde. De asemenea, cei care au primit acest preț au demonstrat o înclinație mult mai pronunțată, de a estima un cost en gros în cifre rotunde, decât membrii celorlalte grupuri.

De ce?

Pentru a explica aceste rezultate, Janiszewski și Uy au speculat asupra mecanismelor cerebrale implicate în calculul acestor diferențe: anatomia exactă a procedurilor de comparație sau, mai exact, a unităților de măsură. Să fie oare cazul că unitățile de măsură sunt variabile și dependente de anumite caracteristici ale prețului inițial? Să zicem, de pildă, că intrăm într-un magazin și vedem un radio cu ceas la 30 de lire. Văzând radioul, ne spunem: acest radio valorează, de fapt, 28 sau 29 de lire. *Numere întregi.* Pe de altă parte, dacă vedem că are un preț de vânzare de 29,95 lire, am putea *în continuare* să credem că produsul valorează mai puțin, însă vom folosi un etalon diferit pentru a evalua această discrepanță. De această dată, unitatea de măsură e mai mică. În loc să gândim în lire întregi, acum ne gândim la mărunțiș. Credem că valoarea „reală" e de 29,75 sau de 29,50 lire – o diferență mai mică decât dacă am fi gândit în numere întregi. Astfel, produsul ni se pare mai atrăgător.

Pentru a-și verifica teoria, Janiszewski și Uy au părăsit laboratorul și au ieșit în lumea reală, mai exact în comitatul Alachua din statul Florida. Au analizat piața imobiliară, comparând prețul solicitat în anunțuri cu prețul de vânzare. Așa cum se așteptau, vânzătorii care cereau un preț mai exact (de exemplu 596.500 de dolari în loc de 600.000) primeau un preț mult mai aproape de suma inițială decât cei care cereau o sumă rotunjită. Și asta nu e tot. În eventualitatea unei prăbușiri a pieței, casele pentru care suma cerută la vânzare era rotunjită se devalorizau mai puternic decât cele cu sume mai „exacte" într-un interval de doar câteva luni.

Împachetarea

Pentru formele mai viscerale de publicitate, cum ar fi cele pentru băuturi sau mâncare, încadrarea și raționamentul logic, sunt adesea complet separate. În acest caz, mecanismele de manipulare afectează direct neurofiziologia-provocând modificări șirete, inconștiente ale percepției senzoriale primare. Să luăm exemplul industriei răcoritoarelor. Cheskin, o firmă de cercetare de piață din Redwood Shores, California, a încercat să promoveze cutiile de 7-Up în diferite culori. Unele erau mai galbene. Altele, mai verzi. În ambele cazuri, băutura era identică. Dacă consumatorii n-ar fi luat-o razna, șefii de la 7-Up ar fi putut să vadă partea amuzantă. Cei care au cumpărat cutiile galbene au spus că băutura avea un gust ciudat, prea

„lămâios“, în vreme ce persoanele care au cumpărat cutiile verzi s-au plâns – v-ați prins – că băutura conținea prea mult lime.

„Atunci când decidem într-o fracțiune de secundă, dacă o mâncare are sau nu gust bun,“ spune directorul Cheskin Darryl K. Rhea, „reacționăm nu doar la semnalele provenite de la papilele gustative și glandele salivare, ci și la ceea ce ne transmit ochii, amintirile și imaginația noastră“.

David Deal, director de creație la Deal Design Group din San Francisco, e de acord. Imaginați-vă că dați o petrecere. Am făcut cu toții asta, am luat o sticlă cu vodcă, de care nu am mai auzit niciodată, la 30 de lire, deși lângă, e o sticlă mai cunoscută, la doar 10 lire. De ce? Ne gândim așa de mult că vom simți diferența? Nu prea cred. Din punctul meu de vedere, vodca n-are niciun gust. E posibil să facem nimicul – chiar la 30 de lire sticla – să aibă gust de *ceva*?

Deal are răspunsul; nici el nu are nimic de-a face cu gustul. E vorba despre *senzație*. De aceea tot ce este în acest domeniu, se numește *branding afectiv*.

„Ei îți vând senzația de a fi șic la o petrecere și să bei un martini făcut cu o vodcă cu apă topită din ghețurile Finlandei“, explică el. „Dacă pui o sticlă frumoasă în fața consumatorului, el va crede că și conținutul are un gust mai bun.“

Acest fenomen explică, potrivit grupului Point-Of-Purchase Advertising International, din Washington, de ce până la 72% dintre alegerile legate de cumpărături sunt efectuate la fața locului. Spontan. Și de ce o simplă schimbare a culorii, sau alegerea greșită a unui cuvânt, ne pot face să *detestăm* o marcă în loc să o *apreciem*.

Antreprenorul britanic Gerald Ratner, fondatorul lanțului de magazine de bijuterii Ratner, din Regatul Unit, a suferit falimentul afacerii sale de mai multe milioane de lire după o remarcă dezastruoasă la întâlnirea Consiliului de administrație. Ratner – supranumit pe bună dreptate Sultanul Sclipiciului – a oferit următorul motiv pentru care marfa din magazinele lui era atât de ieftină.

„Pentru că e de rahat“.

El nu s-a oprit aici și a oferit detalii suplimentare, elocvent, dar disprețuind complet arta vorbirii eufemiste, spunând despre cercei că sunt „...mai ieftini decât un sendviș cu creveți de la Marks & Spencer, dar cu o durată de viață probabil mai scurtă“.

Acțiunile lui Ratner s-au prăbușit. Nu din cauza vreunei revelații subite, a vreunui secret tenebros (oricine trăia cu convingerea că un ceas din aur de 18 carate cu diamante costă mai puțin de 19,99 lire trebuie să se verifice la cap.)

Nu. Nu pentru că toată lumea și-a dat dintr-odată seama că cumpără niște rahaturi.

Motivul a fost că toată lumea a știut dintr-odată, că *restul lumii știe* că produsele pe care le cumpără sunt niște rahaturi.

Dă cu o mână, ia cu două

Încadrarea și ancorarea sunt doar două dintre tehnicile prin care puteți spori puterea de convingere. Există și altele, pe care Pat Reynolds, un agent de telefonie, le cunoaște foarte bine.

În prima săptămână ca angajat al unei companii de vânzări prin telefon, Pat Reynolds a pus tot ce i s-a spus despre această meserie într-un mare dosar, sub numele de „porcării" (cu cuvintele lui, nu ale mele), și și-a dezvoltat propria formulă de vânzări, oarecum specială. În ultimii ani, a reușit să facă rost de o mașină BMW Z4 Roadster și de un certificat de pilot pentru avioane ușoare (care nu e ieftin), precum și de un avans considerabil pentru un apartament. Compania pentru care lucrează se ocupă cu construcțiile și renovările. Secretul lui? O combinație demonică de a-i face pe clienți să râdă, dar și să-i invite să-l *respingă*. Iată cum funcționează metoda lui, cu cuvintele lui:

> I se spune cold calling[22], dar, dacă-mi fac cum trebuie treaba, doar unul din 10 apeluri e *rece* cu adevărat. Încep prin a-i face să râdă. „Sunteți superstițios?" e una dintre întrebările mele. Dacă cineva te-ar suna din senin și te-ar întreba asta, ai fi curios, nu? Măcar e mai puțin probabil să închizi telefonul, decât dacă spui: „Sunt Ion Popescu, te sun din partea firmei X."

[22] *Cold calling* (engl.) apel la rece, descrie apelurile pe care persoana apelată nu le-a solicitat. (N. t.)

Asta e prima parte. Trebuie să-i ții la telefon. Nu poți vinde nimic unui ton de apel. Așa că majoritatea oamenilor spun că nu sunt superstițioși. Le spun apoi: „Atunci, vreți să-mi dați 13,13 lire?“ În 9 ocazii din 10, se obține o reacție. De regulă, râd și întreabă «Cine ești?»
Și apoi îmi fac intrarea. Dar nu încerc să le vând nimic. E foarte simplu. Mă duc în direcția opusă. Le spun: „Știu că vreți să vă uitați la *EastEnders* (sau la *Coronation Street*, e bine să suni cu vreun sfert de oră înainte să înceapă serialele, ca să poți folosi replica asta, îi face să creadă că ești la fel ca ei, și asta ajută totdeauna în vânzări) și știu că probabil nu aveți nevoie de muncitori în construcții, dar știți cumva pe cineva – prieteni, rude sau prieteni ai prietenilor – care ar putea avea nevoie?“
Fiindcă i-am făcut să râdă și pentru că au impresia că le fac o favoare și nu încerc să le vând cu forța ceva, îmi dau câteva nume sau îmi cer să revin după ce sună și ei la rândul lor. Și insist să-i întreb dacă e OK. Spun: „E OK dacă vă sun înapoi?“ Și ei spun «Da». Pare un lucru mărunt, dar e important. E un soi de contract. Așa parafăm înțelegerea, ca și cum am da mâna prin cuvinte.
E grozav, nu? După două sau trei minute la telefon, *ei* lucrează pentru *mine*! Poate ar trebui să mă gândesc să le ofer un comision. După aceea următorul apel nu mai e nesolicitat. Sun la persoane care mi-au fost recomandate. Din aproape în aproape...

La drept vorbind, Pat Reynolds ar fi trebuit inclus în capitolul anterior. Sau? Nu pot să mă decid dacă e un escroc excelent, sau doar se pricepe foarte bine la meseria lui. Poate că e un pic din amândouă. Oricum ar fi, strategia lui de a vinde oferă un nou stil de încadrare, un virus al abordării, nu al atenției. Un virus la fel de specific industriei vânzărilor pe cât este, din păcate, pentru partenera mea: *șantajul emoțional*.

În vânzări (spre deosebire de căsnicie), șantajul emoțional trebuie să fie subtil. Predicile, lecțiile, agresivitatea și rugămințile sunt la fel de utile într-un showroom, precum un buton de amânare pe o alarmă de fum. În schimb, la fel ca Pat Reynolds, o persoană cu succes în vânzări, e precaută.

Să analizăm o clipă felul în care acționează Reynolds.

În ciuda bravurii lui, și a farmecului de șmecher de bulevard, e un om serios. Nu oricine lucrează într-un call center își permite să zboare din încasări. Și nici nu-și permite să conducă o decapotabilă luxoasă. El face o mulțime de bani, dintr-o meserie în care o grămadă de oameni nu se descurcă. Și cum face asta? Revenind la principiile de bază. La un moment în care limbajul nu includea încă elementele de convingere. Eliberând din profunzimile evoluției omenești, unul dintre cele mai puternice spirite ale influenței: principiul *reciprocității.*

Robert Cialdini, profesor de psihologie și de marketing, a reușit să demonstreze exact cât de puternică este atracția reciprocității, cât de meritat este locul ei în arsenalul unui convingător de elită, într-un studiu care (cel puțin în aparență) analiza diferențele de altruism la nivel individual. De fapt e un studiu despre conformism.

Iată cum funcționează. Mai întâi, Cialdini și asociații lui i-am oprit la întâmplare, trecători pe stradă și i-au împărțit în două grupuri. Celor două grupuri le-au fost apoi adresate întrebări. Cei din primul grup au fost întrebați cât de dornici sunt să supravegheze un grup de deținuți dintr-un centru de detenție pentru minori, într-o excursie la grădina zoologică. În mod bizar, puțini au fost interesați. Doar 17%. Pentru cei din al doilea grup însă armele influenței au fost rearanjate. Acești participanți au fost întrebați mai întâi altceva: Sunteți disponibil să lucrați voluntar, în calitate de consilier la un centru de detenție, în următorii doi ani? De data aceasta, ce surpriză, nimeni nu s-a oferit.

După aceea s-a petrecut însă un fenomen straniu.

Când Cialdini și colegii lui au primit refuzul, au pus următoarea întrebare: „OK; dacă nu vreți să fiți consilier, ați fi pregătit să supravegheați deținuți la centrul de detenție pentru minori, la o excursie la grădina zoologică?"– chiar întrebarea care a fost adresată primului grup –, iar rata de răspunsuri favorabile a urcat până la 50%, triplând, practic, răspunsurile favorabile oferite anterior.

Desigur, nu e nevoie să fii un geniu ca să-ți dai seama ce s-a petrecut aici. Cialdini a concluzionat că puterea reciprocității nu vizează doar împărțirea de cadouri și favoruri. Ea se poate aplica și *concesiilor* pe care le facem unii altora. Dacă îmi respingi o cerere mai substanțială, iar eu îți arăt că îți fac o concesie, renunțând la pretențiile mai însemnate, și îți cer o favoare mai mică, probabilitatea de a ceda la rândul tău, oferindu-mi „ceva la schimb", e mai mare.

Ceea ce înseamnă că, dacă eu urmăream, de fapt, doar ca să accepți dorința mai mică, am obținut ce-mi doream. Corect?

Contractele minții

Felul în care Pat Reynolds aplică principiul reciprocității, este, dintr-o perspectivă științifică, aproape de perfecțiune. El nu ar putea să se descurce mai bine dacă ar face, la fel ca Cialdini & Co., parte dintr-un experiment atent controlat de psihologie. Fiindcă îi scutește pe „clienți" de tentativa de a le vinde ceva – empatizând cu jena de a fi sunat chiar înainte de a începe serialul lor preferat, și întreabă „cu respect", cerându-și chiar scuze, dacă cunosc pe cineva interesat de serviciile pe care le oferă –, ei se simt obligați să-i ofere un nume. Ceea ce ei trec cu vederea însă – convenabil, pentru Reynolds – este că, în loc să fie un om respectuos, el e de fapt enervant, e artizanul unei duble torturi: mai întâi, pentru că îi contactează, apoi, pentru că în pauza de reclame ei se ridică din fotolii și caută prin agende persoane interesate.

Povestea nu se termină aici. Se pare că reciprocitatea nu e singurul virus cu care Reynolds își inoculează clientela. Mai există unul: *constanța cognitivă.* Solicitarea, pe nepregătite, a permisiunii de a reveni cu un apel nu e deloc atât de naturală, după cum subliniază chiar Reynolds, pe cât s-ar părea. Departe de asta. E o manevră străveche de convingere pură, primitivă. Un factor declanșator, în cazul în care s-ar obține permisiunea, al unei situații în care clientul să fie obligat să-și respecte cuvântul dat, să respecte sarcinile ce-i revin și să sporească nivelul de vânzări.

Și funcționează. Repede. Pe furiș. Subcortical. De fapt, pentru cunoscătorii conformismului, reciprocitatea combinată cu constanța, reprezintă o rețetă standard. Cele două ingrediente merg adesea mână în mână. Dacă originile biologice ale reciprocității pot fi legate de împărțirea sarcinilor și facilitarea coeziunii din cadrul grupului (vânatul, transportul obiectelor voluminoase și construirea adăposturilor presupun o muncă în echipă), atunci caracteristicile psihologice ale constanței și angajamentului pot fi considerate un soi de „permis de acces" pentru o astfel de incluziune. Acestea sunt atributele care asigură că membrii grupului se pot bizui unii pe ceilalți, și care transmit grupului semnalul că ne respectăm cuvântul dat.

Următorul exemplu, al proprietarului de restaurant din Chicago, Gordon Sinclair, ne arată cât de puternică este dorința de a părea consecvent asupra comportamentului nostru, și cât de convingătoare poate deveni o persoană dacă reușește să acceseze aceste frecvențe evoluționiste străvechi. La sfârșitul anilor '90, Sinclair avea probleme din cauza oamenilor care rezervau mese, dar nu se prezentau. E o problemă cu care se confruntă orice antreprenor din acest domeniu: un client face o rezervare telefonică, apoi, fără să anunțe, nu se mai prezintă. La momentul respectiv, proporția celor care nu anunțau că renunță la rezervare în restaurantul lui Sinclair, era în jur de 30%. Dintr-o singură mișcare, însă el a reușit să reducă acest procentaj la 10%.

Soluția pentru această problemă, așa cum a descoperit Sinclair, consta în mesajul pe care persoana care prelua apelul îl transmitea la telefon. Sau, mai degrabă, în ceea ce nu spunea. Înainte de schimbare, persoana dădea următoarea INSTRUCȚIUNE: *Vă rog să ne sunați dacă vă schimbați planul.*

Ulterior însă persoana transmitea doar următoarea RUGĂMINTE: *Puteți, VĂ ROG,* să *ne sunați dacă* vă *schimbați planul?*

După care aștepta ca apelantul să răspundă.

Cu doar câteva cuvinte în plus, și o pauză foarte importantă, întreaga problemă s-a schimbat.

De ce?

Pentru că acea întrebare aștepta un răspuns, iar tăcerea – ca orice tăcere de la telefon – are nevoie de un final. Răspunzând cu „da" la întrebarea *„Puteți, vă rog, să ne sunați dacă vă schimbați planul?"*, apelanții își ofereau singuri o referință psihologică memorabilă: o bornă contractuală, de care să-și agațe un reper. Acțiunile ulterioare erau acum sub influența unui angajament anterior. Și, odată ce și-au dat cuvântul, povara răspunderii era dintr-odată, subtil, pe alți umeri. În loc să se confrunte cu posibilitatea de a dezamăgi restaurantul, clienții se confruntau cu posibilitatea de a se dezamăgi pe ei înșiși.

Tehnica lui Sinclair are un nume în literatura de specialitate a influenței – *tehnica piciorului în ușă* – și ea a fost descoperită oficial în 1966, în cadrul unui experiment atât de ciudat, încât autorii, Jonathan Freedman și Scott Fraser, au obținut o victorie rară în analele investigațiilor științifice: ei au reușit să se uimească până și pe ei înșiși. Acțiunea a început într-un cartier bogat din Palo Alto, California. Un complice al cercetătorilor, care se dădea drept lucrător voluntar, a început să bată la uși și să ofere locuitorilor o propunere extraordinară: aceștia trebuiau să permită construirea unui panou uriaș pe gazonul din fața casei, pe care să fie afișate cuvintele CONDUCEȚI PRUDENT.

Pentru a înlesni procesul de luare a deciziei, locuitorilor li s-a arătat o simulare – unde urma să fie amplasat, cum ar fi urmat să arate – și nu arăta bine. Panoul era la fel de mare ca întreaga casă, și ocupa o bună parte a gazonului. Nu era de mirare că majoritatea dintre ei (73%) le-au spus cercetătorilor unde să-și vâre panoul. A existat însă un grup special:76% dintre acești oameni au *acceptat* instalarea panoului. Vă vine să credeți? Nici mie nu mi-a venit, atunci când am citit articolul. Ce aveau special oamenii din acest grup? Erau nebuni? Au fost mituiți? Ce i-ar fi putut face să accepte o astfel de propunere irațională? Să renunțe la aspersoare și la flori?

Răspunsul e, de fapt, foarte simplu. Cu două săptămâni înaintea vizitei legate de panou, un alt „voluntar" s-a prezentat la ușa respondenților. Acesta le-a cerut, de această dată, un lucru relativ mărunt: să-și pună în fereastră un semn de 15 cm^2 cu mesajul FIȚI UN ȘOFER PRUDENT. Nicio problemă. Această cerere fusese atât de insignifiantă și atât de în acord cu opiniile din cartier, încât aproape *toți* cei care au fost abordați, au fost de acord.

Cu toate acestea, pe termen lung, această abordare s-a dovedit costisitoare. Acea solicitare insignifiantă – odată acceptată și de mult timp uitată – a provocat un val criminal de angajamente; a precipitat acceptarea unei solicitări similare, dar mult mai mare, care-i pândea după colț: afișarea unui panou de o sută de ori mai mare.

Vânzătorii din lumea întreagă au ridicat capetele și au început să fie atenți. Zvonul se răspândea: pentru ca o persoană să-și ofere pe tavă toată viața, trebuie doar să îi cereți să facă asta zi de zi.

Greu de obținut

În domeniul vânzărilor, o tehnică apropiată de cea a piciorului în ușă este cea cunoscută sub numele de *momeală*. Am întâlnit prima dată această metodă când vindeam televizoare în studenție. Mecanismul se desfășoară după cum urmează. Clientul intră pe ușă și se îndreaptă către un televizor. Un asistent – poate chiar eu – se apropie de client și, după câteva remarci despre vreme, le face o ofertă. Oferta e semnificativ mai avantajoasă decât a altor magazine din cartier, și clientul o acceptă. Directorul are însă alte idei. Fără știrea clientului, el nu are nicio intenție de a oferi televizorul la acel preț. Nimeni dintre noi nu vrea asta. E doar o momeală. Un soi de iluzionism psihologic, menit să-l atragă pe client să *decidă* să facă achiziția.

Acesta este doar începutul. După aceea, urmează ritualul bizantin de închidere a tranzacției, niște proceduri menite doar să ajute la cimentarea deciziei: completarea unui contract complicat, explicarea (cu lux de amănunte) a contractului financiar tenebros, încurajarea clientului – „Încercați, o să vă placă" – să ia televizorul acasă de probă: „Doar să vedeți dacă se potrivește cu decorul, știți, gen". Și desigur că se potrivește. În 11 ori din 10.

Puteți vedea ce se petrece? Cu cât clientul trebuie să treacă prin mai multe obstacole, cu atât *angajamentul* lui de a cumpăra devine mai puternic. Tipul pentru care lucram, obișnuia să întrebe câte feluri de documente de identitate avea clientul asupra sa în magazin, apoi să insiste, indiferent cât de multe erau, că mai e nevoie de încă unul: „Dată fiind sporirea securității, așa e legea".[23] Nederanjați de această povară suplimentară – din contră, încurajați de termenii generoși, agreați la început – clienții erau apoi trimiși să facă rost de documentele necesare, fără să-și dea seama că din momentul în care au ieșit pe ușa magazinului voința nu le mai aparținea și erau robii unui acord de prelevare a banilor direct din contul lor bancar.

Inevitabil, desigur, la un moment dat, ceva urma să „se petreacă". Prețul original nu includea taxele, eu sau un alt coleg din echipa de vânzări „făcusem o greșeală", pe care directorul – „Îmi pare rău, nu am ce să fac" – nu o putea accepta. Credeți că mai conta? Că ne afecta șansele de a vinde? Pe naiba! În majoritatea covârșitoare a cazurilor, clientul pleca cu televizorul, *chiar* și atunci când prețul nu mai era competitiv, ba chiar era *mai mare* decât cel oferit de alte magazine. Fiecare linie punctată, fiecare formular suplimentar de identificare, fiecare zâmbet, fiecare strângere de mână, toate aceste elemente, făceau ca produsul să fie din ce în ce mai dezirabil.

La final, gândul că vor pune mâna pe televizor, era singurul cu care clienții rămâneau. Nu puteau să renunțe la acest gând.

Un asasinat lingvistic

Mary, o persoană băgăcioasă și bârfitoare de la biserică, își vâra tot timpul nasul în treburile altora. Nu era prea populară în rândul celorlalți enoriași, dar avea o reputație formidabilă și nimeni nu voia să se pună cu ea. Într-o zi, după ce a observat că mașina lui Bill, un nou venit, era parcată în fața unui bar, ea l-a acuzat că e alcoolic. La următoarea întâlnire a comitetului parohial, ea le-a spus tuturor că era clar ce făcea Bill acolo: oricine ar fi văzut mașina acolo, știa cu ce scop se afla în zonă. Ce altă explicație ar mai putea fi?

Bill, un bărbat taciturn, a privit-o o clipă, apoi a plecat. Nu a încercat să se explice, și nici n-a negat că ceea ce spusese Mary nu ar fi adevărat. Nu a zis nimic.

[23] Uneori, devenea de-a dreptul ridicol. Un tip avea *șase*.

Pe seară, Bill și-a parcat mașina în fața casei lui Mary. Și a lăsat-o acolo toată noaptea.

Limbajul a evoluat, ca un mijloc de înlesnire a comunicării. Acum, că dispunem de el, ați văzut însă că lucrurile pe care *nu* le spunem se dovedesc a fi cele mai importante? Ați văzut cum, în mâinile cui trebuie sau ale cui nu trebuie, un singur cuvânt (și poate chiar mai puțin de atât!), plasat discret și cu dibăcie, poate schimba situația?

În serialul american *The West Wing(Viața la Casa Albă)* e un episod în care democrații vor să spună că Arnold Vinick (candidatul republican la președinție) e bătrân. Problema era însă că nu voiau să facă asta în mod direct. Un atac deschis, premeditat la vârsta lui Vinick, ar fi fost nu doar în detrimentul campaniei candidatului democrat Matt Santos, existând însă și riscul ca mesajul să nu fie „acceptat". Ce era de făcut?

Soluția s-a degajat într-un dialog scurt, dar amuzant între Lou (directorul de comunicare al lui Santos) și Josh (șeful adjunct de campanie). După ce au respins mesajul ironic în care Vinick era etichetat „viguros", Lou spune că e „sprinten". *Deranjant* de sprinten, pentru ambițiile politice ale lui Santos. Josh prinde ocazia. El se întreabă, cui i se spune că e „sprinten" și are mai puțin de 70 de ani? Deși în aparență e un compliment, sprinten e unul dintre acele cuvinte care au și un înțeles ascuns. El transmite semnificația diferenței de vârstă între candidați, fără să amintească în mod direct vârsta; o deghizare perfectă a unui atac la adresa candidatului republican!

Cuvintele precum „sprinten" sunt grozave, așa-i? Ele ne transmit un mesaj, însă fac aluzie la ceva complet diferit. Josh are dreptate. Deși, tehnic vorbind, sprinten e un compliment, el nu se aplică, de fapt, decât persoanelor în vârstă. Ca atare, era chiar cuvântul pe care campania lui Santos îl căuta. Etichetându-l pe Arnold Vinick drept „sprinten" (așa cum și Barack Obama amintea de „cariera de 50 de ani" a lui John McCain, înaintea alegerilor din 2009), ei pot atrage atenția publicului către vârsta adversarului, fără să pară însă că recurg la o campanie murdară.

În 1946, Solomon Asch – cu ale cărui studii despre conformism ne-am întâlnit în capitolul anterior – a reușit să demonstreze cu exactitate, felul în care limbajul ne poate modifica percepția socială, printr-un experiment devenit un studiu clasic al felului în care ne formăm impresiile. Mai întâi Asch le-a prezentat participanților o listă cu trăsături. Aceste descrieri erau cu toate legate – cel puțin așa se presupunea – de aceeași persoană. Exista însă și o problemă. Înainte de alcătuirea listei, el a împărțit participanții în două grupuri-apoi a ajustat lista în consecință, astfel încât, fiecare grup să primească aceleași descrieri, în afara unei variabile (esențială, după cum s-a dovedit ulterior).

Un grup a primit următoarea listă...

inteligent, abil, activ, cald, hotărât, practic, precaut
...în vreme ce al doilea grup a primit-o pe aceasta...
inteligent, abil, activ, rece, hotărât, practic, precaut

Ați găsit diferența? Cele două liste sunt identice, mai puțin cuvintele „cald", respectiv „rece", aflate la mijlocul fiecărei liste.

După ce a alocat fiecărui grup lista sa, Asch le-a cerut ambelor grupuri să folosească descrierile, pentru a-i ajuta să aleagă și alte trăsături – luate dintr-o listă suplimentară – care considerau că „se potrivesc" cu profilul de personalitate prezentat inițial.

Avea să fie simpla includere a parametrilor cald/rece suficientă, pentru a provoca o diferență în atributele alese de fiecare grup?

Răspunsul a fost fără nicio îndoială da.

Grupul care a primit lista cu „cald" a ales din lista suplimentară descrieri ca „fericit" sau „generos".

Pe de altă parte însă grupul care a primit lista cu „rece", a ales descrieri ca „indiferent" sau „calculat", care sunt cel puțin nemăgulitoare, dacă le comparăm cu cele din primul grup.[24]

---

[24] E un studiu pe care-l puteți folosi cu ușurință și prietenilor voștri. Lista completă a trăsăturilor suplimentare folosită de Asch în varianta originală este oferită în Anexa 2. Încercați întâi varianta originală, apoi experimentați schimbând atât conținutul primelor liste (de ex., cald/rece) cât și ale celor secundare (de ex., inteligent, practic) pentru a vedea care sunt descrierile care fac diferența.

Trăind printre cuvintele noastre mărunte

Un bărbat se plimbă prin grădina zoologică și vede că o fetiță se apleacă înspre cușca leului african. Dintr-odată, leul o înșfacă pe fetiță de haină și încearcă să o tragă înăuntru. Părinții ei încep să urle.

Bărbatul aleargă spre cușcă și îi dă una leului în nas, cu umbrela. Scheunând de durere, leul se retrage și-i dă drumul fetiței. Bărbatul o aduce părinților, care-i mulțumesc în mod repetat, pentru că le-a salvat copilul.

Fără ca bărbatul să știe, un ziarist a urmărit scena.

– Domnule, îi spune mergând apoi către el, a fost cel mai curajos gest pe care l-am văzut în viața mea.

Bărbatul dă din umeri.

– N-a fost nimic, spune el. Leul era într-o cușcă și am știut că Dumnezeu mă va proteja, așa cum l-a protejat și pe Daniel în groapa cu lei. Când am văzut că fetița e în primejdie, am făcut ce am considerat că era corect.

Reporterul e uluit.

– Văd că aveți o Biblie în buzunar? întreabă el.

– Da, spune bărbatul. Sunt creștin. De fapt, mă duc chiar acum la un curs biblic.

– Eu sunt ziarist, răspunde reporterul. Și știți ceva? O să pun fapta dumneavoastră pe prima pagină a ziarului de mâine. Vreau să mă asigur că gestul acesta eroic nu va trece neobservat.

A doua zi, bărbatul cumpără ziarul.

Titlul e următorul: *Fundamentalist creștin de dreapta atacă un imigrant african și-i fură masa.*

Este limpede că vorbele sunt psihoactive. Primite oral sau vizual, și transmise către creier în milisecunde, ele ne pot modifica tiparele de gândire, și influența felul în care abordăm situațiile la fel de repede ca orice substanță de care putem să facem rost de la colț de stradă.

În media, de pildă, un cuvânt plasat la locul potrivit ne poate atrage atenția, ne poate stârni emoțiile la fel de ușor ca un panou uriaș. Un exemplu îl reprezintă creșterea corectitudinii politice. În

2005, o organizație nonprofit numită Global Language Monitor, a publicat o listă provocatoare cu cele mai corecte cuvinte și fraze din punct de vedere politic. În vârful ierarhiei se afla termenul de „criminali rătăciți“, un eufemism elegant, inventat de un comentator de la BBC, în urma atentatelor de la metrou și din autobuz din Londra. Peste 50 de civili nevinovați au pierit în explozii. Cuvântul „teroriști“ fusese, se pare, considerat prea emoțional.

Pe listă se mai găseau termeni precum „duș de gânduri“ care, din respect pentru epileptici, înlocuise „furtuna cerebrală“. Sau „succesul amânat“, folosit ca substitut pentru „eșec.“

E greu de conceput, în fața unor astfel de glume proaste, că există și un aspect serios. Și cu toate acestea există. În tribunale, de pildă, potențialul hipnotizant al limbajului este recunoscut, pentru că poate împiedica justiția. Acesta este motivul pentru care în timpul examinării întrebările care îi „induc“ martorului un răspuns, sunt respinse cu atâta vehemență.

Un studiu clasic, efectuat în 1974 de Elizabeth Loftus, de la Universitatea din Washington, ne oferă dovezi clare de ce lucrurile continuă să fie așa. În studiu există un videoclip ce prezintă un accident rutier minor – o mașină care intră într-o altă mașină staționată – pe care Loftus și Palmer l-au prezentat în fața a două grupe de participanți. După ce au urmărit videoclipul, cercetătorii au pus fiecărei grupe aceeași întrebare: Cu ce viteză a intrat mașina în cea parcată? În mod surprinzător, în ciuda faptului că ambele grupe au văzut exact același videoclip, răspunsurile au fost foarte diferite. Media răspunsurilor dintr-o grupă a fost de 50 km/h, în timp ce în cealaltă grupă media a fost de 62 km/h.[25] Cum de se poate?

Motivul era desigur unul foarte simplu. Când au formulat întrebarea, Loftus și Palmer au folosit cuvinte ușor diferite.

Un grup a fost întrebat: „Cu ce viteză *a atins* mașina 1 mașina nr. 2?

Celălalt grup a fost întrebat: „Cu ce viteză *s-a ciocnit* mașina 1 de mașina nr. 2?“

[25] Viteza reală cu care mașina aflată în mișcare a lovit-o pe cea parcată era de 20 de kilometri la oră.

Prin simpla schimbare a a verbului, răspunsurile au fost diferite. De asemenea, și cei care au fost întrebați despre *ciocnire* au spus că au văzut cioburi, deși în videoclipul original ele nu existau. Nu e de mirare că „influențarea martorilor" se bucură de obiecții atât de rapide și stridente.

Trebuie să fim atenți și în afara sălii de judecată. Efecte asemănătoare cu cele descrise de Loftus și de Palmer se manifestă și în politică. În timp ce scriu această carte, luna de miere a lui Obama, ca președinte atacat din toate părțile, s-a terminat de-a binelea. Nu s-a dus la Berlin la comemorarea a 20 de ani de la căderea Zidului, a devenit prea preocupat de reforma sănătății și prea dezinteresat de șomaj, s-a plecat prea mult în fața împăratului Japoniei și i-a permis președintelui Chinei să refuze întrebări la conferința comună de presă. Democrații au de regulă dificultăți în primul an al mandatului. În politică, aspectele negative se ascund în amănunte; iar dintre ultimii șapte președinți, Bush senior și junior au fost cei mai populari după primul an de mandat, iar Clinton și Obama cei mai nepopulari. De asemenea, v-ați putea întreba: Ce președinte al Statelor Unite a reușit *să obțină* ceva de la chinezi? Cu toate acestea, Obama, chiar înainte de a ajunge președinte, nu era străin de manevrele politice. În timpul campaniei electorale din 2008, sursele arată că, în ciuda faptului că se bucura de un sprijin aproape unanim din partea comunității negre, el a refuzat cu încăpățânare orice fel de tentativă de a se prezenta drept un „candidat negru".

„Resping politica bazată doar pe identitate rasială, de gen, orientarea sexuală sau statutul de victimă", spunea Obama în cartea *The Audacity of Hope (Îndrăzneala de a spera)*. El a avut această abordare încă de la începutul campaniei.

De ce? De ce, atunci când te bucuri de sprijinul covârșitor al unei părți semnificative a populației, să nu profiți de originile tale? Să nu evoci istoria pe care-o purtăm cu toții în interiorul nostru?

Răspunsul, așa cum subliniază corect jurnalistul David von Drehle, de la revista *Time*, este că „negru" e doar unul dintre aceste cuvinte. E doar una dintre aceste „trăsături esențiale", cum sunt și „căldura" sau „răceala", pe care Solomon Asch a început să le folosească în anii 40.

„Imediat ce intervine etichetarea rasială", scrie von Drehle, „o parte a publicului începe să-și piardă atenția, alții sunt contrariați, iar alții încep să tragă concluzii despre cine ești și cum gândești. Obama a scris că, în copilărie, rasa era pentru el o „obsesie", dar că a lăsat de mult timp în urmă această povară. El își arogă acum întregul spectru: „fiul unui bărbat negru din Kenya și al unei femei albe din Kansas", cu „frați, surori, nepoate, nepoți, unchi și verișori, de toate rasele și culorile, împrăștiați pe trei continente".

O fi adevărat.' Dar este și un mijloc eficient de a ieși dintr-o situație grea.

Tragem linie

Frank Luntz, pe care l-am cunoscut mai devreme în acest capitol, organizează grupuri de cercetare a pieței create special pentru a exploata puterea limbajului. Pentru a descoperi fraza perfectă, un cuvânt de aur și un grup de cuvinte ale căror semnificații să nu fie afectate de interpretări. Un slogan în pas cu timpurile care să le transmită alegătorilor exact ce vor să audă, dar și ce *vor* politicienii să audă. O coardă semantică, din care se aud rezonanțele preciziei.

Luntz e un scafandru lingvistic, un pirat al cuvintelor din subconștient. El începe prin cuvinte la modă – termeni politici cheie sau sloganuri familiare – de la care membrii grupurilor să poată construi asocieri libere. Aceste asocieri libere generează cuvinte sau propoziții derivate care constituie apoi baza discuțiilor din grup. Pe baza acestor discuții, Luntz obține un al treilea nivel de cuvinte. Apoi, după noi runde de dezbateri, un al patrulea sau al cincilea. Rezultatul final este un distilat de semnificație îndepărtat la câteva niveluri de cuvântul sau fraza prezentate inițial și, cu toate acestea profund încărcate de o conotație primară. Un nou cuvânt sau o nouă frază care să transmită, la propriu, ceea ce ne spune.

În anul 2000, corespondentul revistei *New Yorker,* Nicholas Lemann, a făcut parte dintr-un grup al lui Frank Luntz, și a putut observa de aproape alchimia lingvistică a acestuia. Spectacolul a început cu cuvântul „guvern". Luntz le-a cerut celor prezenți, să se gândească la ce înseamnă cuvântul respectiv pentru ei. La început, răspunsurile nu erau prea favorabile. „Control", „legi", „siguranță", „birocrație", „corupție"... nicio surpriză deocamdată. După aceea, unul dintre cei prezenți a spus următoarele: „Multe reglementări... o grămadă de lucruri pe care nu le suport. Ar putea să mă lase în pace puțin. M-aș bucura de o firmă mai mare dacă aș avea două lucruri: mai puțină legislație și ceva mai mult sprijin".

Bang! Lucrurile tocmai trecuseră la un alt nivel. Aici Luntz avea spațiu de manevră și, cu abilitatea unui maestru de judo pentru a găsi acea deschidere esențială, a profitat de spațiu.

El s-a întors către restul grupului. „Ce reacție aveți?" i-a întrebat.

După puțin timp și după un episod de injurii la adresa legilor, politicienilor și a Washingtonului în general, el a început să scrie cinci cuvinte cheie pe o foaie prinsă de un suport. Oportunitate. Comunitate. Responsabilitate. Răspundere. Societate.

Luntz a sondat și mai în profunzime. În timp ce grupul se gândea la valorile lor de bază, la lucrurile care contau cel mai mult în viața lor, care dintre cele cinci era cel mai important? Răspunsul s-a degajat rapid prin ridicarea mâinilor. Oportunitatea era pe primul loc. Răspunderea pe al doilea. Și comunitatea pe ultimul loc.

Ce însemna însă cuvântul „oportunitate" pentru acești oameni? a întrebat Luntz.

În timp ce membrii grupului își strigau răspunsurile – „dreptul de a alege", „controlul personal", „lipsa obstacolelor", „oricine merită o șansă", „principiul fundamental al țării" –, el a pus o nouă foaie de hârtie pe suport.

Din nou s-a stabilit o ordine pentru acești atomi ai democrației, votându-se pentru a putea ierarhiza aceste mitocondrii ale libertății. De data aceasta „principiul fundamental" a câștigat medalia de aur, „oricine merită o șansă" a luat medalia de argint, iar „dreptul de a alege" medalia de bronz.

Luntz s-a întors apoi către Lemann.

„Iată cum definesc republicanii și democrații oportunitățile", a spus el. „Pentru republicani e «dreptul de a alege», iar pentru democrați «oricine merită o șansă». Individual versus global".

Filosofia lui Luntz nu e, desigur, una nouă. La începutul secolului XX, Theodore Roosevelt, a fost cel care a susținut prima dată beneficiile captării gândurilor celorlalți în domeniul politic. Roosevelt remarca „Politicianul cel mai de succes e cel care spune ceea ce gândesc oamenii cel mai adesea, cu vocea cea mai puternică." Sau, după cum a afirmat cineva mai pe scurt: cel mai bun mod de a călări un cal e în direcția în care el se îndreaptă. Ceea ce Luntz face este să-l aducă pe Roosevelt în epoca modernă, folosind o înțelegere aprofundată a politicii și psihologia discursului, ca pe un permis de acces către zonele interzise ale creierului, ca pe un RMN lingvistic al formei semantice, afective, dezvăluind rupturile minuscule și rănile microscopice de care suferă orice comunicare.

Să luăm de pildă expresia „foraj petrolier". Dacă aveți impresia că e cât se poate de clară, mai gândiți-vă. În 2007, Luntz a alcătuit un grup de oameni, și le-a arătat o imagine cu un proiect petrolifer de foraj, din largul Golfului Mexic, în zona Katrina. El le-a cerut celor din grup să spună ce li se pare că văd în imagine. Părea că e vorba despre „foraj, sau despre prospecțiuni?" În mod incredibil, 90% dintre cei întrebați au spus că pare că e vorba despre prospecțiuni.

„Dacă publicul spune, după ce s-a uitat la imagini, «asta nu arată ca un foraj, ci ca o prospecțiune»", susține Luntz, „atunci nu credeți că ar trebui să definim operațiunea în funcție de ce văd oamenii în loc să adăugăm o conotație politică?... Prin foraj se sugerează că petrolul se scurge în ocean. La Katrina nu s-a vărsat nicio picătură de petrol din aceste utilaje. De aceea noțiunea de prospecțiuni în larg e mai adecvată pentru a descrie lucrurile."

În 2002 – într-un moment în care, după cum a recunoscut chiar și el, dovezile științifice nu erau poate la fel de convingătoare ca în prezent – Luntz a sugerat că, și „încălzirea globală" ar trebui să fie luată în mod similar cu un pic de sare. Scriindu-i lui George W. Bush o notă, intitulată „Mediul: pentru o Americă mai curată, mai sigură și mai sănătoasă", Luntz susținea că:

> Dezbaterea științifică pe această temă pare că se închide (împotriva noastră), dar nu s-a terminat încă. Mai există ocazia de a ne îndoi de știință... Alegătorii cred că nu există un consens în comunitatea științifică împotriva încălzirii

globale. Dacă publicul va ajunge să creadă că problemele au fost tranșate de către știință, perspectivele lor asupra încălzirii globale se vor modifica în consecință. Prin urmare, trebuie să continuați să subliniați lipsa consensului între oamenii de știință și să-i chemați pe oamenii de știință și alți experți din domeniu să se pronunțe.

Rezultatul? Încălzirea globală a îmbrăcat alte haine. O ținută mai puțin alarmistă, cu o semnificație diluată și, cel puțin din punct de vedere politic, mai ușor de digerat. Vorbim aici – poate ați auzit formula – despre „schimbările climatice".[26]

Rezumat

Acest capitol reia lucrurile de unde am rămas în capitolul 3, dacă nu din punctul de vedere al conținutului măcar ca teme. Dacă vă aduceți aminte, în capitolul anterior, geniul psihopat și convingătorul instinctiv Keith Barrett ne-a prezentat cei trei A ai influenței sociale – atenție, abordare și afiliere –, iar noi am analizat felul în care această tipologie, dobândită după o viață de gândire alertă, se prezintă în fața rigorilor cercetării științifice. Se pare că se descurcă destul de bine.

În capitolul 4 am deschis ușa un pic mai larg. Am ieșit din tenebre, și am intrat în lumea activităților licite, analizând felul în care „maeștrii persuadării" – care lucrează *fără* să încalce legea – își văd de treabă: cum obțin politicienii, avocații și cei care lucrează în vânzări și în publicitate accesul la gândurile noastre și cum le pot deturna subtil.

Analiza noastră ne oferă concluzii interesante. Creierul dispune de niște reguli de funcționare destul de simple-iar dacă știi cum să profiți de ele, e destul de ușor să obții recompense majore, când vine vorba despre convingere.

[26] Ar trebui subliniat faptul că Luntz a încercat între timp să se distanțeze de politicile administrației Bush și acceptă acum că oamenii au o contribuție directă asupra încălzirii globale. De asemenea, ar fi interesant de revăzut ce rezultate s-ar obține la exercițiul cu „foraj sau prospecțiuni" după dezastrul ecologic al BP de pe platforma Macondo din Golful Mexic.

În capitolul următor, vom continua turul cazinoului influenței sociale, „urcând“ un etaj, adică trecând de la individ la grup. Sugestia și încadrarea poate că sunt capabile să ne păcălească liberul arbitru, însă adesea, acțiunile *celorlalți* au cea mai mare influență asupra noastră.

În vremea strămoșilor noștri, siguranța conferită de grup era vitală; iar acest imperativ al evoluției este păstrat în străfundurile creierilor noștri.

Capitolul 5

Manipularea la plural

Un bătrân irlandez zace pe patul de moarte, cu fiul alături. Bătrânul se uită la el și spune: „Fiule, e timpul să-mi chemi un pastor protestant".

Fiului nu-i vine să creadă. „Tată!" exclamă el. „Tu ai fost catolic credincios toată viața! Delirezi. Poate vrei să-ți chem un preot, nu un pastor".

Bătrânul zâmbește ușor și dă din cap. „Fiule, te rog", zice el. „E ultima mea dorință. Cheamă un pastor!"

„Dar tată", strigă fiul, „ești un bun catolic. M-ai crescut și pe MINE catolic. Nu vrei acum un pastor!"

Bătrânul rămâne impasibil.

„Fiule", șoptește el, „dacă mă respecți și mă iubești ca părinte, te duci și-mi aduci chiar acum un pastor protestant."

Fiul cedează și se conformează voinței tatălui. Revine acasă cu un pastor, care urcă și-l convertește pe bătrân. În timp ce pastorul iese din casă, el trece pe lângă părintele O'Sullivan, care se grăbește să intre pe ușă. Bucuros în sinea sa, îl fixează solemn, cu privirea, pe preot:

„Mă tem că ați venit prea târziu, părinte", spune el. „Acum e protestant".

Părintele O'Sullivan urcă scările dintr-o suflare, și dă buzna în camera bărbatului.

„Seamus! Seamus! De ce ai făcut asta?" strigă el. „Erai un catolic așa de bun! Am mers la Biserica Sf. Maria împreună! Ai fost de față la prima mea slujbă! De ce ai făcut una ca asta?"

Bătrânul se uită îndelung la prietenul lui:

„Ei bine Patrick", zice el, „m-am gândit că, dacă tot e să moară cineva, mai bine să fie unul DE-AL LOR, decât unul DE-AI NOȘTRI".

Permitem ignoranței noastre să ne domine, și să ne facă să credem că putem supraviețui de unii singuri, singuri în anumite locuri, singuri în grupuri, singuri în cadrul raselor, chiar singuri în cadrul genurilor - Maya Angelou, discurs în fața Centenary College of Louisiana, martie, 1990.

Ordinea de sus

Am ajuns la aeroportul City din Londra, și am dat peste o scenă de haos total. Sistemul picase și toată lumea trebuia să fie verificată manual, iar spațiul altădată generos, era plin de cozi atât de complicate geometric, încât până și Stephen Hawking s-ar fi minunat de ele. Nimeni nu putea să se grăbească. De fapt, unii nici nu puteau să plece nicăieri.

Un tip aflat un pic în fața mea la coadă, își căuta prilej de ceartă. Dăduse câteva semne când a țipat la telefonul mobil, iar acum se săturase de-a binelea. A mers-tiptil către capătul cozii, și-a pus jos geanta Prada și a cerut să fie îmbarcat imediat. Persoana de la ghișeu nu s-a lăsat impresionată.

Ridicându-se încet de pe scaun, ea s-a cocoțat pe tejghea, după care, cu un ton strident, măsurat și extrem de disprețuitor i-a vorbit de sus.

„Ce vă face să credeți că ar trebui să beneficiați de un tratament preferențial față de restul lumii din aeroport?"

Omul n-a mai apucat să-și prindă zborul.

Am analizat în amănunt, în ultimul capitol, dinamica unui fenomen pe care l-am putea denumi sugestionare cognitivă. Felul în care marii maeștri ai persuasiunii profesioniste – avocații, oamenii din vânzări, din publicitate sau politicienii – pot manipula nu doar tipul de informații pe care le asimilează creierul nostru (materia primă a influenței), ci și ce facem cu acea informație odată ce o obținem. Astfel de povești ne sugerează însă o influență diferită de cea despre care am vorbit până acum, o influență care se hrănește nu atât din puterea informației, cât din atracția relațiilor omenești.

Să ne gândim, de pildă, la ce s-a petrecut la Jonestown. Pe data de 18 noiembrie 1978, reverendul Jim Jones a înregistrat un mesaj de 44 de minute în care le spunea celor peste 900 de membri ai Templului Poporului, să bea un sirop de tuse stropit cu cianură, într-o comunitate agricolă izolată dintr-o junglă din Guyana de Nord-Vest. Masacrul care a urmat, rămâne până în zilele noastre cea mai mare pierdere de vieți omenești în rândul civililor americani, în afară de atentatele de la 11 septembrie.[27]

Apoi a fost Londra, acum cinci ani. Pe 7 iulie 2005, la ora 8:50 dimineața, un profesor de școală primară, un bărbat care se ocupa cu montajul mochetelor și un lucrător dintr-un fast-food au provocat o serie de explozii în centrul aglomerat al orașului, în urma cărora și-au pierdut viața 39 de oameni care se duceau la muncă. La nici o oră după aceea, un al patrulea membru al echipei asasinilor – în vârstă de 18 ani și proaspăt ieșit de pe băncile școlii – a detonat un alt dispozitiv, urcând numărul morților la 52.

Acestea sunt, evident, niște extreme. Sunt exemple în care influența grupurilor – radicalizarea și spălarea pe creier – e atât de departe de viața de zi cu zi, încât ele par niște gesturi pe care doar o minoritate de nebuni le-ar putea înțelege. Și așa este în multe privințe. Ele sunt însă și exemple de persuasiune, în urma unor forțe străvechi ale atracției interpersonale, care agregă identități. Ele conțin o gamă a influenței, de la simpla schimbare a dispoziției, la un capăt, până la modificări radicale ale perspectivelor asupra lumii, la celălalt capăt. De la banalitățile traiului cotidian la chestiuni de viață și de moarte.

Amintiți-vă, de pildă, de Solomon Asch și de experimentul lui cu linii, din capitolul anterior. Era evident, dacă vă mai aduceți aminte, care dintre linii erau de aceeași lungime și care nu. Cu doar câțiva

[27] Nu s-au luat în calcul dezastrele naturale.

oameni care să contrazică respondentul – cu încredere, constant și în unanimitate – lucrurile se complicau. Participanții au început să vadă liniile nu așa cum erau, ci cum le vedeau cei din jurul lor.

Din acest punct, când începem să vorbim despre ideologii și când liniile se transformă în dogme, lucrurile devin periculoase.

Convingerea prin mulțimi

Ușurința prin care un grup de indivizi, cu anumite păreri moderate, pot fi radicalizați, este demonstrată prin studierea unui fenomen denumit *polarizarea de grup*. Polarizarea de grup descrie ce se petrece cu părerile indivizilor, atunci când aceștia sunt parte a unui grup. Aceste păreri devin extreme.

Puteți să vă demonstrați singuri asta cu ajutorul câtorva prieteni. Mai întâi cereți-le să vă spună părerile lor *individuale* – în particular – despre o problemă cum este următoarea.

Un agent sub acoperire, care operează în spatele liniilor inamicului, e luat prizonier și condamnat la 20 de ani de muncă silnică într-un lagăr îndepărtat. Condițiile sunt extrem de neplăcute, iar șansele de a fi salvat neglijabile. Agentul se gândește la situația sa – că va fi nevoit să-și petreacă cei mai buni ani într-o mizerie abjectă, interminabilă – și începe să-și facă un plan de evadare. Dacă tentativa nu reușește și este prins din nou, va fi executat.

Întrebare: Dacă i-ați da un sfat acestui agent, care ar fi nivelul acceptabil de risc, dincolo de care *nu* ar trebui să încerce să evadeze? Alegeți dintre următoarele variante (numerele de pe scară reprezintă probabilitatea de a fi prins: șansele de a fi capturat se situează între 10% în partea stângă și 90% în cea dreaptă):

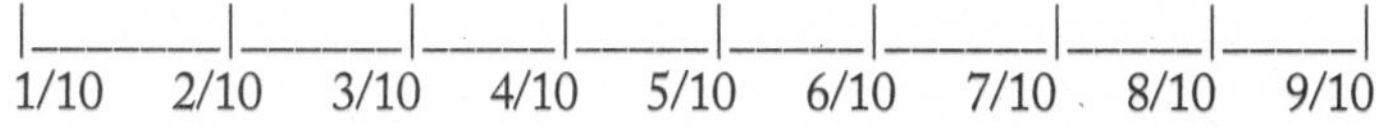

După ce prietenii v-au spus părerile lor, adunați-i pe toți laolaltă pentru etapa a doua. De data aceasta, spuneți-le să dezbată problema în cadrul grupului, apoi să ajungă la o recomandare comună.

Ar trebui să ajungeţi la următorul rezultat. Dacă media părerilor individuale e *mai mică* decât 5/10 (adică dacă înclină către precauţie), atunci decizia grupului va accentua această tendinţă (adică va fi mai conservatoare decât suma recomandărilor individuale). Pe de altă parte, dacă media opiniilor individuale e *mai mare* de 5/10 (adică se manifestă o înclinaţie către risc), atunci decizia grupului va fi *mai pronunţată* în această direcţie (adică va fi mai riscantă decât suma recomandărilor individuale).

Efectele polarizării de grup au fost studiate în tot soiul de contexte, de la hipodrom şi centrul comercial la procesele decizionale ale tâlharilor. De fiecare dată concluziile urmează acelaşi tipar. Faceţi parte dintr-un grup şi veţi cheltui mai mulţi bani la magazin. Faceţi parte dintr-un grup şi veţi jefui... mai puţine case (hoţii au tendinţa de a evita riscurile atunci când fac evaluări colective referitoare la vulnerabilitatea unei ţinte).

Studiile cele mai importante privesc însă prejudecăţile, şi, mai recent, ascensiunea extremismului. Studiile arată că, atunci când indivizii cu prejudecăţi se adună şi discută probleme legate de rasă, atitudinile lor se înrăutăţesc, iar prejudecăţile devin *mai pronunţate. Cei cu prejudecăţi scăzute, pe de altă parte, devin şi mai toleranţi*:

Figura 5.1 - Polarizarea de grup şi prejudecăţile.

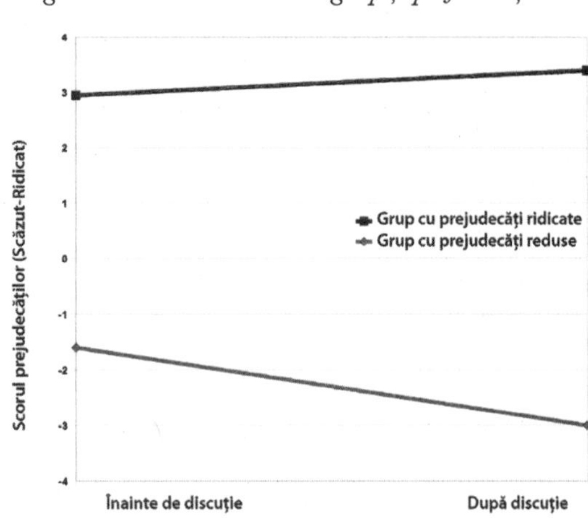

Tacticile de recrutare folosite de multe organizații teroriste, funcționează după aceleași principii. Procesul începe cu alegerea unor persoane care susțin cauza (adesea, la început, din cadrul unei ideologii populare), care sunt apoi aduse în grupuri pline de oameni părtinitori, ca să se îmbibe de propagandă și să dezbată „cauza".

Tânărul de 22 de ani Shehzad Tanweer era descris de prietenii săi drept un om cu convingeri politice moderate. Aflat la școală în Anglia, era un sportiv talentat: juca cricket, fotbal și alerga la maraton. A absolvit în 2004 Leeds Metropolitan University, luându-și licența în educație fizică, apoi s-a înscris la un curs de „studii islamice" în Pakistan: a ajuns într-o *madrasa* în Lahore, cu conexiuni – conform agențiilor de securitate – cu un grup islamist scos în afara legii.

În luna iulie a anului următor, într-o dimineață însorită de vară, s-a aruncat în aer în centrul Londrei, iar explozibilii letali pe care-i ținea în rucsac au făcut o gaură uriașă pe una dintre magistralele metroului.

În viața celor trei complici, putem vedea un tipar de tranziție asemănător. Erau niște oameni obișnuiți ,care, treptat, prin cercurile pe care au avut ocazia să le frecventeze, au început să vadă lucrurile „diferit".

Au început să vadă liniile nu așa cum erau în realitate, ci cum le vedeau alții.

Camera verde

Am luat-o pe scurtătură, de dragul simplității. Pe lângă puterea grupurilor, există numeroși factori asociați cu creșterea conformismului. Printre acestea se numără, potrivit studiilor de laborator: senzația de incompetență sau de nesiguranță, prezența unui grup de cel puțin trei persoane (mai mulți membri nu sporesc decât în mică măsură conformismul), unanimitatea (efectul unei singure opinii adverse e devastator), admirația pentru grup, lipsa altor alte angajamente, și supravegherea individului de către grup: în studiul cu linii al lui Asch, de pildă, incidența conformismului scădea dramatic atunci când participanții nu erau nevoiți să-și exprime în public părerea, ci răspundeau în particular.

Dacă adăugăm un lider charismatic – precum Jim Jones –, separarea de cei care au o altă perspectivă asupra lumii (pentru membrii Templului Poporului, opiniile contrare erau destul de greu de găsit în jungla din nord-vestul Guyanei,așa cum erau și pentru Shehzad Tanweer în *madrasa* din Lahore) și o procedură de integrare graduală, în care se pretind dovezi din ce în ce mai mari de devotament față de grup (împărțirea de pliante, antrenarea noilor membri, luarea deciziilor: cu alte cuvinte, tehnica piciorului în ușă), la final rezultă ceva foarte periculos. Materia primă a spălării pe creier. Echivalentul psihologic al unei „bombe murdare".

Cu toate acestea, pare că lipsește ceva; o piesă centrală din puzzle, pe care încă nu o avem. Gândiți-vă pentru o clipă la impactul – la enormitatea – unui atac terorist important, sau a unei sinucideri în masă. Pot fi explicate evenimentele din Jonestown, atrocitățile din 7 iulie, dezastrul de la 11 septembrie *doar* prin intermediul unei noțiuni atât de simple precum presiunea celor din jur sau există și alte forțe implicate? Niște forțe mai profunde, mai puternice, poate chiar mai neurologice? Sunt simptomele afilierii întotdeauna atât de elocvente precum cele pe care le-a demonstrat Asch? Sau există tulpini ale virusului care nu sunt active, iar efectele lor se manifestă subconștient?

Cercetările efectuate de Robert Cialdini ne-ar putea oferi indicii în acest sens – e același cercetător cu grădina zoo și delincvenții juvenili. Împreună cu colegii lui, el a efectuat în 2007 un studiu memorabil. Cum ar putea companiile din industria hotelieră să facă un lucru imposibil: să-i convingă pe turiști să-și refolosească, cel puțin o dată, prosoapele?

Cialdini era interesat de acele mesaje care puteau să asigure un conformism cât mai puternic. Care sunt aceste mesaje, cele cu normele descriptive (adică cele care arată cum își refolosesc alții prosoapele)? Sau cele convenționale, care promovează conștientizarea problemelor legate de mediu?

Pentru a afla, el a atribuit, la întâmplare, un cartonaș cu unul dintre mesajele următoare – în 200 de camere de hotel –, apoi a numărat prosoapele:

- „Ajutați hotelul să economisească energia".
- „Ajutați-ne să salvăm mediul înconjurător".
- „Fiți partenerul nostru în protecția mediului".
- „Ajutați-ne să lăsăm generațiilor următoare mai multe resurse".
- „Alăturați-vă celorlalți oaspeți și ajutați-ne să salvăm mediul (într-un studiu efectuat în toamna anului 2003, 75% dintre oaspeții noștri au luat parte la programul nostru de economisire a resurselor, folosind de mai multe ori același prosop...)".

Care dintre mesaje credeți că a fost cel mai eficient? Care dintre ele credeți că v-ar face cel mai mult să *vă* conformați?

Dacă credeți că e ultimul mesaj – „Alăturați-vă celorlalți oaspeți și ajutați-ne să salvăm mediul" –, nu sunteți singuri. 44% dintre oaspeții care au văzut acest cartonaj în camera lor, și-au refolosit prosoapele. Cel mai puțin eficient – ce surpriză! – era cel care sub linia beneficiul hotelului: sub 16% dintre turiști și-au refolosit prosopul în acest caz. Într-un studiu ulterior, în care mesajul cel mai eficient a fost modificat sub forma „Alăturați-vă celorlalți oaspeți și ajutați-ne să salvăm mediul (într-un studiu efectuat în toamna anului 2003, 75% dintre oaspeții *care au stat în această cameră* au luat parte la programul nostru de economisire a resurselor, folosind de mai multe ori același prosop...)", rata conformării a crescut și mai mult, până la 49%.

„Dacă sunteți într-o situație și nu știți cum să acționați" – comentează Noah Goldstein, unul dintre cercetătorii implicați în studiu –, „veți căuta să vedeți cum au procedat alții, și care sunt normele situației respective".

Și așa am revenit chiar la Asch.

Sau nu? Să ne uităm pentru o clipă la experimentul lui Cialdini și să-l comparăm cu experimentul cu linii. Observați vreo diferență? Ei bine, pentru început, desigur, în experimentul lui Cialdini nu se produce nicio ruptură cu datele care pot fi verificate în mod obiectiv. Sigur, majoritatea oaspeților care au stat în camera 320, ar fi putut să-și recicleze prosoapele. Pe de altă parte, nu putem să facem rost de o riglă și să *măsurăm* acest comportament – cât e el de corect sau de greșit – așa cum putem măsura liniile din studiul lui Asch.

Dar asta nu e singura diferență. Există o discrepanță și mai importantă. În studiul lui Asch, majoritatea era prezentă. Ei erau acolo și nu puteau fi ocoliți. Ei erau vizibili, ca factor decisiv al influenței, atât fizic cât și psihologic. Pe de altă parte, în studiul lui Cialdini *nu exista* nicio majoritate. Această majoritate era cel puțin invizibilă. Și, poate și mai important, ea nu *vă* putea vedea. Pe hârtie, desigur, erau o forță redutabilă, însă asta nu se compară cu prezența lor în carne și oase; nu e ca și cum ieșeau din baie cu prosoapele lor refolosite. Cu toate acestea, mesajul i-a convins pe oaspeți să refolosească prosoapele.

Rezultatele studiului lui Cialdini sunt interesante. Conformismul nu e doar un fenomen vizibil. Nu e vorba doar despre a fi văzut ca fiind diferit. E un fenomen mai profund. Se pare că avem preferința clară de a nu înota împotriva curentului.

Un alt studiu face un pas și mai mare, sugerând că anumite tipuri de influență, sunt atât de profunde, încât pot să ne afecteze chiar și *percepția* la nivel fundamental. De asemenea, această influență insidioasă nu este apanajul puterilor – cei mari și buni, a celor aflați în vârful ierarhiilor –, ci al unei alte pături sociale.

Vorbim despre minorități. Despre defavorizați. Despre cei care „văd lucrurile altfel".

Nuanțele influenței

Psihologul social, Serge Moscovici, a efectuat în 1980 un studiu care-i mai pune și astăzi pe gânduri pe cercetători. Scopul studiului era de a testa teoria „genetică" a influenței sociale a lui Moscovici, anume că schimbările definitive, fundamentale, pornesc în societate de jos în sus, și nu de sus în jos. Studiul a fost foarte bun, problema e însă că nu a putut fi reprodus.

La baza teoriei lui Moscovici se afla un model al influenței, ca „proces dual"; aceasta este ideea că influența minorității nu e doar cantitativ diferită de cea a majorității, ci și calitativ. Minoritatea acționează, după Moscovici, în spatele ușilor închise – restructurând convingerile și purtând un război civil cognitiv –, în vreme ce majoritatea, după cum a demonstrat Asch, are un program cu totul diferit: ea nu dorește ca noi să *punem la îndoială* starea de fapt, ci pur și simplu să o *acceptăm*.

Verificarea ipotezei a fost dificilă. Paradigma lui Moscovici a făcut valuri în domeniul psihologiei sociale, dar și în rândurile psihologiei cognitive; experții au speculat asupra mecanismelor neurologice concrete, care ar putea sta la baza concluziilor lui.

Experimentul se bazează pe fosfene – acele contururi fantomatice, care plutesc în fața ochilor noștri atunci când privim intens anumite nuanțe cromatice, mai exact, e vorba despre fosfenele *negative* – cele care conțin o nuanță diferită de cea a stimulului inițial.

Sunt aceste imagini fixe, așa cum ne spun legile percepției? Sau pot fi ele cumva influențate?

Studiul poate fi împărțit în două etape. În etapa 1, de bază, participanții s-au uitat la cartonașe albastre și au fost întrebați apoi, după ce le-a văzut pe fiecare în parte, să noteze culoarea. După o „dezintoxicare" vizuală, în care au privit un ecran alb, acestora li s-a cerut din nou, după fiecare încercare, să noteze culoarea fosfenei, pe o scară cu nouă puncte, cu galben/oranj la un capăt (fosfena culorii albastre) și roz/mov la celălalt (fosfena verdelui).

Odată ce aceste măsurători preliminare erau înregistrate, Moscovici a împărțit participanții în două grupuri. Un grup a primit informația că o anume proporție din voluntarii anteriori (18,2%) a considerat că, de fapt, cartonașele erau *verzi*, în vreme ce restul (81,8%) le-ar fi văzut *albastre*. Celălalt grup a primit informația inversă: că 81,8% dintre voluntarii anteriori au perceput cartonașele ca fiind *verzi*, în vreme ce restul... v-ați prins... considerau că sunt *albastre*. O prostie totală, dar, ce să vezi, a fost suficientă pentru a induce în mintea participanților, care erau părerile „minoritare" și „majoritare".

Odată îndeplinite formalitățile, distracția începe de-a binelea. Participanții au primit un alt set de cartonașe – 15, de această dată, cu aceeași nuanță de albastru, ca și primele – și au fost întrebați să spună *cu voce tare*, după fiecare dintre ele, ce culoare au văzut. Astfel a început „etapa influenței", a doua fază.

Procedura a fost însă modificată.

De data aceasta un asociat spunea, după fiecare cartonaș, VERDE. Fără nicio rezervă. VERDE.

Și încă ceva. De data *aceasta*, după ce spuneau culoarea fiecăruia dintre cele 15 cartonașe, participanții trebuiau să indice culoarea fosfenelor: punctul pe care se încadrau pe scara cu nouă puncte de dinainte. Putea minoritatea să funcționeze diferit de majoritate? Să ofere modificări mai profunde, mai rezistente, mai esențiale ale convingerii: o convertire în locul compromisului? În fosfene se află cheia.

Dacă teoria lui Moscovici e validă, atunci fosfenele „de bază" din etapa 1 ar fi trebuit, în urma expunerii la influența minorității din etapa 2[28], să se deplaseze către capătul roz/mov al spectrului (fosfena verdelui). Moscovici susținea că o respingere consecventă, consensuală din partea minorității îi face pe oameni să gândească. Și acesta e un aspect important, dacă nu erau interese la mijloc. Se nășteau întrebări profunde. *De unde* provenea dezacordul? *De ce* există o abatere de la normă? Dacă oamenii nu au nimic de câștigat – și nu păreau să aibă nimic de câștigat –, ei bine, trebuie să existe *un* motiv pentru acțiunile lor, nu? Undeva trebuie să existe *ceva*. Poate că au ei dreptate. Poate că e ceva legat de mine. Poate cartonașul *chiar* e verde...

Pentru cei expuși la influența majorității însă (în acest caz participanții cărora li s-a spus că 81,8% dintre voluntarii anteriori au văzut cartonașele ca fiind verzi, spre deosebire de restul de 18,2%), nu s-a anticipat o astfel de modificare a percepției asupra fosfenelor. Dacă vă aduceți aminte, majoritatea, spre deosebire de minoritate, e interesată doar de „aspectele superficiale". Moscovici credea că participanții se vor supune, la nivel superficial, percepției majorității. Ei ar putea să declare *în public* că – da – cartonașele sunt verzi. În particular, dincolo de vălul aparențelor sociale, e cu

[28] Asta după ce au auzit ce spunea asociatul care reprezenta minoritatea voluntarilor anteriori (18,2%).

totul altă poveste. În sinea lor nu *credeau* cu adevărat ce spuneau. Desigur că nu credeau. Nimic nu se schimba. Cartonașele ar fi fost în continuare albastre – așa cum au fost de la început – cu aceeași fosfenă. Era doar o situație în care, în public, ar fi spus altceva.

În cele din urmă, rezultatele studiului au fost incredibile. Putea exista o tulpină a convingerii atât de puternică, încât să submineze percepția vizuală? În mod evident se pare că da.

Priviți graficul din Figura 5.2.

Figura 5.2 - Scorurile medii ale fosfenelor. Scorurile mai ridicate prezintă o tranziție către fosfena VERDE.

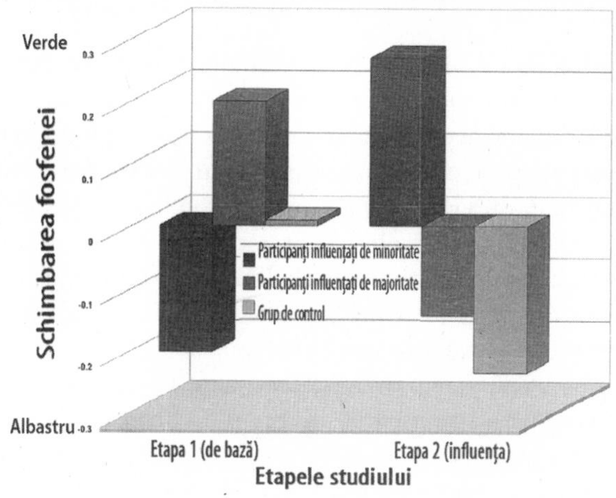

Așa cum a prezis Moscovici, atunci când asociatul care reprezenta poziția *minoritară* striga verde,[29] culoarea fosfenelor a început să se deplaseze către capătul mov al spectrului, indicând o schimbare reală de percepție. Se petrecuse o remodelare dură, subterană, cognitivă. Și asta, *în ciuda* faptului că minoritatea, din nou, după cum se prevăzuse, avusese un impact minor asupra răspunsurilor *publice* ale participanților.

[29] Adică, asociatul care-i însoțea pe acești participanți le spunea că 18,2% dintre voluntarii anteriori văzuseră cartonașele ca fiind verzi.

Pe de altă parte, remarcați ce s-a petrecut în grupul *majoritar* (cei cărora li se spusese că 81,8% dintre voluntarii anteriori văzuseră cartonașele ca fiind de culoare verde). Sigur, asociatul care reprezenta opinia majorității fusese dominant în public, atunci când participanții trebuiau să-și spună cu voce tare părerea despre culoarea cartonașelor. În particular însă lucrurile au stat complet diferit. Aici, de fapt, percepția fosfenelor s-a îndreptat în direcția opusă, către galben/oranj.

Influența minorității? Se pare că da.

Probleme cu cartonașele

Concluziile lui Moscovici s-au dovedit deosebit de dificil de reprodus, dar nu imposibil. În zilele noastre, modelul „procesului dual" al influenței de grup e destul de bine ancorat, fiind acceptată în general ideea că, spre deosebire de felul în care funcționează conformismul, minoritatea are o metodă subliminală de acțiune. Odată strecurat mesajul dincolo de mecanismele de apărare ale creierului, el poate submina certitudini vechi, bine împământenite – lucrurile pe care le luăm de-a gata – și să ne forțeze să punem în discuție adevăratul caracter al realității.

În prezent nu putem decât să speculăm. E însă posibil ca un fenomen similar să se fi putut petrece și cu Shehzad Tanweer și asociații săi înaintea bombardamentelor de la Londra. Și celor care-l urmau pe reverendul Jim Jones. Sau, dacă stăm să ne gândim, un efort concertat: o combinație duală a unor procese la nivel minoritar, *dar și* majoritar.

La un anumit nivel, e posibil ca efectele radicalizării minoritare să fi modificat perspectiva lui Tanweer și a complicilor săi asupra lumii. Nu doar metaforic, ci și neurologic, în profunzimile creierului. La un alt nivel e la fel de plauzibil ca presiunile participării la un grup – de incluziune și identitate – să fi acționat asupra lor în cu totul alt mod: făcându-i să fie statornici, ancorându-i pe o traiectorie a morții, căreia nu i s-au mai putut sustrage.

În cazul de față se pare că nu doar forțele grupului acționau asupra lor. Odată ce efectele radicalizării au început să se manifeste, ei au fost expuși mai multor viruși ai persuasiunii; de pildă *prejudecata confirmării*: tendința pe care o avem cu toții, nu doar cei mai radicali dintre noi, de a căuta dovezile care confirmă, nu pe cele care infirmă presupunerile noastre. Iată un exemplu.

Aveți în Figura 5.3 de mai jos patru cartonașe. Pe fiecare dintre aceste cartonașe se află un număr, pe o parte, și o culoare, pe cealaltă. După cum puteți vedea, în prezent ordinea cărților este 3, 8, ROȘU și MARO. Acestea sunt fețele *vizibile*. Imaginați-vă însă, pentru o clipă, că puteți să ridicați cărțile – cât de multe doriți – și să le întoarceți pe cealaltă parte.

Figura 5.3 – Exercițiul Wason cu patru cărți.

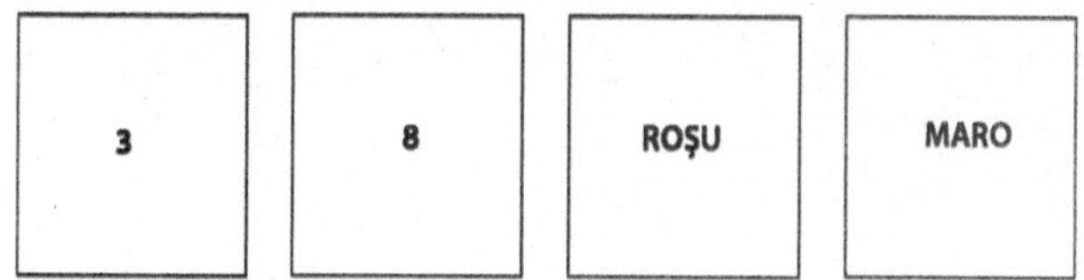

Întrebare: Ce cartonaș(e) ați întoarce pentru a verifica afirmația că, dacă un cartonaș are un număr par pe o parte, atunci reversul e roșu?

Acest puzzle clasic – *exercițiul Wason cu patru cărți* – a fost creat în 1966 de psihologul și expertul în gândirea omenească, Peter Cathcart Wason. E înșelător de ușor, și cu toate acestea, majoritatea oamenilor greșesc. Da, mi-e teamă că e genul *ăla* de exercițiu.

În mod instinctiv, majoritatea oamenilor aleg cartea 3 și cea ROȘIE. Ați ales cumva și voi aceste cărți? Dacă da, gândiți-vă o clipă ce sperați să găsiți.

Să zicem, de exemplu, că întoarceți cartea cu 3 și găsiți că e ROȘIE. Aha, veți spune, acum am aflat ceva. Dar chiar așa e? Să ne întoarcem la cerință, și să ne aducem aminte din nou ce ni se cere. Cerința spune următoarele: „...*dacă* un cartonaș are un număr par pe o parte, *atunci reversul* este roșu". Hmm. Putem invalida regula cu un 3 și cu ROȘU? De fapt, răspunsul e nu. Doar pentru că pe spatele unui cartonaș cu 3 se găsește culoarea roșie, nu împiedică faptul ca un cartonaș cu 2 să aibă culoarea roșie.

De asemenea, dacă întoarcem cartonașul ROȘU și descoperim... pe cealaltă parte... un 5, ei bine, nici așa nu am invalidat ipoteza. De fapt, suntem în același punct. Doar pentru că în spatele unui cartonaș ROȘU se găsește un 5, asta nu înseamnă că el nu ar putea avea și un 4...

Pe de altă parte, dacă întoarcem cartonașul MARO și descoperim un 4, atunci *chiar* ajungem undeva. Așa se poate invalida ipoteza. Așa cum am putea invalida ipoteza descoperind un cartonaș cu 8, pe spatele căruia găsim culoarea neagră.

Așadar, răspunsul corect e, de fapt, 8 și MARO. Doar întorcând aceste două cartonașe și încercând să dovedim *contrarul* ipotezei – căutând exemplele care *nu* se conformează – putem testa valoarea ei de adevăr.

Ce facem însă noi, majoritatea? Majoritatea va căuta – complet inconștient – exemplele care confirmă regula. Încercăm, în mare parte a timpului, fără ca măcar să ne dăm seama, să confirmăm ceea ce știm deja.

Superficialitate epidermică

Acest test ne oferă o probă concretă și un memento referitor la puterea convingerii. Ni se arată că ideile pe care le avem deja în cap sunt adesea ca un soi de comisie care stabilește ce alți membri pot fi admiși în interior. Iar testul nu provoacă niciun fel de controverse. Nimeni nu are, la urma urmei, vreun interes în ceea ce privește reversul cărților (dacă vi se pare că o variantă e mai bună decât cealaltă, trebuie să vă căutați la cap). E doar un puzzle, pur și simplu.

În 1979, psihologii Mark Snyder și Nancy Cantor, au efectuat un experiment devenit clasic, care demonstrează puterea prejudecății de confirmare nu doar în interiorul laboratorului, ci și în afara lui: atunci când vine vorba despre deciziile pe care le luăm zilnic. Snyder și Cantor le-au oferit participanților o descriere a unei persoane, pe nume Jane, din care rezulta că ar fi în egală măsură introvertită și extrovertită. După câteva zile, jumătate a trebuit să evalueze cât de bună ar fi pentru o slujbă extrovertită (agent imobiliar) și cealaltă jumătate au trebuit să evalueze cât de bună ar fi pentru o slujbă introvertită (bibliotecară). Ce s-a întâmplat? Ați ghicit. Fiecare grup a reținut atributele care se potrivesc cu slujba, pentru care o evaluau.

Același principiu se aplică și efectului placebo. Într-un studiu amuzant, ingenios (deși, din păcate nepublicat), care analiza în aparență efectul mesajelor subliminale asupra interacțiunilor sociale, un grup de studenți au fost acoperiți cu cremă solară pe față, pentru a scrie cuvântul SEX, apoi au ieșit să se bronzeze. Au stat suficient de mult în soare, pentru ca efectul cremei solare să devină vizibil (pentru cercetător, și nu pentru participanți: voluntarii habar nu aveau care era mesajul scris); cu alte cuvinte, cuvântul SEX era discret întipărit pe piele. După aceea, pe parcursul următoarei săptămâni, au ținut un jurnal al întâlnirilor sociale.

Avea un efect „comunicarea" subliminală, asupra interacțiunilor studenților cu ceilalți?

Cu siguranță. Aproape trei sferturi dintre ei au spus că au avut cel puțin o experiență nouă, pe care au pus-o pe seama mesajelor de pe fețele lor. Printre experiențe se numără mai multă atenție din partea celuilalt sex și un tratament mai bun din partea vânzătorilor și a colegilor.

Dar iată care e faza. De fapt, doar *o treime* dintre voluntari aveau cuvântul SEX pe față. Ceilalți au avut un cuvânt aberant scris cu cremă solară, sau un cuvânt aberant scris cu *apă*.

A contat asta? Absolut deloc. Faptul că voluntarii *credeau* că au un mesaj ascuns, i-a făcut să caute lucruri care să confirme acest lucru. Și ele au fost uluitor de ușor de găsit.

Să vezi și să crezi

Din nefericire, Jonestown și atentatele de la Londra din 7 iulie nu au fost întâmplări izolate. Pe 26 martie 1997, 39 de membri ai cultului Heaven's Gate au băut, la îndemnul liderului Mashall Applewhite, un cocktail letal cu vodcă și fenobarbiturice (după care și-au pus pungi de plastic peste cap pentru a fi siguri că vor muri), pentru a putea urca pe nava-mamă a extratereștrilor, pe care ei o așteptau pe pământ. Au fost găsiți în paturile lor, îmbrăcați identic, în tricouri negre și pantaloni de trening, tenişi Nike nou-nouți, și brățări cu „Echipa Raiului în Deplasare". Din păcate, nu au mai ajuns la meci.

Ar fi ușor de luat în derâdere acest eveniment, dacă nu ar fi fost atât de tragic, iar convingerile bizare nu ar fi avut o logică atât de îngrijorătoare în spatele gardurilor psihologice cu sârmă ghimpată ale grupului (după cum am observat mai devreme, acesta este motivul pentru care liderii cultelor își înființează comunitățile în locuri izolate: pentru a-i izola pe membri de opiniile contrare și a pune bazele unui fenomen denumit *gândirea de grup*).[30]

Pe de altă parte, niciunul dintre noi nu e imun la prejudecata de confirmare. Cu toții facem asta. Dacă doi fani ai unor echipe adverse urmăresc aceeași fază, unul va spune că a fost fault, în vreme ce, pentru celălalt, a fost un atac la minge, în funcție de rezultat. De fapt, dată fiind moștenirea noastră tribală, și legăturile noastre strânse în savanele încinse din Africa de Est, prejudecata se manifestă mai ales în situațiile în care afilierea la un grup este predominantă.

Să luăm, de pildă, arestarea notorie a profesorului de la Harvard, Henry Louis Gates, petrecută la reședința acestuia din Boston în anul 2009, la întoarcerea din China.

Ce știm mai exact?

Ei bine, Gates, care e de culoare, a spus că, atunci când s-a întors acasă, a găsit ușa blocată, încercând să deschidă ușa împre-

---

[30] Conform lui Irving Janis care a studiat în amănunt acest fenomen în anii '70, gândirea de grup presupune „un mod de gândire al oamenilor implicați profund în cadrul unui grup coerent, în care strădania membrilor către unanimitate strivește motivația indivizilor de a evalua în mod realist și alte variante de acțiune." Lista completă a simptomelor gândirii de grup este următoarea: senzația de invulnerabilitate care generează un optimism exagerat și încurajează un comportament riscant, ignorarea avertismentelor care ar putea pune în discuție ipotezele, o convingere totală în moralitatea grupului, care-i face pe membrii acestuia să ignore consecințele acțiunilor lor, o perspectivă stereotipală asupra conducătorilor inamicilor, o presiune de a se conforma asupra celor cu păreri contrare, combaterea ideilor care se abat de la consensul aparent de grup, iluzia unanimității, și „paznicii ideilor": membri care-și arogă dreptul de a apăra grupul de opiniile contrare (Janis, Irving L. și Mann, Leon, *Decision Making: A Psychological Analysis of Conflict, Choice and Commitment,* Free Press, New York, 1977).

una cu șoferul. El spune apoi că a intrat prin spate, și că vorbea la telefon cu agenția imobiliară, în timp ce a venit poliția.

Poliția a afirmat că Gates a devenit nervos, după ce sergentul James Crowley, alb, i-a cerut să se legitimeze. Poliția susține că Gates l-ar fi acuzat pe Crowley că e rasist, a refuzat să se liniștească și a fost arestat.

Gates susține că a respectat cererea lui Crowley și s-a legitimat. El spune că Crowley l-a arestat după ce i-a cerut în mod repetat numele și numărul de legitimație polițistului, pentru că era nemulțumit de felul în care fusese tratat.

Crowley nu și-a cerut scuze, spunând că nu a făcut decât să respecte procedura.

După cum ar trebui să ne fie clar din discrepanța celor două relatări, una dintre părți nu spune adevărul complet. Care dintre ele? Există o probabilitate că veți alege mai puțin pe baza probelor, și mai mult pe afinitatea față de una dintre părți. Dacă, spre exemplu, credeți în existența unui rasism instituțional sau dacă drepturile de proprietar v-au fost încălcate în trecut, sau dacă ați fost abuzat de poliție, atunci veți crede că *poliția* e de vină. Pe de altă parte, dacă sunteți un republican dur, și credeți că Obama e un fanatic musulman, care e de partea teroriștilor, și – uau, iată dovezile – e de partea amicului său negru, atunci scenariul cel mai probabil e că Gates avea o poliță de plătit, și l-a provocat pe polițist.[31]

Prejudecata de confirmare zace ascunsă în toți dintre noi. Majoritatea nu ne vom înscrie într-un cult, dar suntem cu toții supuși atracției gravitaționale a convingerilor noastre profunde. În Jonestown, predicile zilnice ale reverendului Jim Jones le confirmau adepților acestuia, că erau parte a unei cauze drepte, iar moartea urma să le aducă pace și dreptate. Sună cunoscut? Așa ar trebui. Dați drumul la televizor și ascultați ce se întâmplă în Afganistan.

Într-un studiu recent de la Stanford, psihologii Scott Wiltermuth și Chip Heath, sugerează că există mai multe similarități între culte și armată decât ați putea crede. Soldații se antrenează marșând în

[31] După ce incidentul a căpătat notorietate, Obama i-a invitat pe ambii – Gates și Crowley – să bea împreună o bere la Casa Albă, ocazie supranumită și „summit-ul berii". Deși niciunul dintre ei nu și-a cerut scuze pentru pentru felul în care a procedat, au căzut de acord că au păreri diferite și au promis că vor discuta și în viitor.

pas comun. Religiile se folosesc de cântece rituale în cadrul slujbelor.

Dar de ce?

Wiltermuth și Heath au descoperit că grupurile ale căror membri au activități sincronizate, au tendința de a avea o coeziune mai mare, au tendința de a coopera mai mult decât grupurile fără activități sincronizate (chiar dacă există motive financiare serioase de a coopera, cum ar fi banii oferiți de cercetători!). E posibil așadar, ca sincronizarea și ritualul să fi evoluat, provocând supraviețuirea unor grupuri și dispariția altora? Cu siguranță nu e o ipoteză imposibilă.

Psihologul social Miles Hewstone le-a cerut studenților de religii diferite – musulmani și hinduși – să-și imagineze că o altă persoană de aceeași religie i-a ajutat sau i-a ignorat la ananghie. El le-a cerut apoi să repete exercițiul, dar imaginându-și că e o persoană de altă religie. Ulterior, studenților li s-a cerut să ghicească ce ar fi putut să provoace comportamentul omologilor musulmani sau hinduși.

Aveau ei să condamne persoanele de religie opusă, și să-i susțină pe cei din propriul grup? Sau urmau să-și păstreze obiectivitatea?

Pe naiba! Atât musulmanii cât și hindușii au evocat factorii interni, *de ordin personal*, ca motiv pentru altruismul din interiorul grupului, și factorii externi, *conjuncturali,* pentru altruismul în afara grupului. Cu alte cuvinte, membrii din cadrul grupului au acționat din proprie inițiativă și ca urmare a caracterului bun – și, de asemenea, ar acționa la fel dacă situația s-ar repeta –, în timp ce s-a considerat că membrii din afara grupului nu aveau de ales, considerându-se că, în cazul în care situația s-ar repeta, probabilitatea de a se comporta la fel este redusă.

Pe de altă parte însă când vine vorba despre membrii grupului care *nu* ajută, în ambele tabere s-a instalat o perioadă de tăcere. La fel ca în cazul evenimentului „surprinzător“ în care cei din afara grupului ajutau, indiferența a fost pusă pe seama contextului. Aveau mâinile legate. A fost o ocazie izolată. Când cei *din afara grupului* nu ajutau? A fost ușor, nu? Aceleași argumente. Sunt lipsiți de considerație, de principii, și motivați doar de propriul interes.

Nu doar ceea ce credem despre ceilalți influențează felul în care vedem lucrurile. E la fel de important și cum ne percepem *pe noi înșine*. În cadrul Cupei Mondiale din Germania, din 2006, poliția germană a spus că fanii englezi – care nu sunt neapărat un model de comportament echilibrat în astfel de momente – „sunt cei mai buni fani din lume". Turneul s-a desfășurat fără niciun incident.

Complimentul nu a fost desigur autentic. În niciun caz. Nemții și-au făcut bine temele. Studiile arată că, dacă le oferi indivizilor un feedback fals, îi poți face să și-l confirme singuri: să se comporte de o manieră demnă de acel feedback. Ei devin persoana care *cred* că sunt. Sau, mai exact, persoana pe care *ceilalți* o consideră a fi. Și asta în teorie desigur, poate fi oricine.

Răpirea

În luna august 2006, o bătrânică din cartierul Strasshof, situat în nord-estul Vienei, a pus mâna pe telefon și a sunat la poliție. O femeie tulburată și cu părul vâlvoi bătea la fereastra de la bucătărie și o implora să sune la poliție. La câteva minute după aceea, a venit o mașină de poliție. O ceartă cu prietenul, o petrecere de-o noapte care s-a sfârșit prost... puteau exista nenumărate explicații uzuale pentru această situație. Nu și de data asta. Femeia s-a dovedi a fi Natascha Kampusch. Iar povestea ei, s-a aflat ulterior, nu era deloc evidentă.

În urmă cu opt ani, la doar 10 ani, Natascha Kampusch dispăruse în drumul spre școală. La vremea aceea toată media din Austria relatase asupra acestui eveniment – a fost pe prima pagină cel puțin câteva săptămâni –, fetița fiind căutată în toată țara. Au fost implicați scafandri, câini, o echipă de poliție și voluntari civili. Chiar și ungurii s-au implicat. În zadar. Asta până acum.

De fapt, de când dispăruse, Natascha Kampusch era chiar la vedere. Într-o scenă care ar fi putut fi desprinsă cu ușurință din paginile unui roman de Stephen King, ea își petrecuse mare parte din acești ani închisă într-o pivniță, pe care o crezuse plină cu explozibili.

Singură.

În tot acest timp, singura interacțiune umană a fost cea cu răpitorul ei, inginerul de telecomunicații Wolfgang Priklopil. El a crescut-o, a hrănit-o, a îmbrăcat-o... tot ce avea nevoie un copil de 10 ani. Tot ce avea nevoie un copil de 18 ani. Mai puțin libertatea. Din păcate, aici Priklopil nu era atât de flexibil.

„Îi dădea cărți, a învățat-o chiar să scrie și să citească", relatează unul dintre anchetatori. „Și matematică, și tot soiul de cunoștințe, după cum ne-a spus chiar ea".

Temnița măsura doar 4 pe 3 metri, și avea o ușă de 50 x 50 centimetri.

Complet fonoizolată, era situată într-un garaj subteran.

La fel ca Natascha Kampusch însăși, temnița nu ar fi ieșit probabil niciodată la lumină, dacă prizoniera nu ar fi încercat să scape, în timp ce dădea cu aspiratorul în mașina celui care o luase prizonieră.[32]

Studiul lui Miles Hewstone cu studenții musulmani și hinduși, demonstrează ce se poate întâmpla atunci când identitatea de grup devine dintr-odată proeminentă. Îi venerăm pe cei care sunt ca noi și îi demonizăm pe cei care sunt diferiți. Credem ce vrem să credem. Nu toate dinamicile dintre grupuri funcționează în acest fel. În anumite împrejurări excepționale, constatăm că credem ceea ce *nu* vrem să credem. Și că-i ajutăm, și chiar îi admirăm pe cei care ne fac rău.

Să luăm, de pildă, fenomenul cunoscut sub numele de *sindromul Stockholm*, bine documentat în literatura de specialitate, privind negocierile pentru viața ostaticilor și, poate chiar, și mai bine, în mintea Nataschei Kampusch.

Sindromul Stockholm se referă la o dinamică psihologică în care ostaticii ajung să-i simpatizeze și chiar să-i sprijine pe răpitori. De regulă el se manifestă în urma unor concesii ale răpitorilor, care contravin așteptărilor ostaticilor. Astfel de gesturi ar putea fi la început mici, precum o cană cu ceai sau o ciocolată, și se pot extinde

[32] Kampusch *a avut voie* să iasă din temnița (aflată sub casa lui Priklopil) în intervale limitate pentru a-l ajuta pe răpitor la treabă. Înțelegerea era că, dacă ar încerca să scape, el ar ucide-o.

până la cereri de asistență medicală sau ajutor „din exterior". În unele cazuri poate fi vorba chiar despre sprijin emoțional.

Există însă și cazuri *cu adevărat* extreme, precum cel al Nataschei Kampusch. Răpitorul Wolfgang Priklopil nu s-a rezumat la ceai sau la ciocolată. El a avut o relație tată-fiică, oferindu-i mâncare, îmbrăcăminte și o educație. Și nu doar câteva zile, ci pe parcursul a opt ani. Gândiți-vă o clipă, ce fel de disonanță afectivă poate genera un astfel de angajament, ce forțe întunecate ale minții trebuie să fi acționat înainte și înapoi în pivnița respectivă. Ne miră oare cu adevărat, chiar și în cazul unui prizonierat atât de abject, că există o *anume* legătură între răpitor și persoana răpită?

Mecanismul exact de funcționare al sindromului Stockholm este complex. El acționează, în mare parte, printr-un efect dublat al reciprocității și consecvenței, același cocktail letal al influenței, pe care l-am întâlnit în capitolul anterior, când vorbeam despre agentul de vânzări la telefon, Pat Reynolds. Punctul de echilibru al dinamicii îl reprezintă diferența de putere dintre răpitor și persoana răpită. Comportamentul împăciuitor al răpitorului provoacă un dezechilibru în mintea persoanei răpite, între *sentimentele față de* răpitor (negative) și *faptele* răpitorului (pozitive). Neputând schimba acțiunile răpitorului, victimei îi rămâne un singur mijloc – oricât de toxic ar fi – prin care poate restabii consecvența cognitivă: să-și modifice atitudinea față de aceste acțiuni. Dacă adăugăm și vechea noastră cunoștință, principiul reciprocității – gesturile altruiste trebuie răsplătite –, putem ajunge, după cum am văzut, la rezultate devastatoare.

Reciprocitatea și consecvența nu sunt singurii vinovați. După cum știu foarte bine Marshall Applewhite, Jim Jones (și alții ca ei), unul dintre secretele cele mai importante ale controlului minții îl reprezintă controlul asupra tuturor celorlalți factori.

Aspru și neted

La mijlocul anilor '60, psihologul cognitivist Martin Seligman, a descoperit, în parte, din întâmplare, un fenomen destul de curios. Totul a început cu un experiment obișnuit, de condiționare. Niște câini au fost expuși la doi stimuli, conform protocolului obișnuit de condiționare, în succesiune rapidă – un ton urmat de un șoc electric dureros, dar care nu le făcea rău –, scopul fiind ca, prin asocierea repetată a celor doi stimuli, câinii să ajungă să se teamă doar de ton.

Pentru a asigura asocierea corectă a tonului și a șocului, Seligman a legat câinii în faza inițială a studiului, astfel încât, după auzul tonului, expunerea la șoc să fie inevitabilă. Cu alte cuvinte, câinii nu puteau să scape. În etapa „de test" – în care tonul apărea fără șoc – lucrurile erau diferite. Câinii aveau șansa să scape, dovedind, dacă ar fi făcut asta, că procesul de condiționare a funcționat.

Experimentul a luat-o pe o cale complet greșită. Și nimeni nu s-ar fi putut aștepta la asta. Spre surprinderea lui Seligman... nu s-a întâmplat nimic. Absolut nimic. Deși în etapa de test câinii aveau un traseu de evadare, pe care l-ar fi putut folosi ori de câte ori auzeau tonul, ei au rămas pur și simplu pe loc. În mod incredibil, nu au făcut nicio încercare de a scăpa de șocul „iminent."

Ce a urmat a fost și mai incredibil, când Seligman a eliminat tonurile și a început doar să administreze șocuri. Șocuri adevărate. Câinii nu se mai mișcau. Senzația de *neajutorare învățată* – termenul inventat de Seligman pentru a descrie acest comportament – a pus stăpânire pe creierii animalelor și le-a luat rațiunea prizonieră, încât au ajuns pur și simplu să nu le mai pese.

Martin Seligman continuă să facă senzație și în zilele noastre. În 2002, la San Diego, s-a prezentat la un forum organizat de CIA, ca parte a programului SERE al forțelor armate (supraviețuire, evitare, rezistență, evadare), un curs creat special pentru a crește rezistența la tortură a piloților, soldaților din forțele speciale și a altor persoane de valoare. Sau, dacă preferați definițiile neprescurtate, în fața tehnicilor de interogare, interzise prin convenția de la Geneva. În fața unui public compus din psihologi și oficiali guvernamentali, Seligman a vorbit preț de trei ore, despre – da, ați ghicit – dinamica neajutorării învățate. Deși a respins vehement, chiar și simpla insinuare că s-ar fi asociat voluntar cu programele de tortură, printre participanții la forum se numără câțiva comandanți americani, care s-au dovedit ulterior activi în dezvoltarea tehnicilor de „interogare sporită".

Desigur că unii oameni sunt mai vulnerabili la sentimentul de neajutorare învățată decât alții. Asta depinde de *stilul de atribuire*, sau, ca să reformulez, de felul în care vă reprezentați lucrurile care vi se întâmplă în viață. Atât rezultatele negative, cât și cele pozitive, pot fi percepute în funcție de două dimensiuni psihologice:

1. **locul de control** – dacă apreciați că există o cauză *internă* a rezultatului și v-o asumați, sau dacă credeți că ea este *externă* și dați vina pe situație (am văzut exemple din ambele situații în studiul cu musulmani și cu hinduși al lui Miles Hewstone);
2. **generalitatea** – dacă apreciați că rezultatul e un caz izolat sau se va repeta pe termen lung.

Imaginați-vă de exemplu că tocmai ați picat un examen. Pe baza acestor dimensiuni, există patru modalități prin care vă puteți raționaliza performanța:

LOCUL

Generalitate	Intern	Extern
Concret	N-am studiat suficient de mult.	Examenul ăsta nu reprezintă adevărata mea capacitate.
General	Nu mă descurc niciodată la examene.	Examenele în general nu reflectă capacitatea.

Dacă sunteți pesimist sau aveți o predispoziție la depresie, atunci va fi posibil ca pentru rezultatele *negative* ca acesta, să aveți un stil de atribuire *general/intern* (caseta din stânga jos) și să aveți un risc mai mare de neajutorare învățată decât cineva care vede lucrurile mai *concret*.

Imaginați-vă însă următoarea variantă. Tocmai ați primit raportul trimestrial de activitate de la broker și constatați că prețul unor acțiuni noi pe care le-ați cumpărat a crescut substanțial. Din nou, conform celor două dimensiuni, există patru modalități diferite, prin care puteți evalua situația

LOCUL

Generalitate	Intern	Extern
Concret	Am avut noroc și am nimerit-o de data asta.	Compania a fost condusă bine în acest trimestru.
General	Mă pricep în general să evaluez cum stă piața.	Economia merge bine – mi-am făcut vara sanie.

Aici, când rezultatul e *pozitiv*, stilurile de atribuire se inversează. Optimistul e cel care are profilul general/intern (stânga jos) în vreme ce *pesimistul* e mai concret.

Pe scurt, optimiștii își asumă meritele pentru rezultatele pozitive și le contextualizează pe cele negative, în vreme ce pesimiștii fac invers: externalizează momentele bune și dau vina pentru cele rele pe ei înșiși. [33]

Iată care e faza. Dacă manipulezi mediul unei persoane suficient de mult timp – dacă o bombardezi cu stimuli pe care nu-i poate controla –, atribuirile se vor modifica, mai devreme sau mai târziu. Asemenea câinilor din experimentul lui Seligman, externul metastazează în intern, dezvoltându-se un cancer al voinței. Într-un studiu din anii '70, voluntarii rezolvau exerciții în timp ce se auzeau înregistrări cu aparate de birotică. Ce credeți? Ei s-au descurcat mai bine atunci când credeau că zgomotul e controlabil decât atunci când credeau că nu poate fi controlat, asta, deși era același zgomot la același volum.

Și în munca polițiștilor, în sălile de interogatoriu, aflate la mare distanță de centrele militare de detenție, dinamica controlului joacă un rol esențial în obținerea informațiilor. Mai ales când ele sunt greu de obținut.

[33] Dacă vreți să aflați ce stil de atribuire aveți, puteți completa chestionarul de la finalul capitolului.

Un detectiv britanic cu experiență mi-a spus:

„Gândește-te. Unii oameni care ajung aici, sunt obișnuiți să fie în vârful piramidei. Să facă după cum îi taie capul. Avem de-a face cu șefi de bande, bărbați care-și bat nevestele, tot soiul de oameni. De îndată ce ajung aici, rolurile se inversează. Noi controlăm tot ce li se întâmplă aici. Toate mișcările pe care le fac. Orice, totul depinde de noi. Noi suntem cei care decid dacă pot bea o cană cu ceai. Noi decidem când se pot duce la baie. Noi decidem dacă lumina e aprinsă sau stinsă în celulă. Toate acele amănunte pe care le luați de-a gata când sunteți acasă, le-ați pierdut. De îndată ce ați ajuns aici, *noi* suntem la putere. Putem să te privim oricând printr-o fantă din ușă. Dacă nu vrem să vorbim cu tine, o putem închide. Vezi ce vreau să spun? Când spun că noi controlăm totul, vreau să spun chiar *totul*. Oamenii care ajung aici, mulți dintre ei, nu sunt obișnuiți cu un astfel de regim. Nu le place deloc ca alții să decidă pentru ei. Mai devreme sau mai târziu, majoritatea încep să înțeleagă".

Puncte de atracție

Același sistem funcționează și în cadrul cultelor. Pe lângă factorii pe care i-am analizat mai sus – cei meniți a spori conformismul – liderii de cult urmează un tipar: o programă a influenței pe cât de devastatoare, pe atât de previzibilă. Jonestown se afla în sălbăticia Guyanei de Nord-Vest, unde tentativa de a „evada" era adesea mai puțin atrăgătoare decât beneficiile (legăturile cu prietenii și rudele fiind atrofiate cu timpul). Vocea lui Jones se auzea fără încetare din difuzoare – nu era o spălare pe creier, ci un adevărat potop –, iar copiii adepților erau încurajați să-i spună tată. Încet, pe furiș, sistematic, Jones – prin intermediul unei insistențe monotone, constante – și-a arogat poziția unui Dumnezeu. Mai întâi era *peste tot*. Apoi a devenit *tot*.

Victimele abuzurilor domestice trec prin împrejurări asemănătoare. Ascultați ce spune Lisa, o femeie de 35 de ani, mamă a doi copii:

„A început cu prietenii mei. Spunea: «Ești prea bună pentru ei!» și așa, încet - încet, m-am îndepărtat de ceilalți. Și cu familia mea a fost la fel. Spunea că mama are ceva împotriva lui, că fratele meu are ceva împotriva lui, de ce voiam să fiu cu ei? Până și un ceai servit cu cineva era considerat un gest ostil față de el. Mă lăsa la muncă la ora 9 și mă lua la ora 5, ca să nu am timp să ies cu nimeni. Mă suna și la prânz, ca să vadă dacă sunt cu cineva. Cât despre bani, aproape un an și jumătate n-am văzut un sfanț din salariul meu: banii erau virați direct în contul lui bancar...
Violența a început cu hainele mele. Dacă voiam să ieșim în oraș și voiam să mă aranjez și să mă machiez, spunea că sunt o curvă și mă bătea. Și dacă nu mă aranjam, mă bătea și spunea că nu-mi dau silința. Nu puteam să câștig. Spre finalul relației, îmi verifica lenjeria intimă să vadă dacă am făcut sex cu cineva. Aici mi-am pierdut răbdarea. Aici s-a umplut paharul".

Transpuse la rece pe pagină, cazurile, precum cel al Lisei, par incredibile. Cu toate acestea, dacă-i întrebați pe polițiști care au avut de-a face cu astfel de cazuri dacă li se pare plauzibil, toți vă vor spune exact același lucru: au întâlnit sute de astfel de cazuri, în fiecare an.

Polițistul Andy Green, din Cambridgeshire, îmi povestește despre diferitele profiluri ale agresorilor. În timp ce-mi vorbește, mă miră cât de omniprezent este fenomenul: aceste descrieri, pe lângă abuzurile *domestice*, ar putea fi la fel de ușor aplicat și în cazul celor de la *locul de muncă*. Din punctul meu de vedere, mi se pare că am recunoscut cel puțin un fost coleg!

Green dă din cap și mă aprobă.

„Clar", zice el, „acestea sunt doar stiluri de convingere care pot fi puse în practică oriunde. Doar pentru că ele s-au manifestat la domiciliu, nu înseamnă că ele nu pot fi aplicate și în alte contexte ale vieții. Sunt doar mijloace diferite, puse în slujba aceluiași scop nefericit."

Taxonomia pe care mi-o prezintă Andy Green, ar putea fi descrisă ca fiind semioficială. Nu a fost validată oficial, dar se bazează pe o experiență de ani de zile în câmpul muncii și a fost publicată într-un pliant. Printre categorii, întâlnim de la bădăranul care urlă și se comportă morocănos, la cel care te face din vorbe și care te minimalizează, spunându-ți că ești urât, prost sau inutil. Sau toate trei la un loc. Printre alte tipologii, se numără stăpânul feudal, care te tratează ca pe un servitor, mincinosul –„relaxează-te, ne distrăm doar puțin" – și persuasivul – care amenință, laudă și flatează în egală măsură.

Green continuă „Adesea, efectele manipulării sunt atât de puternice, încât și când le arăți (victimelor) ușa, și le spui «Uite, poți pleca... ai unde să te duci... nu-l lăsa să te mai chinuiască...», se uită la tine de parcă ai fi nebun. «O să se supere» spun. Sau «N-a vrut să facă asta». E ca și cum creierii lor au fost imobilizați de luni și ani de un discurs repetat. Ca și cum ar fi fost infectați cu un virus".

Când îi spun de Martin Seligman, Green dă din cap.

„Aș vrea să-ți pot spune că mi-ai zis ceva nou, dar nu pot", zice el.

Acum câțiva ani, când eram la un atelier despre autosugestie, am fost și eu infectat de un virus al imobilizării, din cauza instructorului care fusese în forțele speciale. Am uitat cum îl cheamă, dar, să-i spunem Curt. Curt a început atelierul punându-ne pe zece dintre noi la zid, și spunându-ne să ne strângem mâinile cu cât mai multă forță. Ne-a spus că în următoarele minute urma să intre în mintea noastră și să ne submineze voința. Încet. Pe ascuns. Dar fără milă. Între timp, spunea el, trebuia să continuăm să strângem din mâini.

Afirmația lui Curt s-a lovit de îndoiala publicului. Știam deja câte ceva despre forțele speciale,și ce fel de lucruri erau în stare să facă. Putea fi vorba despre un șiretlic? Reușise Curt cumva să ne umple de clei pe mâini, fără să ne putem da seama? Să fiu sincer, nu eram sigur.

În următoarele minute, Curt s-a apucat de treabă. „Veți începe să vă simțiți mâinile lipindu-se una de cealaltă", intona el, „ca și cum ar fi lipite cu un lipici foarte puternic. În timp ce simțiți această senzație, le veți împreuna și mai puternic, pentru a înlesni strânsura și a o face cât mai puternică. Deget cu deget", continua el – cu o voce relaxată, dar plină de autoritate. Veți suda mâinile în așa fel încât nici dacă veți vre, nu veți putea să le mai mișcați."

A trecut pe la fiecare dintre noi.

„Fiți siguri că legătura e ca de piatră", a zis el, împreunându-și mâinile în jurul mâinilor noastre și sporind și mai mult presiunea. „De fapt", a zis el, „asigurați-vă că e *atât de* puternică, încât nimic, absolut nimic nu o va mai putea desface..."

Curt a continuat încă un minut, încurajându-ne cu încredere, metodic și cât se poate de serios să ne lipim mâinile una de alta. E o nebunie, mă gândeam eu, în timp ce-mi strângeam degetele cât de tare puteam.

După care am început să intru în panică.

Dacă era o farsă? mă gândeam eu. Și mâinile *chiar* erau lipite? Ce puteam face? Urma să ne ia banii din buzunar? Poate că toată povestea asta cu autosugestia era, de fapt, o scamatorie subconștientă, menită să ne aducă pe noi fraierii, într-o sală, ca să plătim o sumă considerabilă pentru bilet. Și iată, totul mergea strună! Poate că, odată ce i-am scris cecurile, Curt urma să ne curețe și de restul banilor. De pe cărțile de credit. Iar noi aveam mâinile lipite cu clei.

Ce escroc nenorocit, mă gândeam.

Asta era, nu? Sigur asta era. Cum am putut să fiu atât de prost? *Noi* eram nebuni, nu el.

Cu calm, am început să mă gândesc. Portofelul... câți bani aveam ...hmm... nu știam...Ar fi fost foarte enervant să-mi anulez cardurile... pe de altă parte... e mai bine decât să fiu ÎMPUȘCAT... Și documentele... aveam permisul de conducere...

Între timp, continuam să-mi strâng degetele.

Până când, dintr-odată, Curt s-a oprit.

„Așa", a zis. „Acum vreau să nu mai strângeți și să vă scoateți încet degetele. Numărați până la trei. Sunteți gata? Unu... doi... trei..."

Ne priveam unii pe ceilalți, neliniștiți. Mă uitam la tipul de lângă mine, și el se uita la mine. „Nu sunt sigur", a zis el. „Nici eu", i-am răspuns. Mi-am dat seama că transpirasem. Apoi am început să ne desprindem degetele. Unii oameni și-au desprins imediat mâinile. Apoi s-au pipăit imediat la buzunarele din spate. Alții, ca mine, s-au descleștat mai greu. Unul sau doi, pur și simplu nu au putut. Mâinile lor chiar erau lipite. Așa cum a prezis Curt, oricât încercau, nu și le puteau descleșta.

În cele din urmă, după ceva timp, au reușit să-și separe mâinile. După care, am dat cu toții din cap și am râs. Ha-ha.

Lecția, așa cum știe orice bun iluzionist, era limpede ca lumina zilei. Dacă spui cuiva ceva destul de des,unii dintre ei vor ajunge, la un moment dat, să te creadă.

Să te creadă, indiferent de orice altceva.

Rezumat

Am văzut în acest capitol, cum un câmp de forță ancestral, îngropat în adâncurile creierului – nevoia de a ne conforma –, poate exercita o influență cel puțin la fel de mare asupra atitudinilor și comportamentului nostru ca oricare dintre strategiile de convingere folosite de formatorii de opinie și de oamenii de publicitate. Năravurile sunt greu de stârpit, iar acțiunile celor din jurul nostru – mai ales ale celor asemănători cu noi – deviază cu un magnet evolutiv, puternic, busola de convingeri a creierului nostru. Conformismul este determinat genetic. În vremea strămoșilor noștri, când „supraviețuirea" și „grupul" erau sinonime, individualitatea nu era la mare preț așa cum este azi,iar capacitatea de a ține „capul plecat" conferea aproape sigur un avantaj. E o lecție pe care nu am uitat-o niciodată.

Într-o lume plină de ideologii aflate în competiție, originile noastre tribale ne pot pune uneori pe gânduri. Dinamica de grup se supune anumitor legi, iar cei care cunosc aceste legi pot, dacă au chef, să „modifice genetic" un grup, pentru a crea, în cadrul societății, tulpini mutante de extremism, aflate la mare distanță de normă. Nu toate grupurile respectă *aceleași* legi. În timp ce puterea majorității intervine „de sus", minoritatea funcționează „din interior", sugestionând creierul să pună la îndoială realitatea,să descompună, apoi să recompună țesătura adevărului.

În capitolul următor ne vom îndrepta atenția total, asupra persuadării spontane, analizând-o la microscop și cartografiindu-i ADN-ul.

Există în melodiile minții un acord de aur al influenței pe care să-l putem cânta *cu toții*? Nu doar virtuozii convingerii, ci și muzicanții stradali?

Răspunsul este, se pare, că da. Analiza noastră dezvăluie dubla elice a influenței, în interiorul căreia se găsește codul secret al persuadării.

Testul stilului de atribuire

Următoarele zece afirmații se referă la modalități diferite de a analiza situații de viață. Indicați pe scara oferită măsura în care sunteți sau nu de acord cu fiecare.

De pildă, dacă sunteți puternic de acord cu afirmația, încercuiți cifra 4. Dacă nu sunteți deloc de acord, încercuiți cifra 1. Scara va apărea după fiecare afirmație.

1. Atunci când mă descurc bine la locul de muncă sau trec cu bine de un examen, e pentru că a fost ușor.

   1 2 3 4
   Dezacord puternic Acord puternic

2. Dacă nu reușesc la un examen, pot să mă descurc mai bine data viitoare dacă învăț mai mult.

   1 2 3 4
   Dezacord puternic Acord puternic

3. „Omul potrivit la locul potrivit“ e rețeta succesului.

   1 2 3 4
   Dezacord puternic Acord puternic

4. Participarea la mitinguri politice, e de regulă, ineficientă: nimeni nu ține cont de ele.

   1 2 3 4
   Dezacord puternic Acord puternic

5. Inteligența ți-e dată la naștere și nu prea ai ce să faci ca să schimbi lucrurile.

   1 2 3 4
   Dezacord puternic Acord puternic

6. Succesul se datorează capacităților mele, nu norocului.

1 2 3 4

Dezacord puternic Acord puternic

7. Impresia pe care și-o formează oamenii despre tine depinde de ei- nu prea ai ce să faci ca să o schimbi.

1 2 3 4

Dezacord puternic Acord puternic

8. Dacă e să te îmbolnăvești, te vei îmbolnăvi și nu prea ai ce să faci în privința asta.

1 2 3 4

Dezacord puternic Acord puternic

9. Nu poți să scapi de destin.

1 2 3 4

Dezacord puternic Acord puternic

10. Dacă există un suflet pereche undeva pe lume, el te va găsi, așa e scris în stele.

1 2 3 4

Dezacord puternic Acord puternic

Scorul: Pentru întrebările 2 și 6, inversați scorul, astfel încât 1=4, 2=3 etc. Adunați apoi scorul pentru cele zece întrebări. Un scor de 15 sau mai puțin, indică în general un stil *intern* de atribuire, în vreme ce scorurile peste 25 indică un stil *extern* de atribuire. Scorurile între 15 și 25 indică un amestec al celor două stiluri.

Capitolul 6

Persuadarea spontană

Un zbor între Londra și Cape Town, întâmpină turbulențe puternice, deasupra junglei din Africa Centrală. În carlingă se aude că unii dintre pasageri sunt foarte neliniștiți. După câteva clipe, răsună vocea pilotului.

„Doamne, o să murim cu toții! O să murim cu toții!" urlă el. „Rahat! A, stai, era becul de la sistemul de comunicare, nu de la motor..."

Toți oamenii din avion izbucnesc în râs și se restabilește calmul.[34]

Graham Chapman, coautor al scheciului cu papagalul, a dispărut dintre noi. A trecut la cele veșnice. Răposat, se odinește în pace. A dat ortul popii, a mierlit-o, a crăpat, și-a dat ultima suflare și a plecat la Șeful Divertismentului Lejer din ceruri. Și cred că toți ne întrebăm, cât e de trist că un om atât de talentat, cu atât de multă căldură, inteligență neobișnuită, a trebuit să moară la doar 48 de ani, înainte să ducă la capăt multe lucruri de care ar fi fost capabil, și înainte de a se fi distrat prea mult.

Ei, bine, simt că trebuie să spun „Ce prostie. Ducă-se dracului, nenorocitul, sper că arde în iad!" Și motivul pentru care simt

[34] Fanii benzii desenate *Far Side* a lui Gary Larson au întâlnit o replică similară în banda lor desenată preferată. Căpitanul avionului sigur era fan.

că trebuie să spun asta, e că nu m-ar ierta niciodată dacă nu aș spune asta. Dacă aș renunța la ocazia asta, de a vă șoca în numele lui. Orice pentru el, în afara unui bun gust ieșit din comun.

„L-am auzit cum îmi șoptea în ureche aseară, în timp ce scriam asta. «Gata, Cleese», spunea el, „ești tare mândru că ești prima persoană care spune rahat la televizor, în Marea Britanie. Dacă chiar vrei să-mi faci cinste, mai întâi aș vrea să fii prima persoană, care spune vreodată cuvântul regulez la o înmormântare britanică»“ John Cleese, discurs la înmormântarea lui Graham Chapman, 1989.

Geniul persuasiunii

Într-o după amiază, într-o sală de clasă din Germania rurală, un profesor le dă elevilor următoarea problemă. „Adunați“, spune el, „toate numerele între 1 și 100“. Se duce la tablă și scrie suma:

1+2+3...98+99+100.

După care se așează și ia un maldăr de hârtii. Copiii din clasă au doar 7 ani. Așa că, profesorul presupune că le va lua tot restul zilei. E la fix, pentru că avea nevoie de timp ca să corecteze teme. După vreo 20 de secunde, unul dintre copii ridică mâna.

– Domnule, zice băiatul, cred că am răspunsul.

– Prostii! zice profesorul.

– E 5 050, zice băiatul.

Profesorul e uluit. Se apropie de băiat și îi cere să se explice. Cum a reușit să găsească atât de repede soluția?

– E simplu, spune băiatul.

Se duce la tablă și începe să scrie:

100+1=101
99+2=101
98+3=101

După care se oprește.

– Vedeți, zice el. E un tipar. Între 1 și 100 sunt 50 de perechi de numere cu totalul 101. Prin urmare, răspunsul e 50 înmulțit cu 101. Adică 5.050.

După câțiva ani, printre alte descoperiri, Carl Friedrich Gauss a dezvoltat aritmetica modulară – o contribuție importantă în domeniul teoriei numerelor – fiind recunoscut în zilele noastre, ca unul dintre cei mai mari matematicieni din istorie.

Ador această anecdotă despre Carl Friedrich Gauss. Habar n-am dacă e sau nu adevărată. Nu despre asta e vorba. Îmi place matematica din acest exemplu. Algoritmul secret. Îmi place ideea că, în spatele unui șir plicticos de numere, se ascunde un tipar simplu și limpede. Un tipar care ne dezvăluie, dacă am putea s-o distingem, o soluție simplă și elegantă.

Ceea ce se aplică în matematică, e valabil și în convingere. Când ne confruntăm cu o problemă care trebuie rezolvată, cei mai mulți apelăm la drumul cel lung și facem ce am învățat în clasă: adunăm numerele. Mai există însă și geniile. Imaginați-vă că vi se cere să țineți un discurs la înmormântarea unuia dintre cei mai buni prieteni. Vă ocupați locul în fața mulțimii și începeți să urmați pașii. 1+2+3...

„Era un bun prieten și ne va fi tare dor de el. Bla, bla, bla..."

Ceea ce e în regulă. Veți ajunge în cele din urmă la rezultat.

Să ne imaginăm însă că începeți lucrurile diferit:

„Graham Chapman, coautor al scheciului cu papagalul, a dispărut dintre noi..."[35]

5 050.

Vă puteți imagina că sunteți căpitanul unui avion care zboară prin turbulențe puternice, iar pasagerii sunt înspăimântați. Ce faceți? Ei, bine, le-ați putea spune că avionul e, de fapt, unul dintre cele mai sigure forme de transport. Că turbulențele nu sunt periculoase. Și că, ce e mai rău se va termina curând... 1+2+3...sau, ați putea proceda ca acel pilot al zborului de la Londra la Cape Town. Să detensioneze atmosfera cu o singură propoziție năucitoare.

Puneți-vă apoi în locul lui Ron Cooper, un polițist cu experiență de 23 de ani, care se confruntă cu un bărbat, care e la 30

[35] Trebuie să vedeți clipul ca să credeți. Puteți urmări discursul lui Cleese către fostul coleg pe YouTube: înmormântarea lui Graham Chapman.

de metri înălțime. E rolul tău să-l convingi să coboare. Îți scoți calculatorul și începi să tastezi cifre.

– De ce nu faceți câțiva pași în spate, sunt sigur că ne putem înțelege...

Ești sigur?

– Vă supără dacă-mi dau haina jos? întreabă Cooper. După 14 etaje te încingi destul de rău.

– Faci ce vrei, spune tipul. Mă doare-n cur.

Încet, cu greutate, pe un vânt șuierător și o ploaie torențială, Cooper începe să-și desfacă nasturii de la haina de poliție. Cu 20 de minute și 14 etaje înainte, fusese primul care ajunsese la fața locului, după ce a primit chemarea prin dispecerat. Tânăr. În jur de 25. Pe acoperișul unei parcări. Amenință să se arunce.

– Lumea e un morman de rahat! urla tipul la mulțimea de gură-cască de jos. Nimănui nu-i pasă de nimic. Nimănui nu-i pasă dacă rămân sau nu în viață. *Mie* de ce ar trebui să-mi pese?

Cooper își dă jos haina. Apoi cravata. Și apoi, în timp ce tipul de pe margine îl fixează tot timpul, își dă jos și cămașa.

– Să nu faci vreo prostie, zice tipul, în timp ce Cooper își scoate cămașa. Dacă nu, sar!

– Normal, zice Cooper, în timp ce-și împăturește atent cămașa și o pune deoparte. Încercam doar să mă fac comod.

A rămas doar în tricou, și vântul continuă să șuiere, iar ploaia se transformă în lapoviță.

DUCEȚI-VĂ DRACULUI! AM DEJA SUFICIENȚI PRIETENI! scrie pe tricou.

Se îndreaptă spre margine, și apoi se întoarce cu fața către tânăr, astfel încât acesta să poată vedea întreg mesajul. Îl privește în ochi.

– Așa deci, spune el. Vrei să vorbim sau ce facem?

Anatomia influenței

Soluțiile pe care le-au găsit Ron Cooper, John Cleese, și pilotul, în trei situații dificile, foarte diferite, au funcționat de minune.

(veți fi încântați să știți că tipul care stătea pe margine a reușit să se detensioneze ca urmare a tricoului lui Cooper). Oamenii sunt însă diferiți. Aceste soluții au funcționat pentru *ei*, în acel moment. Și bravo lor, au avut noroc.

Această remarcă are consecințe importante pentru felul în care am analizat până acum persuasiunea. Discursul funebru. Convingerea omului să nu se arunce. Pasagerii neliniștiți. Ar putea să existe, în teorie, oricât de multe soluții la astfel de probleme. La fel de neobișnuite (sau nu, după caz). Și la fel de „gaussiene". Depinde de ce fel de om sunteți, și poate și mai important, de cine e publicul vostru.

Pe de altă parte însă am analizat și un sistem. O formulă. Un algoritm al persuasiunii, care, dacă ar fi corect, ar putea reduce această diversitate și varietate a stilurilor, la o triadă de constante retorice:

1. materia primă a ceea ce spuneți: obiectul *atenției* publicului;
2. felul în care prezentați materia primă: un factor important prin care se poate prevedea felul în care publicul va procesa sau *aborda* materia primă;
3. factorii psihosociali legați de felul în care publicul vă evaluează sau apreciază ceea ce spuneți, în contextul relației lor cu ceilalți: parametrii *afilierii*;

Astfel, cum putem împăca aceste perspective contrastante? E posibil ca *orice* persuadare de succes, sub formele ei multiple, să se supună celor trei A? Sau mai există ceva, ceva care să-i fi scăpat lui Keith Barrett de-a lungul anilor?

Pentru a răspunde la această întrebare, am devenit colecționar de persuasiuni. Într-o perioadă de 18 luni am adunat, din mai multe surse, un soi de „bancă a influenței": o antologie completă, cu peste 150 de exemple de schimbări subite, dramatice, de situație. Ca Ron Cooper. Sau, dacă mai țineți minte introducerea, acel muzician din avion. Astfel de exemple de persuadare spontană, așa cum am denumit-o eu, sunt esențiale pentru a putea cartografia codul genetic al influenței. Dacă cei trei A sunt cu adevărat specifici convingerii, și dacă ei constituie într-adevăr elementele de bază ale controlului minții, atunci unde este cel mai probabil ca ele să apară? În situațiile limită, de viață și de moarte? Sau la clasa întâi, cu deserturi fine (presupunând, desigur, că nu e niciun idiot printre pasageri)?

Odată ce baza de date a început să crească, am găsit niște voluntari. I-am rugat să citească aceste scenarii, apoi să scrie pentru fiecare dintre ele, care sunt factorii care consideră ei că ar contribui cel mai mult la rezultatul de persuadare. Rezultatele au fost uluitoare. Analiza a arătat că există cinci axe principale ale persuadării:

1. simplitatea;
2. interesul propriu perceput;
3. incongruența;
4. încrederea;
5. empatia.

Sau SPICE, pe scurt.

În mod remarcabil, acești cinci factori se îmbină de minune nu doar cu cei trei A ai lui Keith Barrett (simplitatea și incongruența corespunzând atenției, încrederea abordării, și interesul propriu perceput și empatia afilierii), dar includ și principiile despre care am putut constata în capitolele anterioare că stau la baza influenței în regnul animal, dar și la bebeluși.

Iată o influență care să unească toate influențele. Cu o perioadă de incubație de câteva secunde. O tulpină a persuasiunii, care acționează atât de rapid, de periculos, de *străvechi*, încât nu doar întoarce foaia, ci o rescrie cu totul. Cu câteva cuvinte, câte încap pe un tricou (a se vedea exemplul lui Ron Cooper).

SIMPLITATEA

Daltonism

În urmă cu câțiva ani, îmi aduc aminte, că un ziar local din Londra, a publicat un articol despre un negru bătrân din Caraibe, care se ducea acasă de la serviciu, cu autobuzul. La una dintre stații, s-a urcat un bețiv, care nu a găsit niciun loc liber.

– Ridică-te, negru gras, cioroi nenorocit! a strigat el la bărbat.

– Mă faci gras? a zis bărbatul.

Autobuzul a izbucnit în râs, iar bețivul a coborât.

Dezastrul a fost evitat cu doar trei cuvinte uimitoare.

Această regulă de aur a oricărui tip de convingere – de la politică la publicitate, de la negociere la împiedicarea unei răscoale – e că nu contează neapărat ce spui, ci cum o spui. Adesea, cu cât mai simplu, cu atât mai bine.

Studiile ne-au arătat în mod repetat, că, creierii noștri au o aplecare către simplitate. Să ne gândim la exercițiul de adunare de mai jos, de pildă. Acoperiți-l cu o foaie de hârtie, apoi continuați în jos, adunând numerele unul câte unul:

1 000
40
1 000
30
1 000
20
1 000
+ 10
____

Ce rezultat ați obținut? Dacă v-a dat 5.000, mai încercați. De fapt, răspunsul corect e 4.100. Ce nu a funcționat cum trebuie? Ei bine, atunci când creierul atinge totalul de 4.090, se *așteaptă* ca rezultatul final să fie un număr rotund. Prin urmare, creierul riscă, și vine cu numărul cel mai la îndemână: 5.000.

Influență de primă clasă

Senzația de fluiditate pe care o are creierul, atunci când procesează informația, constituie un factor-cheie prin care stabilește dacă va accepta sau nu informația. Simplitatea e bună. Complexitatea e rea. De aceea este convingerea spontană atât de puternică. Ea conține, în termeni zoologici, echivalentul din zilele noastre al unui stimul cheie al influenței. La fel ca un maestru al artelor marțiale – și unii dintre ei au peste 80 de ani, după cum vom vedea – persuasivul spontan nu face risipă de energie. Exact așa cum acei călugări și mari maeștri spectrali, se concentrează asupra punctelor fizice de presiune, persuasivul spontan se îndreaptă direct către jugulara psihologică.

În persuasiunea spontană, cu alte cuvinte, doar informația esențială comunicării mesajului, e inclusă în mesaj.

Luke Conway, profesor de psihologie la Universitatea Montana, a studiat rolul simplității în oratoria politică. Descoperirile au fost uluitoare. Conway a descoperit că, atunci când politicienii se pregătesc de campanie...ce credeți? Ei revin la noțiunile elementare, și politicile lor devin mai puțin complicate.

Conway a analizat cele patru discursuri despre starea națiunii ale celor 41 de președinți ai Statelor Unite aflați în primul mandat, și a detectat un tipar. El a descoperit că, cu cât un președinte stă mai mult timp la putere, cu atât complexitatea ideologică se reduce. Corelația era liniară. Discursurile inaugurale erau nuanțate, tolerante, acceptând mai multe puncte contrare de vedere. Din punct de vedere conceptual, erau mai confuze. Ultimul discurs – cel de dinaintea unei potențiale realegeri – era cel mai stabil.

„Simplitatea vinde", concluzionează Conway. „Nimeni nu se raliază unui mesaj de genul «Poate că am dreptate, poate că nu am dreptate, hai să purtăm un dialog.»"

Să luăm de pildă, unul dintre mesajele politice cele mai vehemente din istorie. Când Winston Churchill a ținut discursul lui faimos „Ne vom lupta cu ei pe plajă..." pe data de 4 iulie, 1940, în urma retragerii armatei britanice de la Dunkirk, ar fi putut folosi o altă formulare. În locul unuia dinte cele mai faimoase discursuri, mesajul lui Churchill către popor, ar fi putut fi următorul: „Vom continua ostilitățile cu adversarul în zona de coastă..."

Din nefericire, nu vom ști niciodată de ce Churchill a preferat această variantă. Oamenii fac lucruri ciudate când se află sub presiune, nu-i așa? Într-o interpretare mai puțin dramatică, *știm de ce* departamentul de marketing de la Marks & Spencer au pus mesajul „în mod exclusiv pentru oricine", pe mașinile lor de transport.

„Pe laturile unui camion e puțin loc", mi-a spus un purtător de cuvânt când am sunat. „Pe o dubă chiar și mai puțin. Iar dacă te miști prin trafic, nu ai foarte mult timp să-l citești. Presupun că am fi putut pune ceva de genul «Avem mărfuri de calitate la prețuri accesibile, disponibile oriunde.» Cumva însă nu sună la fel, nu-i așa? În publicitate e mai bine să transmiți un mesaj simplu".

Matthew McGlone de la University of Texas in Austin, și colega lui Jessica Tofighbaksh, au făcut un experiment cu poezii. Ei bine, nu chiar poezii. Mai degrabă rime. Folosind o perspectivă ingenioasă asupra anatomiei înțelepciunii, McGlone și Tofighbaksh au vrut să afle dacă afirmațiile în rime sunt mai adevărate sau, mai degrabă, sunt percepute ca fiind mai adevărate – decât cele în vers alb.

Pentru început, McGlone și Tofighbaksh au strâns mai multe aforisme pline de substanță, dar obscure. După aceea și-au adăugat propriile modificări, oarecum discordante. Din „Precauția și măsura vă aduc comoara" au făcut „Precauția și măsura vă aduc bogăția". Iar „Vinul bea vinul" a devenit „Vinul bea în locul tău". Ei le-au cerut apoi unor voluntari să citească aceste aforisme – atât variantele originale cât și cele modificate – și să le evalueze nivelul de precizie. McGlone și Tofighbakhsh i-au întrebat, cât de bine se potrivesc proverbele cu viața reală?

După cum ne-am fi putut aștepta -și așa cum se așteptau și McGlone și Tofighbakhsh- participanții s-au ghidat după rezonanță. Ei au perceput afirmațiile în rime, ca fiind mai autentice decât cele modificate, în vers alb. Ei considerau că oferă o reflecție mai adevărată, mai precisă a realității.

De ce?

Ei, bine aceste afirmații sugerează cercetătorii, pot fi asimilate complet de creierul nostru. Nu trebuie să ne mai batem capul cu descompunerea informației în segmente mai mici, mai ușor de procesat. Limbajul poate fi procesat mai rapid sub această formă. Înțelesul se transmite mai fluent. După cum am constatat în domeniul politic, fluența se traduce prin încredere.

Când eram copil, îmi aduc aminte că boxerul Muhammad Ali spunea în ce rundă va câștiga, înaintea luptei. Ce e mai amuzant e că făcea adesea asta în rime:

Lovește ca un purice, în runda trei îl fac arșice.
Vrea s-ajungă în rai, în runda șapte-l tai.
Se dă rotund, în runda opt îl bat la fund.

Se folosea Ali, inconștient sau nu, de o lege secretă a convingerii? Să fi slăbit moralul adversarilor săi aplecarea lui către rime? Sporeau versurile puterea pumnilor? Tot ce se poate. De multe ori, pronosticurile lui Ali s-au adeverit.

Acum câțiva ani, când am început să studiez convingerea spontană, am intervievat personalul navigant aerian. Doar în interes profesional, desigur, le întrebam cum e cu clasa I. Mai exact, cum *ajungi* acolo.

Deși nu am putut reuși să găsesc un singur „algoritm" prin care pasagerii sunt promovați (și, dacă l-aș fi găsit, doar nu vi l-aș fi spus și vouă, nu?), mulți dintre cei cu care am vorbit mi-au menționat umorul. De fapt, un angajat al Aer Lingus, pe care l-am intervievat în Dublin, și-a adus aminte de o întâmplare atât de deosebită, în care o replică l-a „impresionat" – „Aveți un loc la fereastră... *la clasa I?*" – încât nici nu a trebuit să se mai gândească.

„Nu era doar mesajul", îmi spune tipul de la Aer Lingus. „Era felul în care a zis-o. Îți spun, tipul ăsta ar fi putut să vândă cocaină la un congres al Martorilor lui Iehova. Și felul în care se uita la mine era aparte. Părea să-mi spună că nu mă va da de gol dacă nici eu nu-l voi da de gol. Avea încredere, dar nu era arogant. Își asumase evident un risc, dar totul părea atât de simplu. M-a luat prin surprindere".

Și asta a fost. Iluzia pe care o au mulți dintre noi, e că lucrurile trebuie să fie complicate. Nu trebuie. La fel ca refrenele cele mai captivante – cele de care nu putem scăpa – influența cea mai antrenantă este simplă. E îndrăzneață. E proaspătă. Și e directă. Citiți din nou ce a spus tipul de la Aer Lingus. Putem distinge un tipar.

Incongruența. Încrederea. Empatia. Și, dacă adăugăm și reciprocitate strecurată șiret – „nu te voi da de gol“ (vom vorbi despre ea mai târziu) –, perceperea interesului propriu.

Și toate cu doar opt cuvinte simple.

PERCEPEREA INTERESULUI PROPRIU

Doi bancheri

Trupa Oasis cânta la un concert în Manchester, însă membrii au avut probleme de ordin tehnic, și au fost nevoiți să iasă de pe scenă. Când au revenit, solistul Liam Gallagher, a anunțat în fața publicului de 70.000 de oameni „Ne pare tare rău. De acum cântăm gratis. Veți primi cu toții banii înapoi.“ A doua zi, 20.000 de fani l-au luat în serios: trupa risca să piardă peste 1 milion de lire. Ce era de făcut?

Respectând cuvântul dat, Oasis a plătit suma promisă, însă cu un subterfugiu. Au fost trimise cecuri, semnate personal de frații Liam și Noel, cu efigia „Bank of Burnage“ (formația și-a început cariera în acest cartier din Manchester).

O purtătoare de cuvânt a formației a afirmat: „Oamenii vor putea evident să le depună spre încasare. Au însă aceste însemne distinctive, așa că unii oameni ar putea alege să le păstreze“.

Câteva dintre ele au ajuns pe eBay.

Dacă vreți secretul persuadării în doar câteva cuvinte, e ușor. Trebuie să apelați la interesul celorlalți. Sau, mai exact, la interesul lor *perceput*, adică ceea ce ei *cred* că e în avantajul lor. De asemenea, aceasta este o regulă de bază în management. Vreți să vă influențați șeful? Aflați ce-și dorește șeful *lor*. Recapitulare rapidă: care e cel mai bun mod de a călări un cal? Așa e. În direcția în care se îndreaptă. Dacă petreceți suficient de mult timp într-o curte de școală (sau poate nu), veți vedea curând la ce mă refer. Copiii obțin ce-și doresc unii de la ceilalți prin două modalități. Fie fac schimb (dacă mă lași să mă joc pe PlayStation la tine, îți dau din ciocolata mea), fie amenință (dacă *nu* mă lași să mă joc pe PlayStation, îi spun doamnei Jenkins că mi-ai *furat* ciocolata). E legea junglei.

Cei mai inteligenți dintre ei, îi pot manipula până și pe adulți. Am fost la o petrecere de Revelion, iar o prietenă încerca să-și culce copilul de 9 ani.

– Mamă, se tânguia el. E doar 8 și jumătate. Lasă-mă să mai stau.

Mama era de neclintit.

– Știi cum ești dacă te culci târziu, i-a zis ea. O să fii obosit câteva zile după aceea.

– Ei bine, i-a răspuns fiul fără ezitare, vrei să mă trezesc la 7, și să fac gălăgie, când ai să dormi tu mai bine?

Grozav.

Cineva spunea, cândva, că diplomația este arta de a-i lăsa pe ceilalți să facă după cum vreți voi și să se simtă bine făcând ce vreți voi.

Întâlnire importantă

Frații Gallagher nu sunt renumiți pentru diplomația lor. Cu rambursarea banilor s-au întrecut însă pe ei înșiși. Peste câțiva ani, acele cecuri vor deveni articole de colecție și vor valora mult mai mult decât în prezent. Încasate *sau* vândute pe eBay. Cu toate acestea, nimeni nu i-ar putea acuza de faptul că nu și-au onorat promisiunea. O mutare inteligentă.

Oasis nu a făcut ceva complicat. E vorba despre biologie aici. Emițând aceste cecuri – o „ediție limitată“ par excellence –, frații se bazau pe o lege străveche a influenței, denumită *raritate*. Raritatea este unul dintre cele șase principii evoluționiste ale persuasiunii, subliniate de vechiul nostru prieten Bob Cialdini, profesor de psihologie la Universitatea Arizona; și se referă la observația că, cu cât un lucru este mai rar, cu atât ni-l dorim mai mult. Celelalte principii, pe care le-am întâlnit deja sub diferite forme, sunt *reciprocitatea* (când ne simțim obligați să întoarcem un favor); *angajamentul* și *consecvența* (ca și frații Gallagher, vrem să ne ținem cuvântul dat); *autoritatea* (ne supunem față de cei care au puterea); *aprecierea* (le spunem da celor pe care-i plăcem) și *validarea socială* (ne uităm să vedem ce fac ceilalți dacă nu suntem prea siguri).

Datorită mecanismelor dobândite de-a lungul evoluției, și al rolului lor în supraviețuirea primitivă, fiecare dintre aceste principii operează direct la nivelul interesului propriu. Să luăm, de pildă, validarea socială. Un studiu recent de la Universitatea Aberdeen, ne arată că, dacă un bărbat intră într-un bar, nivelul lui de atractivitate crește cu 15% dacă este însoțit de o femeie care zâmbește (cu șase nu dați greș). Și la animale se regăsește același reflex. Gâștele și peștii femele aleg – dacă ceilalți parametri sunt egali – parteneri pe care i-au văzut împerechindu-se, în defavoarea celor pe care *nu i-au văzut* (deși nu recomand desigur să mergeți *atât* de departe). De ce? Pentru că, atunci când informațiile sunt nesigure sau limitate, principiul validării sociale acționează ca o euristică puternică a interesului propriu. Dacă alte femele sunt atrase, atunci ce nu e de plăcut?

Parametrii de persuadare ai interesului propriu sunt adesea greu de notat pe hârtie. Nu ne place să ne gândim în termeni de egoism pur, când vine vorba despre noi: e în interesul nostru *să nu* facem asta. Haideți totuși să încercăm.

Imaginați-vă că sunteți voluntari, împreună cu 29 de alte persoane, într-un experiment organizat de mine, plătit frumos, dar de o manieră bizară. Vă conduc pe fiecare într-un compartiment separat, care conține o sonerie aflată la loc vizibil pe un panou central. Înainte de a intra în compartiment, vă spun că veți rămâne înăuntru preț de 10 minute, dar că sunteți liberi să apăsați pe sonerie oricând doriți. Prima persoană care apasă pe sonerie va da semnalul de final al experimentului. A, și încă ceva. Nu puteți să comunicați cu cei din celelalte compartimente.

Acum v-am zis că plata nu e tocmai simplă; și aici jocul devine interesant. Dacă la finalul celor 10 minute, rezultă că nimeni nu a apăsat soneria – adică voi și ceilalți 29 –, câștigați o vacanță gratuită de 21 de zile oriunde în lume. Pe de altă parte, dacă cineva apasă pe sonerie în timpul perioadei, atunci acea persoană câștigă o vacanță gratuită de șase zile, iar restul nu câștigă nimic.

Ceasul ticăie.

Ce veți face?

Când întâlnesc prima dată Dilema Lupului[36] – în caz că vă întrebați, așa se cheamă exercițiul – majoritatea oamenilor nu au nevoie să fie întrebați de două ori. E evident ce trebuie făcut. Doar să rezistați 10 minute. Dacă toată lumea rezistă, atunci cu toții se pot bucura de soare timp de 21 de zile, nu? Ei, bine, nu chiar. Aici e marea întrebare, nu? Vor reuși cu toții să se abțină? Poate da. Poate nu. Care sunt șansele ca cineva din grup să apese „întâmplător", din pur egoism sau din prostie, pe sonerie? Vă puteți permite să riscați pe mâna lor?

Cu cât vă gândiți mai mult, cu atât devine evident că varianta rațională e de fapt, să apăsați chiar voi pe sonerie. Dacă există riscul ca cel puțin unul dintre cei 29 să le strice distracția celorlalți, și să plece în vacanță 6 zile, atunci de ce să nu fiți chiar *voi* acea persoană? De fapt, cea mai bună mișcare e *nici măcar să nu vă gândiți*. Pur și simplu să *apăsați*. De îndată ce intrați în compartiment. Dacă, după toate asta, v-ați dat seama că e în interesul vostru să apăsați pe buton, de unde știți că și ceilalți nu au ajuns la aceeași concluzie? Și ce vă face să credeți că nu o vor face *chiar acum*?

Testul timpului

Filosoful britanic din secolul al XVII-lea Thomas Hobbes a fost cel care a inventat sintagma „războiul tuturor contra tuturor" pentru a descrie viața într-o lume fără autoritate (deși cu toată criza economică, Războiul din Afganistan sau scandalul cheltuielilor parlamentarilor ne putem întreba dacă totuși nu ar merita să încercăm și varianta asta.)

Prefer însă cuvintele fostului prim-ministru australian Gough Whitlam: „Experții știu că pe calul Moralitate nu prea poți paria, în timp ce mârțoaga Interesul Propriu aleargă întotdeauna bine".

Whitlam vorbea poate chiar la propriu, dacă e să dăm crezare unui studiu de la Princeton, efectuat în anii '70. Psihologii John Darley și Daniel Batson, i-au împărțit pe studenți de la Seminarul

[36] Dilema Lupului a fost inventată de teoreticianul american al jocurilor, Douglas Hofstadter. Hofstadter, Douglas R., *Metamagical Themas: Questing for the Essence of Mind and Pattern* (New York, NY: Basic Books 1985).

teologic Princeton, în două grupe. Cei din primul grup au primit informația că vor înregistra un discurs, despre genul de slujbe pe care studenții seminariști le-ar putea obține după absolvire, în timp ce cei din grupul al doilea au fost instruiți să vorbească despre bunul samaritean. Ambele grupuri au avut apoi câteva minute de pregătire, în care să-și noteze câteva idei, apoi cercetătorul i-a informat că studioul în care urmau să aibă loc înregistrările, se află într-o clădire din apropiere, la care se ajunge pe o alee.

Acum vine partea interesantă. Înainte de a pleca, nu toți studenții au primit aceleași informații din partea cercetătorului. De fapt, ei au fost împărțiți în trei grupe suplimentare, și li s-au spus lucruri diferite.

Celor din primul grup li s-a spus: „Ar putea să dureze câteva minute până să fie gata să vă primească, dar ați putea să plecați deja. Dacă aveți de așteptat, nu o să dureze prea mult".

Celor din cel de-al doilea grup li s-a spus: „Asistentul vă așteaptă, plecați imediat".

Celor din cel de-al treilea grup li s-a spus: „O, ați întârziat. Vă așteaptă de câteva minute. Am face bine să ne grăbim. Asistentul vă așteaptă așa că grăbiți-vă".

Și au plecat.

Pe parcurs însă li se pregătise o surpriză. Un coleg al cercetătorului stătea într-o ușă de pe coridor, cu capul aplecat în jos, ochii închiși și nemișcat. În timp ce studenții treceau pe lângă el, a tușit – de două ori – și a icnit.

Marea întrebare era următoarea: cât aveau să-l ajute studenții din cele trei grupuri?

Pentru a-i ajuta să se hotărască, cercetătorii au creat dinainte un sistem cu puncte. Studenții urmau să nu primească nimic dacă nu observau (sau păreau să nu observe) „victima". Ei primeau un punct dacă recunoșteau că are nevoie de ajutor, dar nu se opreau, două puncte dacă nu se opreau, dar relatau incidentul asistentului care-i aștepta în clădirea din apropiere, respectiv maximum de cinci puncte dacă rămâneau cu victima și-o însoțea până la un loc unde putea fi examinată. Rezultatele studiului sunt prezentate mai jos.

Figura 6.1 - Nu mă pot opri, întârzii la predică

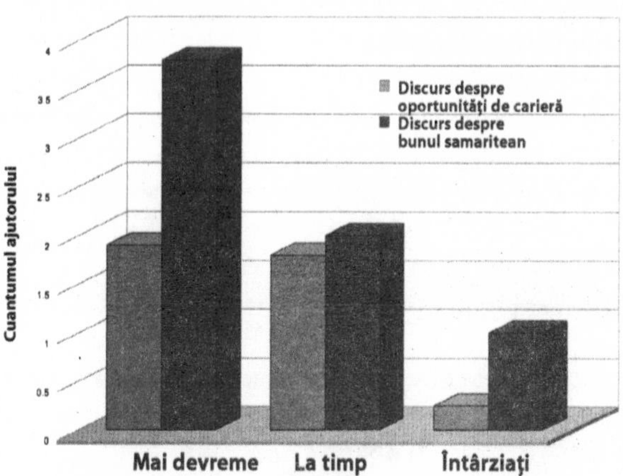

După cum era de așteptat, chiar și în rândul studenților la un seminar teologic de elită, cum ar fi Princeton, *și care tocmai își scriseseră notițe despre parabola bunului samaritean*, interesul propriu a contat. Și a contat în mare măsură. După cum ne demonstrează foarte clar graficul, studenții care erau în întârziere abia l-au observat pe bărbatul aplecat în prag.

Erau prea ocupați să fie buni.

La începutul anului trecut, prezentatorul radio Terry Wogan a fost atacat de mai multe surse din media după ce s-a zvonit că ar câștiga un salariu de 800.000 de lire. În ciuda faptului că are peste opt milioane de ascultători, și a statutului său de legendă, mulți spuneau că ar câștiga prea mult. Dacă luăm în calcul și climatul financiar turbulent, și un scandal neplăcut cu doi dintre colegii lui, toate acestea l-ar fi putut afecta. Wogan a avut însă o altă perspectivă.

„Dacă stai să te gândești", a remarcat el, cu un aplomb caracteristic demn de un negustor, „vine cam 10 pence per ascultător. La prețul ăsta, mi se pare că sunt destul de ieftin".

Și cu asta basta. De îndată ce tema interesului propriu a fost îndepărtată, iar numerele au fost reinterpretate pentru a fi în favoarea celor *care îl criticau*, controversa a luat sfârșit.

INCONGRUENȚA

Scamatoria creierului

În cărțile de știință nu sunt prea multe numere de iluzionism. Iată însă unul pentru voi. În Figura 6.2a de mai jos, sunt șase cărți. Alegeți una atingând-o, holbați-vă la ea cinci secunde pentru a o reține în minte, apoi închideți cartea și vizualizați-o în minte. Nu-mi spuneți care e, rețineți-o doar în mintea voastră.

Figura 6.2a - Alegeți o carte

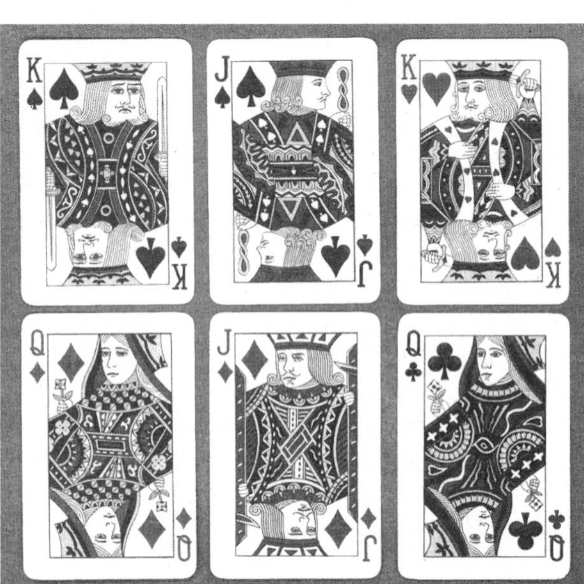

Ați ales? OK, bun. Voi lua cărțile și le voi amesteca, apoi le voi întinde pe masă, doar că de data asta cu fața în jos, și voi scoate una. Nu veți observa când fac asta.

Gata? Iată...

Figura 6.2b – Toate cărțile mai puțin una...

Excelent! Până aici, toate bune.

OK, acum ar trebui să aveți cinci cărți cu fața în jos. Cea de-a șasea carte e la mine. Așteptați să mă uit să văd ce carte e-am scos-o fără să mă uit. OK, gata.

Vreți să vă arăt? Ca să aflați ce carte am în mână, mergeți la pagina 216 de la finalul capitolului pentru a „întoarce“ chiar voi cărțile. Faceți asta acum, apoi reveniți.

Ce carte era? Nu cumva cea pe care ați ales-o ?

Asta e magie, oameni buni.

Jefuirea creierului

„Secretul convertirii“, scria filosoful grec Platon, „constă nu în implantarea ochilor, pentru că ochii există deja. Secretul, “ adăuga el, “ constă în oferirea unei noi direcții ochilor“.

Are perfectă dreptate. Magicienii cunosc asta de secole. Și hoții de buzunare. „O mutare mare acoperă o mutare mică“, e una dintre cele mai verificate maxime din acest domeniu și se referă la faptul că, dacă două mișcări au loc simultan, observatorii se vor concentra asupra celei mai mari sau mai evidente dintre cele două.

Să luăm, de pildă, exercițiul de „citire a minții“ de mai sus. Probabil v-ați putut da seama că nu e vorba despre citirea minții, ci despre *furtul* ei. Am folosit, ceea ce în teoria magiei se numește *îndreptarea pasivă într-o direcție greșită*, iar în psihologia cognitivistă, *capturarea exogenă a atenției*. Făcându-vă să vă concentrați exclusiv asupra unei cărți – cea pe care ați ales-o – e foarte probabil că nu ați remarcat celelalte cinci cărți. Erați conștienți că erau acolo, le puteați vedea, dar pur și simplu nu ați fost *atenți* la ele.

Mare greșeală.

Dacă aveți ochi doar pentru propria carte și habar nu aveți care sunt celelalte, nu a trebuit decât să o îndepărtez pe una la întâmplare și să le schimb pe celelalte cinci, ca să pară că, singura carte e chiar cartea voastră. Acea carte, cea pe care ați ales-o, acționează ca o țintă vizuală, ca un soi de „paznic neuronal" care împinge atenția printr-o ușă laterală a conștiinței, într-un taxi care să o ducă acasă.

Când e vorba despre persuadare, am putea învăța câte ceva de la magicieni și de la hoții de buzunare. Să luăm de pildă cazul lui Ron Cooper, în ploaie și vânt. Indiferent cât de cald ar fi, ce om în toate mințile ar începe să se dezbrace în *acele* condiții? Voi ați face-o? Cooper are desigur un motiv pentru ceea ce face. Tricoul. Tipul care stă pe marginea clădirii nu știe însă asta. El trebuie să asiste la o scenă, care, cu fiecare nasture desfăcut, devine din ce în ce mai bizară.

Apoi marele final: DUCEȚI-VĂ DRACULUI! AM DEJA SUFICIENȚI PRIETENI!

Și mai multă incongruență. Mai mult explozibil psihologic. Aceste situații necesită de regulă mult tact. O abordare împăciuitoare. Oricine știe asta. Tipul de pe marginea blocului știa asta. Și Cooper *știa* că el știe asta. Dar nu de data asta. E o mișcare riscantă, dar Cooper a calculat că umorul e o armă puternică. Mai puternică (sau așa spera el) decât a sta pe acoperișul unei parcări multi-etajate, în ploaie.

Incongruența funcționează ca metodă de convingere tocmai pentru că *nu* funcționează în magie. Pentru că e ieșită din comun. Și totuși, funcționează din *exact* același motiv. O mutare mare acoperă o mutare mică.

Ridică brațul

Puterea incongruenței de a opri creierul, de a-l surprinde pe la spate și de a-l năuci, nu e deloc nouă. E veche de când lumea. „Fă zgomot în est și atacă din vest", spuneau vechii maeștri Zen, o doctrină care stă încă la baza multor arte marțiale din zilele noastre. În karate, de pildă, conceptul *teishin* – o „minte blocată", se referă la o minte abătută, temporar și periculos, de la obiectul atenției. Și în sala de judecată – care a fost gazdă încă din vremea grecilor antici unor practicanți de ju-jitsu *lingvistic* – victoria se bazează și pe elementul-surpriză.

Imprevizibilul avocat britanic Frederick Smith a apărat un șofer de autobuz, care era acuzat că provocase rănirea brațului unui pasager, din neglijență. În loc să fie agresiv cu reclamantul, Smith, în ciuda așteptărilor, a avut o abordare împăciuitoare.

– Vreți vă rog să arătați Curții, i-a cerut el pasagerului, cât de sus puteți ridica brațul acum, *după* accidentul respectiv?

Reclamantul a ridicat cu greu brațul până la nivelul umărului.

– Vă mulțumesc, a zis Smith. Și acum, a continuat el, vreți vă rog să arătați Curții cât de mult puteați să ridicați brațul *înainte* de accident?

Reclamantul a ridicat brațul peste nivelul capului.

Caracteristicile distragerii atenției, care fac ca incongruența să fie o forță de care să se țină cont în cazul persuasiunii, pot fi observate în amănunt în exercițiul următor.

Priviți pătratele din Figura 6.3a de mai jos. În fiecare pătrat, un cuvânt apare într-un loc diferit. Pornind de la stânga sus, la dreapta jos și trecând cu atenție prin fiecare rând, trebuie să spuneți cu voce tare poziția fiecărui cuvânt (stânga, dreapta, sus, jos). Spuneți poziția pe cât de repede puteți. Nu citiți cuvintele - spuneți doar poziția în care apar.

Sunteți pe fază? Haideți să începem...

Figura 6.3a - În ce poziție apar cuvintele: sus, jos, stânga sau dreapta?

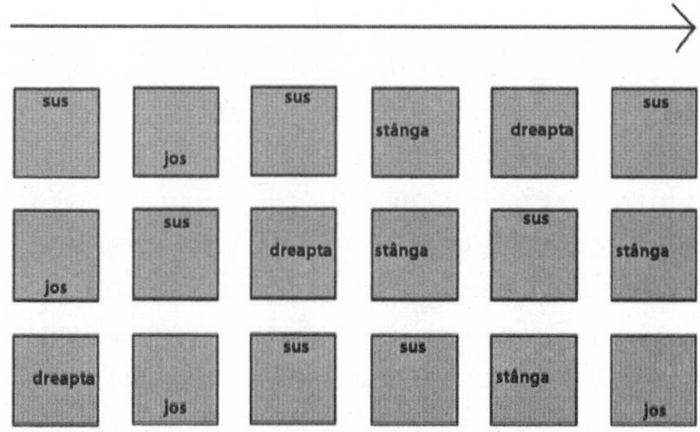

Cum a fost? Destul de ușor? OK, bine.

Acum vreau să repetați exercițiul cu cuvintele din Figura 6.3b de mai jos. Din nou, spuneți doar unde sunt cuvintele. NU, REPET, **NU** LE CITIȚI!!

OK?

Haideți...

Figura 6.3b - Repetați exercițiul din Figura 6.3a. În ce poziție apar cuvintele: sus, jos, stânga sau dreapta?

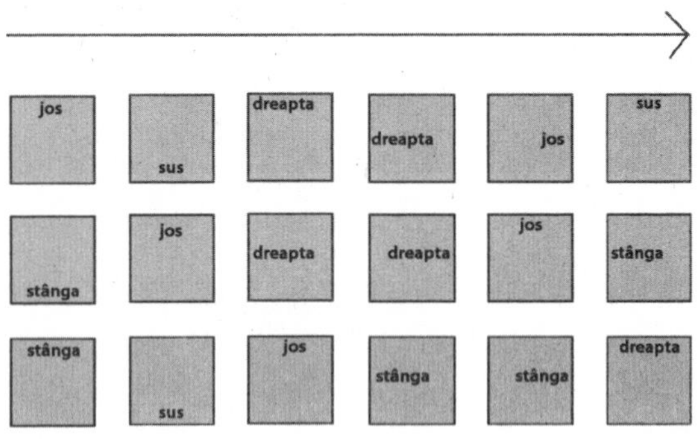

Cum v-ați descurcat de data asta? Diferit? Așa credeam. Majoritatea consideră că a doua listă e mult mai dificilă. De ce? Ei bine, motivul e destul de simplu. În cazul celei de-a doua imagini, instrucțiunea *conștientă* de a *numi poziția* cuvintelor se bate cap în cap cu așteptarea *inconștientă* de a le *citi*: o gripare a motorului, provocată de incongruența dintre cuvinte și amplasamentul lor. Dintr-odată, cu alte cuvinte, așteptarea și realitatea nu se mai potrivesc. Prin urmare, performanța scade.

Acest exercițiu – o variantă a *Exercițiului Stroop* – e folosit de mult timp de psihologii cognitiviști, mai ales de cei interesați de procesele și mecanismele atenției. Și pe bună dreptate. *Efectul de interferență* sau *de perturbare,* provocat de tendințele rivale – înclinația naturală de a citi cuvintele versus instrucțiunea diabolică de a *ignora tendința naturală* și de a le preciza poziția –, nu se limitează doar la limbaj. Ea se petrece tot timpul, chiar și atunci când, de exemplu, ne găsim în împrejurări necunoscute sau când ne ia prin surprindere un eveniment neprevăzut.

Barbara Davis și Eric Knowles de la University of Arkansas au demonstrat mecanismul de funcționare, în cadrul a două studii cu comis-voiajori și vânzători stradali. Davis și Knowles au descoperit un aspect remarcabil legat de felul în care ne cheltuim banii: o clientelă-țintă are o probabilitate de două ori mai ridicată de a cumpăra felicitări de Crăciun de la un comis-voiajor, dacă acesta își spune prețul în *cenți* și nu în dolari, iar clienții de la o piață au cumpărat mai multe prăjituri de la o tarabă, dacă vânzătorul le spunea că vinde „jumătăți de prăjitură" și nu prăjituri. Există însă un motiv. În ambele cazuri, stratagema funcționa doar dacă, imediat după anomalia de prezentare, intervenea o replică. În cazul felicitărilor, replica era „E un chilipir!" În cazul prăjiturilor, era „Sunt delicioase!"

Desigur, fenomenul nu e foarte complicat. E un șiretlic psihologic. „Prima impresie" incongruentă – un set de 36 de felicitări de Crăciun pentru 2.844 de cenți – induce creierului senzația de a nu mai analiza detaliile. Înainte ca acesta să mai poată reacționa, încrederea și empatia se instalează: „E un chilipir!" Incongruența, încrederea și empatia funcționează ca o echipă de intervenție. Rolul incongruenței – 2.844 de cenți – e cel al omului care intră primul: intrarea e explozivă și creează confuzie. Ea induce, preț de o clipă, o transă în mintea victimei, în care poate fi introdusă pe furiș sugestia – „Sunt delicioase!" – când încrederea operează în imponderabilitate, și rezistența cognitivă este înghețată. Dacă atacați creierul atunci când e cu spatele, puteți, la propriu, să vă „alegeți prețul".

Gafe de aur

Procesul neurologic al incongruenței – ce se petrece *în interiorul* creierului, după ce ușile au fost forțate și ferestrele sparte – e destul de bine documentat. Înregistrările intracelulare la maimuțe, au demonstrat că amigdala e mai sensibilă la stimulii neașteptați (atât pozitivi *cât și* negativi) decât s-ar fi așteptat, în vreme ce, la oameni, înregistrările electroencefalogramelor intracraniene, au arătat o activare sporită atât a amigdalei, cât și a joncțiunii temporo-parietale (o structură cu rol în detectarea noutăților), în cazul expunerii la evenimente rare și mai ales bizare. După cum am putut constata în capitolul 2, incongruența, sub forma unor modificări bruște și neașteptate ale tonalității, constituie motivul pentru care plânsul nou-născuților provoacă emoții atât de puternice, conferind însă, și muzicii, și umorului un factor distinctiv.

Există însă, așa cum se arată în studiul cu prăjiturile de mai sus, și o funcție secundară a incongruenței: o funcție distinctă dar legată de intrarea explozivă, respectiv capacitatea de a „reîncadra".

Să luăm, de pildă, cele două reclame din Figurile 6.4a și 6.4b de mai jos; ambele foarte diferite, însă foarte puternice în felul lor.

Figura 6.4a, Figura 6.4b – Straturile imprevizibilului: puterea infirmării așteptărilor

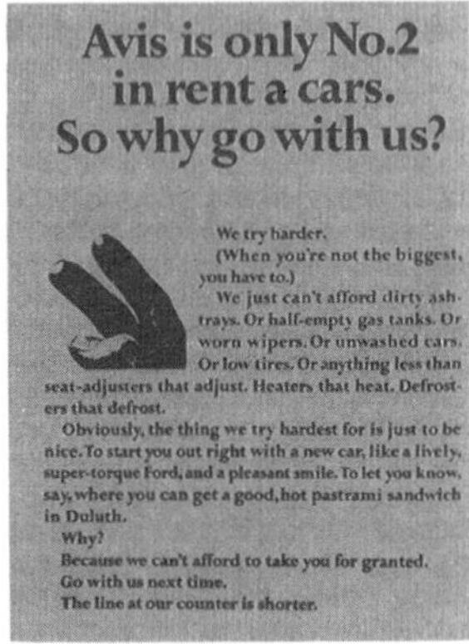

„Sunt aici să vă ajut..." *Avis e doar nr. 2 în topul firmelor de închiriere. De ce ne-ați alege pe noi? Ne străduim mai mult. (Când nu ești locul 1, trebuie să o faci)*

Nu ne permitem să avem scrumiere murdare. Sau rezervoare de benzină pe jumătate goale. Sau ștergătoare uzate. Sau mașini nespălate. Sau cauciucuri dezumflate. Sau butoane de reglaj al scaunului care nu funcționează. Sau încălzitoare care nu încălzesc. Sau dezaburitoare care nu dezaburesc.

Desigur, încercăm cel mai mult să fim amabili. Să vă oferim o mașină nouă, un Ford puternic și nervos, și un zâmbet plăcut. Să vă spunem unde puteți găsi, de exemplu, un sendviș cald cu pastramă, în Duluth.

De ce?

Pentru că nu ne permitem să credem că ni se cuvine să ne fiți clienți.

Alegeți-ne pe noi data viitoare.

La noi cozile sunt mai scurte.

Astfel de reclame sunt tipice influenței în stil de gherilă. Ele ne iau așteptările pe nepregătite, iar emoțiile, ostatice. Ne forțează să ne punem întrebări. Să reevaluăm.

De regulă, când cineva ne ajută, are un zâmbet pe față. Nu tăieturi sau vânătăi. Care e faza?

De regulă, când o firmă de închirieri auto își face reclamă, încearcă să se laude, nu să se pună într-o lumină proastă. Ce se petrece?

Drew Westen, profesor de psihologie politică la Emory University, are răspunsul.

„Dacă vreți să câștigați mințile și sufletele, începeți cu sufletele."

Westen și colegii lui au efectuat mai multe studii, în care au analizat efectele acestor afirmații emoționale, nu doar în publicitate, ci și în politică. Westen s-a întrebat: ce s-ar întâmpla dacă ai lua un grup de republicani convinși, și un grup de democrați convinși, și le-ați prezenta două afirmații – două afirmații *contradictorii* – enunțate de către liderii partidelor: în cazul republicanilor, George W. Bush, iar în cazul democraților, John Kerry.

Puteau aceste afirmații să-i deranjeze? Dacă da, *care dintre afirmații* i-ar deranja?

Pentru a afla, Westen a strâns în cadrul campaniei pentru alegerile prezidențiale din 2004, o serie de afirmații incongruente (în total 12, șase de fiecare parte, și vorbim aici despre divergențe majore, nu despre mici inconsecvențe) și le-a arătat suporterilor din ambele tabere, pe o serie de cartonașe, în timp ce aceștia stăteau pe spate, într-un aparat RMN funcțional.

Descoperirile lui au fost uluitoare. Pentru observatorii neutri, contradicțiile erau evidente. Și pentru republicani și democrați erau evidente, atât timp cât proveneau de la tabăra *adversă*. Puteau însă republicanii sau democrații să distingă inadvertențele din argumentele propriului candidat? Absolut deloc. Pe o scară de la 1 la 4 (în care 1 = deloc contradictoriu și 4 = foarte contradictoriu), scorul mediu al afirmațiilor emise de candidatul partidului pe care-l simpatizau participanții era în jur de 2. Pentru afirmațiile opoziției – ați ghicit – ele aveau valori apropiate de 4. Cu alte cuvinte, republicanii puteau să vadă doar greșelile retorice ale lui Kerry, iar democrații, în oglindă, pe cele ale lui Bush.

Și mai important era însă, fenomenul din capul participanților, în timp ce erau expuși la aceste disonanțe. La început, așa cum se așteptau Westen și colegii acestuia, în primele stadii ale expunerii (cartonașele 1-3), ideologia incongruentă a generat o rafală de emoții negative în creier (concret, în girusul cingulat anterior, cortexul prefrontal median, girusul cingulat posterior, lobul patrulater și cortexul prefrontal ventromedial).

Pe măsură ce experimentul avansa (cartonașele 4-6), a început să se întâmple ceva foarte interesant. Circuitele neuronale cu rol în reglarea emoțiilor (cortexul frontal lateral inferior, cortexul orbitofrontal inferior, insula și girusul para - hipocampic), au început să se activeze semnificativ. După aceea nu doar că emoția negativă inițială a început să se destrame, ci și zonele creierului asociate cu emoțiile *pozitive* (centrii de recompensă ai striatumului ventral), au început să se activeze. Participanții nu au început doar să se simtă *mai bine*, ci chiar să se simtă *bine*.

Se părea că, de îndată ce creierul își revenea după șocul inițial al incongruenței, emoțiile au înmuiat rațiunea, reușind cumva să împace cele două afirmații contradictorii, apoi generând și o recompensă pentru acest lucru.

Șoc și/sau

Rezultatele studiului lui Drew Westen au contribuit la înțelegerea fenomenelor legate de convingere, nu doar în politică, ci și în viață, în general. Pentru început, faptele nu sunt întotdeauna atât de importante. Capacitatea lor de a influența e exagerată. La rigoare, se pare că așadar creierul ține mai degrabă cont de inimă. Să recapitulăm: zonele activate în studiul lui Westen erau părțile *afective* ale creierului. Zonele *cognitive* au rămas inerte.

Și în oratorie incongruența joacă un rol important. Contraste precum cele folosite de John F. Kennedy („Nu întrebați ce poate face țara pentru voi, ci ce puteți voi face pentru țară") și Margaret Thatcher („Să vă răzgândiți voi, doamna nu se răzgândește"), prezintă cu forță ideile datorită proximei juxtapuneri a negativului și pozitivului. Studiile au arătat că, din totalul aplauzelor din timpul unui discurs reușit, în medie o treime se datorează unor astfel de simetrii.

Imaginați-vă că intru la metrou în New York, într-o dimineață. Doi cerșetori se privesc de pe marginile trotuarului. Unul e îmbrăcat în zdrențe și ține deznădăjduit un semn pe care scrie: *Flămând și bolnav: vă rog ajutați-mă!* Celălalt e îmbrăcat într-un costum impecabil și – rânjind cu încredere – ține un semn pe care scrie *Putred de bogat și vreau și mai mulți bani!*

Reacția trecătorilor ne dă de gândit, fiind un amestec de dispreț, simpatie și amuzament. Ca strategie de marketing, tipul în costum e un dezastru. Are castronul cam la fel de gol, pe cât era la început. „Adevăratul" cerșetor – cel îmbrăcat în zdrențe – face însă o avere.

Sunt cam nedumerit. Cu siguranță că e ceva ascuns la mijloc. Mai târziu, când cei doi se pregătesc să plece, mă apropii de ei. „Care-i faza?" îi întreb. Se pare că aveam dreptate. Chiar *era* o șmecherie.

De fapt, *ambii* sunt oameni ai străzii. Ei au descoperit însă că, lucrând împreună, pot să-și sporească de patru ori câștigurile.

„Le oferim oamenilor o alegere", ne spun ei. „Om bogat versus om sărac. În mod normal, dacă ești pe cont propriu, oamenii trec pur și simplu pe lângă tine. Nici nu se uită la tine. Tipul în costum nu doar că le atrage atenția, dar îi și pune pe gânduri. De ce i-aș da *lui* ceva, nenorocitului ăstuia, când aș putea să-i dau celuilalt? Cei care trec mereu prin zonă, s-au prins de șmecherie, dar cu toate astea funcționează. Facem și cu schimbul, azi port eu costumul, mâine, el."

Acțiunea mare o acoperă pe cea mică.

ÎNCREDEREA

De veghe

Povestea pe care urmează să v-o spun nu-l pune în cea mai bună lumină pe unchiul meu, Fred. Ea e însă un exemplu atât de bun al puterii de transformare a încrederii, încât n-aș putea să nu v-o spun.

Fred Dutton a făcut armata la parașutiști, în timpul celui de-al Doilea Război Mondial. Nu era cel mai înalt om din lume – avea cam 1,60 metri și cântărea vreo 58 de kilograme –, dar era un dur, și avea o inimă de leu. Când l-a prins Crăciunul în Ardeni, a găsit împreună cu colegii o tabără de nemți. Luați prin surprindere, aceștia au decis să fugă, mai puțin radiotelefonistul, care nu a putut să-și scoată ghiozdanul la timp. Fred comanda și a făcut un pas în față.

– Ridică-te în picioare! a urlat el la inamic.

Germanul a făcut cum i s-a ordonat. Era înalt, 1,90 m, și mare cât un dulap, după cum îi plăcea lui Fred să spună. Cei doi bărbați s-au privit preț de câteva secunde, de sus (sau de jos, după caz). Cred că a fost ceva: Fred, cu ai lui 1,60, Jurgen, la 1,90. În cele din urmă, ochii lui Fred i-au căzut pe ceasul germanului. Era lucios. Și de aur. Și părea scump. Fred nu avea nicio îndoială că putea conta pe sprijinul colegilor, dacă situația ar fi degenerat. Așa că, ce naiba?, s-a gândit el. De ce să nu-l ia.

– Ceasul! a răcnit el la Jurgen. Al meu!

Ca să se facă mai bine înțeles, a arătat către ceas. Apoi a arătat către el. Germanul s-a uitat la el de parcă ar fi fost nebun.

– Ceasul! a repetat Fred. Dă-l încoace!

Cu toate acestea, germanul stătea doar pe loc, privindu-l cu și mai multă suspiciune, în timp ce confruntarea lor bizară continua.

În cele din urmă, Fred s-a săturat. S-a apropiat chiar la câțiva centimetri de german – măcar orizontal, dacă nu vertical – și a început să gesticuleze furios către încheietura lui.

– CEASUL TĂU!, s-a răstit el. DĂ-MI-L!

La a treia solicitare, germanul și-a scos cu o ușoară ezitare ceasul și i l-a dat.

Fred l-a înșfăcat, l-a băgat în buzunarul hainei, și cu un rânjet mare pe față, s-a întors fericit să vadă ce zic prietenii lui.

Care plecaseră, avea el apoi să afle, de îndată ce au văzut ce namilă era dușmanul.

Omnia dicta fortiora si dicta latina[37]

Eseistul american Robert Anton Wilson, scria că realitatea este, orice poate fi făcut credibil. Și unchiul meu Fred cred că ar fi fost de acord cu el. Un singur lucru a reușit să-l convingă pe radiofonistul german să-și cedeze ceasul, și cu siguranță nu era spiritul festiv. Era vorba despre încrederea brută, cu siguranță. Sau, de fapt, de o încredere brută *nejustificată*.

Greg Morant, e un om care știe câte ceva despre încredere. E o seară încinsă de vară în New Orleans, iar noi stăm la barul hotelului lui, bând șampanie. „Convingerea", îmi spune Morant, în cămașă albă, blugi și un ceas Rolex Oyster Perpetual auriu, la încheietură, „e 99% încredere și 1% întâmplare!" Iar Morant ar trebui să știe asta mai bine ca oricine. Acum, aflat pe la 45 de ani, muncește de 30 de ani și nu e niciun stat în care să nu fi reușit să dea lovitura.

„Dacă nu aveți încredere în cineva, dacă nu credeți că lucrurile se vor petrece așa cum vi le descrie" continuă Morant, „atunci, care

[37] Totul sună mai impresionant în latină.

mai e sensul să-i mai ascultați? Pentru cineva din meseria mea, asta nu e bine. Cuvântul dat e legământ! Ați auzit vreodată de un escroc care să nu fie încrezător? E o nebunie..."

Are dreptate, desigur. Încrederea aduce încredere. Uitați-vă la televizor, de exemplu. Dacă vă întrebați de ce experții intervievați la televizor apar cu cărți pe fundal, acum știți. Recuzita cunoașterii le sporește validitatea enunțurilor.

Putem analiza și experimentul lui Stanley Milgram, cu șocuri electrice, efectuat în anii '60, la Yale. Un procentaj uluitor de 65% dintre cei care au luat parte la studiu, au acționat butonul până la puterea maximă, sub instrucțiunile unui profesor aparent nevinovat, într-un halat alb. Când profesorul a plecat, și experimentul era condus de un laborant – în blugi, tricou și teniși – „respondenții nu mai erau așa de dornici să acționeze butonul. Într-o repetare a studiului original, în care amprenta autorității și indiciile legate de cercetarea științifică au fost făcute mai puțin vizibile (spre deosebire de primul studiu efectuat în campusul „vechi" al universității Yale, studiul ulterior a fost efectuat într-o clădire modernă de birouri), doar 25% dintre participanți au mers până la capăt. E destul de șocant, dar nu *chiar* așa de șocant.

Când încrederea se duce de râpă, totul se duce de râpă.

O imagine face cât o mie de cuvinte, sau așa se zice. E oare posibil ca o imagine să spună prea mult? În aparență, pare o întrebare ciudată. Există însă dovezi care par să indice faptul că introducerea rezultatelor RMN funcțional în cadrul procesului, ar fi periculoasă. Un studiu recent efectuat de David McCabe, de la Colorado State University, și Alan Castel, de la University of California din Los Angeles, sugerează că, orice beneficii ar putea proveni de pe urma imaginilor cu scanările cerebrale, acestea ar putea (de fapt) fi anulate de capacitatea lor naturală de a ului.

McCabe și Castel le-au prezentat voluntarilor, o serie de articole fictive de neurobiologie, care conțineau și o serie de afirmații bazate pe raționament suspecte (de exemplu, „privitul la televizor sporește aptitudinile matematice, pentru că ambele activează lobul temporal"). Unii participanți au primit doar afirmațiile suspecte, în vreme ce ceilalți au primit afirmațiile și imagini cu creierul sau grafice. Cine credeți că a crezut că articolele sunt mai serioase? Ați ghicit. Cei care au primit imaginile cu creierul.

Folosite cum trebuie, și datele statistice pot fi la fel de influente din punct de vedere psihologic. La începutul procesului lui O.J. Simpson în 1995, șansele ca el să fie achitat erau destul de reduse. Un avocat genial, pe nume Alan Dershowitz, avea însă alte planuri. În jur de 4 milioane de femei din America sunt bătute în fiecare an de partenerii lor, a afirmat el cu încredere în fața Curții. Dintre aceste 4 milioane doar 1.432 au fost *ucise* (în 1992) de partenerii lor. Având în vedere aceste date, susține Dershowitz, rezultă că șansele vinovăției clientului erau, erau de fapt, de 1 la 2.500.

Juriul a fost impresionat de calculul lui Dershowitz, iar Simpson a fost achitat, după un proces care a durat 251 de zile.

Calculul s-a dovedit a fi *greșit*.

Iar datele, deși acuzarea nu și-a dat seama de asta, ascundeau o posibilitate complet diferită. De vreme ce Nicole Brown Simpson era *deja* moartă, probabilitățile lui Dershowitz fuseseră incorect reprezentate.

Dintre cele 1.432 de femei ucise, *90%* fuseseră ucise de partenerii lor.

Aura încrederii

Psihologul Paul Zarnoth și colegii lui de la University of Illinois, au analizat efectele încrederii asupra funcțiilor cognitive, mai exact felul în care cei din jurul nostru pot să capete o aură de încredere, care să se extindă asupra tuturor afirmațiilor lor. Zarnoth le-a prezentat voluntarilor diferite probleme (de exemplu, exerciții de matematică, analogii și prognoze)și le-a cerut la finalul fiecărui exercițiu să răspundă cât de încrezători sunt că au nimerit răspunsul corect. Voluntarii au răspuns mai întâi individual, apoi în cadrul unor grupuri mici. În niciuna dintre variante ei nu au primit niciun feedback legat de performanța lor.

Rezultatele lui Zarnoth au fost extraordinare. El a descoperit că răspunsurile de grup urmează un tipar. Ele au tendința de a oglindi răspunsurile *individuale* ale membrilor cei mai încrezători ai grupului, chiar și atunci când aceștia răspund incorect. Cu alte cuvinte, a concluzionat Zarnoth, acești indivizi care erau percepuți a fi cei mai *încrezători*, erau și cei care erau percepuți ca fiind cei mai *competenți* (cu probabilitatea cea mai mare de a fi răspuns corect).

Încrederea este percepută rapid, surprinzător de repede chiar. Studiile au arătat că în politică unul dintre cei mai puternici factori predictivi ai popularității candidaților, îl constituie comportamentul de abordare atunci când, de exemplu, în timpul unei sesiuni de întrebări candidatul se deplasează *către* un public (transmițând o încredere și o deschidere subliminal) în loc să rămână pe loc (ceea ce ar simboliza o atitudine defensivă).[38]

Psihologii Nalini Ambady și Robert Rosenthal, au dus lucrurile mai departe și au cercetat un fenomen pe care ei l-au denumit „feliile subțiri". Într-un studiu, publicul viziona clipuri de 30 de secunde cu profesori universitari la începutul trimestrului și îi evalua în funcție de mai multe variabile de personalitate. Puteau aceste evaluări minimale (sau „felii subțiri") să prevadă performanța profesorilor la finalul trimestrului? Nu în ochii celor care i-au evaluat, ci în cei ai studenților.

În mod uimitor, s-a dovedit că da. Profesorii care au fost percepuți inițial ca fiind încrezători, activi, optimiști, agreabili și entuziaști – după doar 30 de secunde, rețineți – s-au descurcat mult mai bine la evaluarea studenților, efectuată la 3 luni după aceea.

A, și am uitat să vă spun... și mai remarcabil a fost faptul că, cei care au trebuit să evalueze clipurile, nu au putut auzi nimic. Înregistrările nu aveau coloană sonoră. Participanții nu se puteau baza decât pe ce le spuneau ochii.

Încrederea, la fel ca și frumusețea, conferă un efect de aură. Ea acționează unilateral, ca un indicator independent al influenței.

Dacă nu ar fi fost așa, atunci unchiul Fred ar fi mierlit-o mult mai repede.

[38] În medicină funcționează invers. Capacitatea asistentelor de a-și inhiba expresiile faciale și de a-și ascunde sentimentele interioare se corelează cu evaluări mai bune de la superiorii ierarhici (poate că nu e de mirare dată fiind nevoia de a le ascunde uneori pacienților starea reală de sănătate).

EMPATIA

Fum fără foc

E vineri seara, și metroul din Londra e aglomerat. Un tren de pe linia Piccadilly, stă de vreo cinci minute într-un tunel dintre stațiile Leicester Square și Covent Garden, din cauza unui semafor defect. Vagoanele sunt pline, și oamenii încep să se agite. Mecanicul tocmai a anunțat o nouă întârziere de cinci minute.

Un tip în trening își aprinde o țigară. E interzis.

De la dezastrul de la stația King's Cross din 1987, soldat cu 31 de victime, care a fost provocat, conform rezultatelor anchetei, de un chibrit aruncat, la metrou s-a interzis fumatul. În ciuda faptului că locul e împânzit de interdicție a fumatului, tipul își aprinde oricum țigara.

În vagon se instalează o tăcere jenantă. Privirile de pe chipurile oamenilor sunt edificatoare. Cu toate acestea, nimeni nu spune nimic. După care, din senin, un tip la costum rupe tăcerea.

– Mă scuzați, zice el, venind către el cu o țigară, aveți cumva un foc?

Se pare că aceasta a fost picătura care a umplut paharul. Imediat, un alt pasager intervine.

– ȘTIȚI că fumatul e interzis? se rățoiește el.

Tipul la costum „observă" dintr-odată semnele cu fumatul interzis.

– Scuzați, zice el. Nu mi-am dat seama.

După care își întoarce atenția către tipul în trening.

– Poate că ar fi mai bine să le stingem, zice el.

Am fost cu toții în astfel de situații, nu-i așa ? Adesea, dacă nu aveți o inimă de piatră, nu știți imediat ce să faceți. Un om care e gata să-și aprindă o țigară într-un spațiu interzis nu pare genul de persoană care să „renunțe ușor". Va opune rezistență.

Ce face în situația dată pasagerul nostru? Ei bine, în loc să aleagă varianta confruntării directe, el alege direcția opusă. Sfidând așteptările tipului în trening (o provocare), el i se *alătură* („Aveți un foc?"), știind foarte bine, desigur, că o astfel de complicitate i-ar putea irita pe ceilalți din vagon. Și asta se și petrece. Când reacția se produce, zarurile sunt deja aruncate. În mod esențial, acum nu mai e doar un singur om care încalcă regulile, ci *doi*. Tabloul s-a schimbat dramatic. Dintr-odată, a apărut un „grup" improvizat, și prezența unei alte persoane conferă siguranță.

Rezultatul optim – a-l face pe tipul în trening să-și stingă țigara – poate fi încadrat în categoria unei cereri prietenești din partea unui „contravenient naiv", și nu ca o provocare frontală venită de sus.

Iar lucrurile au revenit la normal.

Confruntarea faptelor

Dacă ingredientele unei convingeri eficiente ar fi aranjate ca mâinile la poke - în ordinea tăriei -, atunci cât de mult *ne place* de cineva care contează mai mult decât ce spune sau ce face persoana respectivă. Să luăm, de pildă, incidentul de la metrou. Tipul de la metrou nu și-a stins țigara, pentru că *i s-a spus* să și-o stingă (deși asta a avut totuși un efect). A contat *cum* i s-a spus, și de către cine.

Această capacitate de a adapta un mesaj, pentru a-i optimiza eficiența, pentru a-l livra „cald" destinatarului, presupune empatie – o bună cunoaștere a principiilor sincronicității afective – și există două variante de a acționa. Mai întâi puteți reduce distanța psihologică dintre voi și destinatar: puteți spori *asemănarea*. Sau puteți face ca ceea ce spuneți să pară mai „personal": să sporiți felul în care ceea ce spuneți *iese în evidență*.

„Vreți să faceți un copil să mănânce cartofi?" râde escrocul Greg Morant, în timp ce lumina asfințitului i se reflectă din Rolex și ne mai comandă șampanie. „Trebuie să-i vindeți cartofi prăjiți."

Lisa DeBruine de la laboratorul de studii faciale al Universității din Aberdeen a efectuat o analiză excelentă a mecanismelor asemănării, mai exact a efectelor pe care le are asupra încrederii.

Ea a procedat după cum urmează.

Mai întâi DeBruine a creat un joc pe calculator pentru „doi" jucători. În cadrul jocului, fiecare jucător avea o variantă. El putea fie să:

1. împartă – între el și un partener – *o sumă mică de bani* sau
2. aibă încredere că *partenerul* va împărți o sumă *mai mare*.

Participanții au primit 16 parteneri, ale căror fețe erau afișate pe un monitor. Ei nu știau însă, că toți „partenerii" care apăreau pe ecranul din fața lor aveau fețele modificate printr-un algoritm (vezi Figura 6.5 de mai jos). Cu alte cuvinte, niciunul dintre acei oameni nu era „adevărat".

Și asta nu era tot. În timp ce jumătate dintre parteneri fuseseră obținuți dintr-un amalgam de două chipuri de *străini*, cealaltă jumătate era diferită, iar chipul original al unui străin fusese amestecat cu chipul participantului.

DeBruine se întreba cum aveau să aleagă participanții? Urmau ei, așa cum dicta selecția, în favoarea familiei, să fie mai dornici să cedeze controlul partenerilor, atunci când acest partener semăna mai mult cu ei, sau asemănarea facială nu are niciun efect asupra încrederii?

Rezultatele au fost destul de impresionante. În medie, DeBruine a constatat că participanții au încredere în jucătorii cu fețe asemănătoare cu ale lor în peste două treimi dintre ocazii, comparativ cu doar jumătate, atunci când chipul de pe ecran e complet străin.

Faptul de a ne vedea pe noi înșine în alții are uneori un cost.

Figura 6.5 – Contopirea fețelor. Chipurile participanților (stânga) au fost amestecate cu cele ale străinilor (dreapta) pentru a genera imaginile compozite (centru). Panourile de sus și de jos oferă exemple cu diferite grade de contopire. Figura feminină (de sus) preia atât forma cât și culoarea de la participant și de la chipul străin, în vreme ce figura masculină (de jos) preia doar forma de la fața străină.

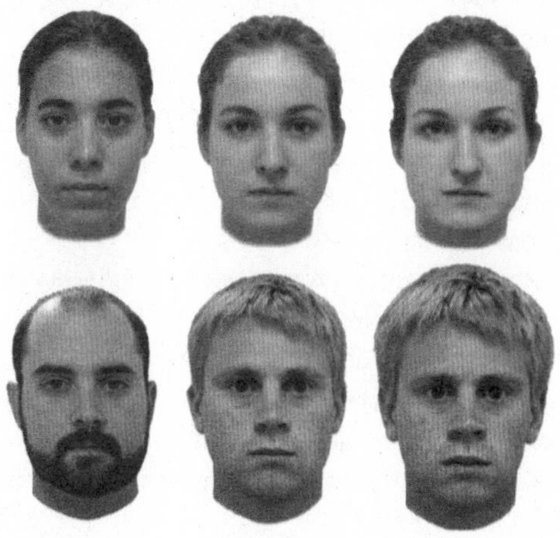

Atingerea comună

Descoperirile lui DeBruine nu ar face prea multe valuri în lumea vânzărilor și a marketingului. În aceste ateliere ale influenței, se știe de ceva timp că asemănarea joacă un rol foarte important. Nu contează de *unde* începe suprapunerea, e suficient doar ca ea să existe.

Într-un studiu amuzant, participanții studenți, au fost împărțiți în două grupe: cei cărora li s-a spus că Grigori Raspuntin – celebrul „călugăr nebun din Rusia“ – era născut în aceeași zi cu ei, și cei cărora li s-a spus că el s-a născut în altă zi. Fiecare grup a citit apoi o relatare a faptelor mârșave ale lui Rasputin și a trebuit să evalueze cât de „bun“ sau cât de „rău“ a fost. Deși ambele grupuri au primit același CV al lui Rasputin, care dintre participanți credeți că l-a evaluat favorabil? Corect: cei care „aveau aceeași zi de naștere cu el“.

Rezultatele acestor studii au implicații puternice, pentru felul în care-i influențăm pe ceilalți. Pe 20 ianuarie 2009, cele 18 minute și 28 de secunde ale discursului de inaugurare al lui Barack Obama, cuvintele cheie „noi“ „nouă“ „noastre“ au apărut de 155 de ori în cadrul discursului. „Suntem cu toții împreună“ era mesajul subliminal, chiar și cel principal. Uniți de istorie – de vasul *Mayflower*, de bătălia de la Gettysburg, de atentatele de la 11 septembrie – americanii au un viitor împreună.

Aluzia la „tânărul predicator din Georgia“, din discursul de nominalizare la candidatura partidului democrat, a fost mai subtilă. Alegând să nu-i spună numele lui Martin Luther King – o tehnică retorică de mult timp cunoscută sub numele de *antonomasia* –, el creează o apropiere între vorbitor și public: presupunerea măgulitoare că știm cu toții despre ce e vorba. Observați și cum, termenul îl umanizează pe King: înainte să ajungă o figură respectată, a fost un om obișnuit, ca toți ceilalți. Amintind de Georgia (un truc la care Obama recurge frecvent) retorica este împământenită într-un loc concret: „Campania noastră... a început în curțile din Des Moines și în sufrageriile din Concord, și pe verandele din Charleston...“

Politicienii și lucrătorii din vânzări insistă să sublinieze empatia, să apeleze la numitori comuni, și pe bună dreptate, pentru că metoda funcționează. Iar cu cât locul comun e mai bun – cu cât e mai plin de însemnătate –, cu atât ne conving mai bine.

Mă duceam să-mi cumpăr pantofi în Lexington, Kentucky, și am dat de un vânzător care a crescut la doar două străzi de mine – la 7.500 de km depărtare, într-un colțișor al Londrei de vest. Ce coincidență. Simțeam că *trebuia* să cumpăr de la el. Am cumpărat chiar două perechi. După vreo două zile le-am aruncat pe amândouă.

Empatia funcționează nu doar comercial. Nu cu mult timp în urmă, într-un zbor spre New York, am stat lângă un tânăr de 25 de ani, care nu era deloc preocupat că nu are nicio adresă pe care să o completeze pe formularul de la imigrări (așa cum se cere în prezent).

„Nicio problemă“, a zis el. „Stai să vezi“.

Nu eram atât de sigur. Eram în spatele lui la coadă, la aeroport, și am fost foarte atent să văd dacă reușește și cum. A avut loc schimbul obișnuit de replici cu polițista de frontieră, care l-a amprentat și fotografiat. După aceea, când s-a apucat să-i prelucreze formularul, el a făcut o remarcă legată de numele ei.

– Uau! Verronica cu doi r! Uluitor! Doar mama își mai scrie numele cu doi de r. Excelent!

Polițista i-a zâmbit. A acceptat că era o coincidență. Nici ea nu mai auzise de o altă Verronica. I-a ștampilat pașaportul și i l-a dat. Și asta a fost tot.

Puțină distragere a atenției. Puțină empatie. Și a reușit să intre.

Al șaselea sensei

Nu mă îndoiesc că există genii care pot să citească gândurile, pentru că am întâlnit un astfel de om. În ierarhiile superioare ale artelor marțiale există un test. Testul presupune ca un om să îngenuncheze – cu brațele pe lângă corp, legat la ochi –, în timp ce un altul, stă în spatele lui cu o sabie de samurai ridicată în aer. Într-un moment pe care și-l alege, bărbatul care stă în spate va coborî sabia spre capul bărbatului îngenuncheat, putându-l răni și chiar ucide, asta dacă nu cumva lovitura este parată, iar bărbatul cu sabia este dezarmat.

O astfel de faptă pare imposibilă. Și cu toate acestea, nu este. V-am descris un ritual străvechi, care se petrece în *dojo*-uri din Japonia și Munții Himalaya, pe care cei care se apropie de măreție – vrăjitori care depășesc cu mult o centură neagră – trebuie să-l treacă. În zilele noastre, slavă Domnului, sabia e făcută din plastic. Pe vremuri însă era o sabie de metal.

Un bătrân *sensei*, trecut de 80 de ani, mi-a dezvăluit secretul.

„Trebuie să-ți golești complet mintea. Trebuie să te concentrezi exclusiv asupra clipei actuale. Când intri într-o astfel de stare, ai capacitatea să miroși timpul. Să simți cum valurile lui se revarsă peste simțurile tale. Cea mai mică undă poate fi detectată de la distanță, iar semnalul poate fi interceptat. Adesea pare că cei doi luptători se mișcă simultan. Nu e însă așa. Nu e dificil. Această artă poate fi stăpânită prin exercițiu."

Geniul empatiei poate fi obținut și pe cale auditivă în domeniul lingvisticii. O prostituată cu peste 20 de ani de experiență, mi-a spus – într-un context strict profesional – că ea își poate da seama, după 30 de secunde de convorbire telefonică, dacă un client prezintă sau nu un risc. Cu alte cuvinte, dacă îl poate chema la ea în siguranță sau nu.

„Nu știu cum să explic", mi-a spus. „E doar un simț pe care-l dobândești, și în meseria asta *trebuie* să ai acest simț; ar putea să fie fatal dacă îți lipsește. Când am început, se întâmpla să-mi iau și bătaie. Acum nu mai pățesc niciodată asta. De îndată ce aud o voce, încep să-mi formez o imagine în minte, să am o impresie. E ca un al șaselea simț. Și foarte rar mă înșel."

Cei mai mulți dintre noi nu ne vom pricepe atât de bine să citim mințile celorlalți, pentru că, din fericire, nu vom fi *nevoiți* să fim atât de buni. Iată care e faza. Pentru a-i influența pe ceilalți, nu trebuie să fiți experți în a le citi gândurile. Sigur, avem cu toții frecvențele noastre *individuale,* prin care semnalul pătrunde cel mai bine. Există însă și o rețea de frecvențe comune, pe care le accesăm cu toții.

Importanța găsirii frecvenței psihologice potrivite prin care ni se transmite mesajul este dovedită printr-un studiu efectuat de

Victor Ottati de la Loyola University, și colegii săi de la University of Memphis. Studiul era menit, cel puțin la nivel declarativ, să analizeze avantajele cerințelor tezelor de doctorat, dar era, de fapt, un studiu al limbajului figurat. Ottati a luat mai multe mesaje cu metafore sportive (de exemplu, „dacă studenții vor să *joace mingea* cu cei mai buni, nu trebuie să rateze această ocazie") și le-a comparat cu alte mesaje neutre (de exemplu, „dacă studenții de facultate vor să *lucreze* cu cei mai buni, nu trebuie să rateze această ocazie"). Ottati voia să știe care dintre aceste două tipuri de mesaje va stârni un interes mai mare? Care mesaj exercită mai multă influență?

Rezultatele au fost cât se poate de clare. Analiza a arătat că mesajele cu metaforele sportive nu doar că erau procesate mai atent, ci ele au avut după evaluare, și un impact mai mare asupra atitudinilor.

Problema e că ele au avut impact doar asupra studenților care se declarau fani ai sporturilor. Pentru cei care nu erau interesați de sport, metafora a diminuat interesul față de cerințele tezelor, și a redus considerabil puterea de convingere.

„Oratorul", remarca Aristotel în secolul al IV-lea î.e.n., „convinge prin cei care-l ascultă, atunci când aceștia sunt mișcați de discursul lui, fiindcă judecățile pe care le emitem, nu sunt aceleași ca atunci când suntem influențați de bucurie sau de tristețe, de iubire sau de ură".

Avem în zilele noastre, și datele care dovedesc adevărul spuselor lui, și prin RMN funcțional.

Aduceți-vă aminte, de pildă, de studiul lui Drew Westen de mai sus. Westen a demonstrat că, dacă avem de la început un angajament politic puternic față de un partid, atunci va fi imposibil să ne răzgândim.

Creierul, intoxicat cu empatie, se sufocă pur și simplu cu propria logică.

Cei de la CIA au descoperit recent o armă secretă în războiul contra terorismului: Viagra. Mulți războinici afgani au câte 5-6 soții și poate că ar avea nevoie de un pic de ajutor. Un oficial, își amintește că un lider tribal în vârstă de 60 de ani, l-a întâmpiunat cu brațele deschise, după ce a primit la o vizită anterioară o mică cutiuță cu tablete.

„A venit la mine zâmbind, spunându-mi: «Ești un om grozav.» După aceea ne-a lăsat să facem ce voiam în zona lui."

Simplitatea, interesul propriu perceput, incongruența, încrederea și empatia: dacă asta poate reduce rezistența unor talibani, gândiți-vă ce ar putea face pentru voi.

Condimentul vieții

„De ce să mint? Vreau bere!"

„Mă faci gras?"

DUCEȚI-VĂ DRACULUI - AM DEJA SUFICIENȚI PRIETENI!

Aceste trei exemple de persuadare spontană, au ceva în comun. Toate – da, chiar și ultima – antrenează emoții pozitive puternice. Ca instrumente de convingere, ele funcționează bine. Studiile au arătat că unul dintre cei mai buni factori care prevăd comportamentul altruist, este dispoziția actuală - cum vă simțiți în momentul respectiv. Dacă vă simțiți bine, cerșetorul are noroc. Dacă vă simțiți prost treceți pe lângă el fără să-l băgați în seamă.

Chiar și când vine vorba de insulte, factorul de amuzament e esențial. Când legendarul jucător de cricket australian, Glenn McGrath, l-a întrebat pe ciomăgașul din Zimbabwe, Eddo Brandes, cum de s-a îngrășat atât de mult, Brandes i-a răspuns cu elocvența-i caracteristică: de fiecare dată când i-a tras-o prietenei lui McGrath, ea i-a dat un biscuit.

Până și australienii au râs.

De fapt, chiar l-au aplaudat.

Persuasiunea te convinge nu numai să îți placă ceva, ci să și faci ceea ce a asjuns să îți placă.

Factorul de amuzament inerent persuadării spontane se regăsește în fiecare dintre modulele ei. Pentru unele – încredere, empatie, perceperea interesului propriu – ar putea părea destul de evident. Și pentru simplitate și incongruență dovezile sunt la fel de puternice. Studiile efectuate prin electromiografie (EMG) au arătat o corelație directă între fluența cu care este procesat un stimul și activarea sporită a mușchiului zigomatic major, cunoscut și sub numele de mușchiul „zâmbetului". De asemenea, atunci când un stimul e procesat în mod neașteptat de fluent (de exemplu: când vizitați un vecin la el acasă în loc să vă întâlniți cu el la teatru), vibrațiile emoțiilor pozitive – senzația de familiar – se propagă și mai puternic.

Acesta este motivul pentru care umorul este adesea eficient când vine vorba despre convingerea spontană. Când cineva se străduiește să schimbe ceva la noi – și mințile noastre nu fac excepție – procesul se dovedește adesea neplăcut. Pe de altă parte, dacă procesul e se dovedește a fi lin, în anumite cazuri chiar plăcut: „De ce să mint? Vreau bere!" versus „Veteran din Vietnam... mai am șase luni de trăit" – atunci nu doar că suntem mai apropiați de persoana respectivă, am putea chiar să vrem să îi facem o vizită.

Din punct de vedere ortografic, poziția incongruenței în centrul modelului SPICE se reflectă și în mod dinamic. Antiteza, sfidarea așteptărilor, întoarcerea foii – spuneți-i cum vreți – se află la baza convingerii spontane, de la calmarea cuiva la motivarea lui, de la parafarea unui contract la o monedă obținută pe stradă. Prin contrast, nu doar că sporește puterea estetică a simplității, ci, după cum am văzut mai devreme, se dezarmează și mecanismele de apărare ale creierului, permițând echipei SPICE să se strecoare sub radar, să elimine rezistența și să ne reprogrameze centrii de plăcere ai creierului.

Efectele sunt irezistibile. Rezultatul e o convingere care nu doar că ia creierul ostatic, ci ne face să *nu* vrem să plătim recompensa.

Mai curând un punct de *răsturnare* decât un punct critic.

O *jefuire a minții*, nu o acțiune de hacking.

O *convingere* ca la mama acasă, înainte ca limbajul să o saboteze.

În timpul celui de-al Doilea Război Mondial, bombardierele germane erau o amenințare prezentă pe cerul nopții de deasupra Londrei și multe cartiere au fost rase de pe fața pământului. O zonă puternic afectată era și East End.

Într-o dimineață, după o noapte de bombardament, strada Whitechapel High era în ruine. După cum v-ați fi așteptat, și moralul locuitorilor era la pământ. Dar nu a fost așa. În vitrina unei băcănii (era singurul geam care nu se spărsese din întreaga clădire) proprietarul pusese următorul anunț:

DACĂ VI SE PARE CĂ *AICI* E RĂU, AR TREBUI SĂ VEDEȚI FILIALA NOASTRĂ DIN BERLIN!

Curajos. Inviolabil. Irezistibil.

Este ceea ce numim *condimentul vieții*.

Rezumat

Am decodat în acest capitol structura secretă a convingerii. Am descompus genomul celei mai puternice tulpini de influență de pe planetă, și am descoperit un nucleu care conține cinci factori de bază. Acești factori (simplitatea, interesul propriu perceput, incongruența, încrederea și empatia, sau SPICE, pe scurt) sunt persuasiunea la puterea a 10-a, când ea e de regulă la a 6-a sau a 7-a; și, atunci când sunt folosiți la unison, sporesc dramatic șansele de a obține ceea ce ne dorim.

În capitolul următor, ne vom îndrepta atenția de la modelul teoretic la persoane. Până acum am întâlnit mai mulți oameni, pentru care convingerea e o meserie: pentru unii genul care le aduce un salariu, pentru alții milioane din activități ilicite.

Ce au acești indivizi care îi distinge de restul? Care e capacitatea care le permite să treacă nedetectați de sistemele de supraveghere ale creierului?

Răspunsul v-ar putea surprinde.

Pregătiți-vă să faceți cunoștință cu... psihopatul.

Trucul cu cărți: Care e cartea lipsă?
Nu e chiar cea pe care ați ales-o?

Capitolul 7

Psihopatul, un manipulator înnăscut

Lui nu-i păsa de absolut nimic. Totul i se cuvenea. Ori de câte ori cineva avea o problemă – cu prietena sau cu soția –, reușea să o rezolve în câteva secunde. Avea un soi de psihologie laser, de parcă putea să-ți intre în creier fără să-ți dai seama că e acolo. Dacă nu l-aș fi văzut cum i-a tăiat gâtul unuia și zâmbea în timp ce i se scurgea sângele printre degete, aș fi zis că e un soi de Iisus, un sergent din forțele speciale despre un fost soldat.

„Pot să-ți citesc creierul ca pe o hartă de metrou. Pot să-l amestec ca pe un pachet de cărți" - Keith Barrett

Alesul

Secția de supraveghere specială
Vara, 1995

– Ce faci diseară?

– Nu știu. O să ies probabil. Într-un bar. Poate într-un club? De ce?

– Și acolo ce vei face?

– Cum adică, ce voi face? Ce se face, presupun. Mă întâlnesc cu câțiva amici. Beau câteva beri...

– Agăți niște tipe?

– Da, să zicem. Dacă am noroc.

– Și dacă nu ai?

– Ce să n-am?

– Noroc.

– Atunci data viitoare.

Dă din cap. Se uită în jos. Se uită în sus din nou. E cald. E un loc unde ferestrele nu se deschid. Nu pentru că n-ar vrea, ci pentru că nu se deschid. Nu încerca să fii mai deștept ca el, mi-a zis psihiatrul. N-ai nicio șansă. Mai bine eviți ocolişurile.

– Te consideri o persoană norocoasă, Kev?

Sunt nedumerit.

– Cum adică?“

Zâmbește.

– Așa ziceam și eu.

Înghit în sec.

– Ce?“

Tăcere, cam 10 secunde.

– E tot timpul câte una, nu-i așa Kev? Una la care te gândești în drum spre casă când îți mănânci crenvurștul. Cea care a scăpat. Cea la care „nu ai mai ajuns“ pentru că ți-a fost prea frică. Ți-a fost teamă că, dacă totuși ajungeai la ea, ai fi făcut exact ce faci în fiecare vineri seara. Ai fi mâncat rahat. Ai fi vorbit rahaturi. Te-ai fi simțit de rahat.

Stau și mă gândesc. Are dreptate. Nenorocitul. Într-un fel. O mare de lumini îmi invadează creierul și stau în mijlocul unui ring gol de dans, de undeva. De oriunde. Ce caut acolo? Cu cine sunt? Revin la prezent cu senzația de gol. Cât timp am lipsit? Cinci, zece secunde? Trebuie să reacționez. Și încă repede.

– Așa că, ce ai face *tu*? zic eu.

Penibil.

– Ce trebuie.

Nicio ezitare.

– Ce trebuie? repet eu.

Sunt în corzi.

– Și dacă nu e interesată?

– Poți reveni oricând.

– Să revin? Cum adică?

– Cred că știi ce vreau să zic.

Tăcere. Alte 10 secunde. *Știu* totuși ce vrea să zică și a venit momentul să încheiem. Scotocesc prin geantă și-mi închid laptopul. O asistentă mă privește prin geam.

– Mike, îi spun, a venit vremea să plec. Mi-a făcut plăcere. Sper să-ți fie bine aici.

Mike se ridică și-mi strânge mâna. Mă ia în brațe cu blândețe.

– Kev, să știi că văd că te-am jignit, nu voiam să fac asta. Îmi pare rău! Să te distrezi diseară. Și când o s-o vezi pe ea – *ea*, o să știi tu cine e –, să te gândești la mine.

Îmi face cu ochiul. Simt un puls de afecțiune și mă umple o senzație de dispreț față de propria persoană.

Îi zic:

– Nu m-ai jignit, Mike. Serios. Chiar am învățat multe. Mi-am dat seama acum cât de diferiți suntem, tu și cu mine. Ce conexiuni diferite avem. M-a ajutat. Chiar m-a ajutat. Și cred că ideea de fond e următoarea: de asta tu ești aici, iar eu (arăt spre fereastră) sunt dincolo.

Dau din umeri, ca și cum aș spune că nu e vina mea. Ca și cum, într-un univers paralel, lucrurile ar fi putut foarte ușor să fie diferite.

Tăcere.

Dintr-odată îmi dau seama că în cameră e un fior. E ceva fizic. Palpabil. Îl simt pe piele. Sub piele. E peste tot.

Am citit despre asta în cărți, dar până acum nu am trăit-o.

Mi-am petrecut următoarele cinci secunde chinuitoare sub o privire glacială. Încet, de parcă un nou soi de gravitație se strecura pe nesimțite prin fantele de ventilație, am simțit cum brațul se desprinde de umerii mei.

– Nu-ți lăsa creierul să-și bată joc de tine, Kev. Toate examenele alea... uneori nu sunt decât un obstacol. Între noi doi nu e decât o singură diferență. Sticla. Cu onestitate. Eu o vreau, o iau. Tu o vrei, nu o iei. Ți-e frică Kev. Frică. Ți-e frică de orice. Pot să văd asta în ochii tăi. Ţi-e frică de consecinţe. Ţi-e frică să nu fii prins. Ţi-e frică de ce vor crede ei. Ţi-e frică de ce-ţi vor face când o să-ţi bată la uşă. Ţi-e frică de mine. Uită-te la tine. Eşti bine. Eşti acolo, eu sunt aici. Dar care dintre noi e liber, Kev? *Cu adevărat* liber? Tu sau eu? Gândeşte-te la asta diseară. Care sunt *adevăratele* gratii, Kev? Acolo – arată către fereastră – sau aici? (vine către mine şi-mi atinge uşor tâmpla stângă).

Super-sănătatea psihică

În adâncurile cosmosului neurobiologic, creierul psihopatului poate fi văzut pe o orbită îndepărtată, o lume fără lună, de o dezolare glacială şi un farmec matematic bizar. De îndată ce auzim cuvântul, ne vin rapid în minte imagini cu ucigaşi în serie, violatori, terorişti şi gangsteri.

Cum ar fi însă dacă v-aş schimba această imagine?

Cum ar fi dacă v-aş spune că psihopatul care o violează pe prietena voastră ar putea fi, în altă zi, chiar cel mai probabil, să o salveze dintr-o clădire în flăcări? Sau că psihopatul de azi, care pândeşte cu o macetă într-o parcare tenebroasă, ar putea fi un erou al forţelor speciale de mâine şi să folosească aceeaşi armă în Afganistan? Sau că asasinul emoţional, ambasadorul tenebros al farmecului cu morala mentolată şi iluzionismul mintal, care te-a jefuit de toate economiile, ar putea, dacă s-ar strădui, să te împiedice să-ţi pierzi viaţa?

Astfel de afirmaţii întind limitele posibilităţii de a crede. Cu toate acestea, ele sunt adevărate. Spre deosebire de cum au fost ilustraţi în filme, nu toţi psihopaţii sunt violenţi. Departe de asta. Lipsiţi de milă şi de frică, poate. Violenţa e însă apanajul altor drumuri ale minţii, care se intersectează uneori cu psihopatia, dar care pot adesea să treacă doar pe deasupra drumului ei.

Apoi mai e şi Charisma. Faimoasa „prezenţă“ a psihopatului. Devastatoare. Uluitoare. Dezarmantă. Despre aceşti indivizi se spun adesea aceste lucruri. Nu *ei* le spun, aşa cum ne-am fi aşteptat ci *victimele* lor.

Ironia e cât se poate de frapantă. Acest gen de oameni (care de regulă *sunt* bărbați)[39] par, printr-un soi de șiretlic al naturii, să posede chiar acele trăsături pentru care mulți dintre noi și-ar da viața. De multe ori, cei care au căzut pradă farmecului lor, *chiar* au murit.

Ei au o capacitate extraordinară de a fi calmi în situații tensionate: inimile lor de gheață nu accelerează nici măcar în cazul celor mai mari pericole. Sunt șarmanți, încrezători, lipsiți de scrupule și de remușcări. Și sunt interesați întotdeauna de propria persoană. Nu contează nimic altceva.

Ei sunt, de asemenea, și regii persuadării.

Adevăratul psihopat să facă un pas în față...

Să ne înțelegem încă de la început. Dacă ești psihopat, nu înseamnă că încalci legea. În tot cazul, nu e obligatoriu. Și nici criminal în serie. De fapt, mulți psihopați nu sunt la închisoare; ei sunt cei care-i bagă *pe alții* la închisoare. Pe mulți oameni îi miră acest lucru, dar e adevărat. La fel ca zonele de pe harta metroului, există și zone centrale, și zone periferice ale tulburării, și doar o mică parte locuiește în „zona centrală". Psihopatia constituie un spectru pe care fiecare dintre noi ocupă un loc. La fel ca orice scală, există și oameni aflați la extreme.

Presupunerea că ar exista o dihotomie între psihopați și nonpsihopați provine din istoria diagnosticului clinic – adesea într-un context criminalist – și din folosirea scalelor psihometrice standard. Lista revizuită de psihopatie (PCL-R) e un chestionar de specialitate renumit, creat de psihologul canadian Robert Hare. El măsoară trăsăturile de bază ale psihopatiei, cum ar fi farmecul, capacitatea de persuasiune, lipsa fricii, lipsa empatiei și absența conștiinței. Pe o scară de 40 de puncte, oamenii obișnuiți au de regulă un scor de 4 sau 5, în vreme ce un scor de 30 e considerat nivelul de bază al psihopaților.

Într-un context clinic, așa cum indică scorul PCL-R, psihopații de top, alde Mike au scoruri foarte mari. E clar că între acești

[39] Incidența tulburării psihopatologice la bărbați e estimată între 1 și 3%. La femei, e între 0,5 și 1%.

tipi și noi, e o diferență foarte mare. Problema e că nu trăim cu toții într-un context clinic rarefiat. Și, în timp ce Hannibal Lecter mănâncă ficat la micul dejun, trăsăturile care îi separă pe acești psihopați „puri“ de noi, restul, se întâmplă să fie distribuite, ca și trăsăturile de personalitate în general, în mod egal în rândul oamenilor. Așa cum nu există niciun fel de delimitare oficială între o persoană care cântă la pian și un pianist de concert sau între cineva care joacă tenis și un Roger Federer sau un Rafa Nadal, tot așa și granița dintre un psihopat „de primă ligă“ și un psihopat obișnuit e la fel de ștearsă.

Un individ ar putea, de pildă, să fie extrem de calm în situațiile tensionate și să demonstreze o lipsă totală de empatie (și vom vedea un pic mai târziu cum se poate folosi *asta*), dar în același timp să nu fie violent, antisocial sau lipsit de conștiință. Cu două caracteristici de psihopatie, ar putea fi considerat „mai psihopat“ decât cineva cu un scor mai mic al acestor două trăsături, dar nu s-ar încadra în „zona periculoasă“, a celor cu scoruri ridicate la toate trăsăturile.

Asemenea butoanelor de pe un panou de mixaj, „coloana sonoră“ a personalității are gradații.

Psihologii Scott Lilienfeld și Brian Andrews au creat un test alternativ la PCL-R, bazat tocmai pe o astfel de coloană sonoră. Testul e menit să detecteze mai bine prezența trăsăturilor de psihopatie în populația generală (adică nu la cei care sunt în spatele gratiilor, ci la cei care construiesc închisorile). Inventarul de Personalitate Psihopatică (PPI) oferă o modalitate mai sensibilă de măsurare a trăsăturilor de psihopatie: accentul existențial fiind pe psihopatie, ca o predispoziție continuă și nu o tulburare de sine stătătoare.

Această interpretare are desigur implicații profunde pentru felul în care abordăm această afecțiune, dând naștere unor întrebări importante.

E psihopatia o afecțiune în alb sau negru? Sau e mai degrabă un virus pe care să-l putem testa „pozitiv“ în laborator, dar cu toate acestea să nu manifestăm toate simptomele? Sunt psihopații diferiți de noi, sau se află doar la capătul întunecat al fondului genetic?

E oare cu putință ca în loc să constituie un pericol pentru indivizi, sau pentru societatea în ansamblul ei, psihopații să aibă ceva *special* de oferit: ca o combinație corect dozată de trăsături psihopatologice, eșantionate și amestecate la un „volum" atent calibrat, să ne ofere un avantaj?

Această observație face din psihopat un mister pentru oamenii de știință. Când am început să le acord atenție – ca doctorand –, m-au atras cel mai tare abilitățile de hoț psihologic ale psihopatului. O capacitate de bază pentru toți indicii psihopatiei, o reprezintă abilitatea de a convinge: capacitatea de a-i influența pe ceilalți.

Iată care e faza. Aceste măsurători evaluează, după cum am văzut, și nivelul *empatiei*. Ceea ce e ciudat.

Mă întrebam, cum e cu putință ca o persoană lipsită de empatie să exceleze în domeniul influenței sociale? Psihopații sunt recunoscuți, pentru că se pricep foarte bine să știe ce ne place. Să ne intre pe sub piele. Să ne pătrundă în minte. Să-l luăm pe Keith Barrett, de pildă. Sau pe Mike, pe care tocmai l-ați cunoscut. Mike a violat opt femei, și a ucis două. Era, după cum spunea psihiatrul, un Hannibal Lecter în carne și oase. Un deținător al centurii negre psihologice cu care nu te joci, lucru pe care l-am descoperit pe cont propriu.

Ca să poată rula software-ul – programele de persuadare –, Keith și Mike trebuie să fi dobândit mai întâi aparatura. Și nu orice aparatură, ci aparatura empatiei. Greu de obținut dacă ești psihopat.

Dintr-odată, am rămas pe gânduri. Dacă SPICE *chiar* era un model universal, ce făceau psihopații?

Superficialități ascunse

Tehnicile avansate de imagistică cerebrală, precum Rezonanța Magnetică Nucleară Funcțională (RMNF) și magnetoencefalografia (MEG) - au fost comparate uneori cu aselenizarea. Aveam în sfârșit dispoziția de a ne lansa nu în spațiul *exterior*, ci în cel *interior*. Am putut astfel să „aterizăm" pe acea planetă gri, pe care o cunoaștem cu toții atât de bine, dar pe care puțini dintre noi au explorat-o până acum așa cum se cuvine: lumea dintre urechile noastre. Unele lumi, în mod evident, sunt mai primitoare decât altele. Iar altele, la fel ca omoloagele lor din cosmos, par mai bine pregătite să sprijine viața decât altele. Unele sunt calde, luminoase și pot fi locuite. Altele par polare, întunecate, îndepărtate, abia pot fi distinse în marginile cerului neurobiologic.

O astfel de lume este și cea a psihopatului.

E adesea dificil de înțeles gradul de diferență între un psihopat „pur" și un om care nu e psihopat. Fostul pușcaș marin și paznic de club, David Bieber, l-a împușcat „cu calm" în cap pe un polițist, cu un singur glonț, în timp ce polițistul - îngrozit, însângerat și grav rănit - se ruga pentru viața lui la câțiva centimetri de trăgaci. Stația polițistului a captat ultimele cuvinte disperate ale polițistului: „Te rog, nu mă omorî. Nu..." înainte ca Bieber să tragă.

În motivarea sentinței, judecătorul i-a spus lui Bieber că nu a demonstrat „niciun fel de remușcare sau înțelegere a brutalității crimei sale", și că a continuat să afișeze un comportament „rece și detașat" atunci când încerca să explice dovezile care-l compromiteau.

Tara Haigh, un alt psihopat, în vârstă de 24 de ani, a fost condamnată la închisoare pe viață în 2008, pentru că și-a sugrumat copilul de 3 ani cu o pernă, apoi a apărut pe un site de matrimoniale la doar câteva ore după crimă. A postat un mesaj pe site – spunând că fiul ei murise din cauza unei tumori localizate după o ureche – apoi și-a aranjat o întâlnire.

Despre astfel de oameni vorbim, în caz că nu vă era clar.

Astfel de exemple, atât de îndepărtate de experiența omenească obișnuită, ne sfidează înțelegerea, ne oferă o relatare grafică a lipsei de empatie a psihopatului.

Sau?

Studiile indică faptul că tabloul e ceva mai complex și că, în loc să fie o concluzie simplă, răspunsul la întrebarea dacă psihopații au sau nu empatie, depinde, de fapt, despre ce empatie discutăm.

Există două feluri: cea „caldă" și cea „rece".

Empatia caldă presupune existența unui *sentiment*. E genul de empatie pe care o „simțim" atunci când îi vedem pe alții care fac un lucru și activează chiar aceleași circuite „comune" somato-senzoriale – dar și amigdala cerebrală (zona în care se procesează emoțiile în creier) – ca și cum am face chiar noi acel lucru.

Empatia rece presupune, spre deosebire de asta, *un calcul.* Ea se referă la capacitatea de a măsura, cognitiv și fără emoții, ce ar putea gândi o altă persoană și presupune cu totul alte elemente ale arhitecturii cerebrale, în principal cortexul anterior paracingulat, polul temporal și șanțul temporal superior.

Cu totul altceva.

Empatia caldă fără empatia rece e ca prozodia fără vers. Empatia rece fără empatia caldă e ca versul fără prozodie: total opus. E ca și cum ai avea o hartă, cu foarte multe detalii, fără să știi pe propria piele ce înseamnă simbolurile de pe hartă. O poți citi, te poți descurca, dar ea nu înseamnă nimic.

Un psihopat cu care am vorbit, mi-a explicat în felul următor: „Chiar și daltoniștii", spunea el, „știu când să se oprească la semafor. Ai fi uimit. Am superficialități ascunse".

Calea cea bună

Putem înțelege cel mai bine comparația dintre psihopați și non-psihopați în ce privește empatia caldă și cea rece, prin rezultatele studiilor de imagistică cerebrală.

Să luăm, de exemplu, scenariul următor (Cazul 1) propus de eticianul britanic Philippa Foot.

> *Un vagonet a scăpat de sub control pe o șină. În calea lui se află cinci oameni, legați de șină de un filosof nebun. Din fericire, puteți acționa un macaz care va conduce vagonetul către o altă șină. Din păcate, de acea șină e legată o altă persoană.*
>
> ***Întrebare:*** *Ar trebui să acționați comutatorul?*

Majoritatea oamenilor au puține probleme în a decide ce să facă în acest scenariu. Deși gândul de a acționa comutatorul e neplăcut, varianta utilitaristă – a ucide doar un om – reprezintă „alegerea cel mai puțin rea".

Gândiți-vă acum la următorul scenariu (Cazul 2), propus de eticianul american Judith Jarvis Thomson:

Ca și înainte, un vagonet se îndreaptă cu viteză pe o șină către cinci oameni. De data aceasta însă vă aflați în spatele unui străin uriaș, pe un podeț de deasupra șinelor. Singura modalitate de a-i salva pe cei cinci este de a-l împinge pe străin. El va muri cu siguranță, dar dimensiunile lui apreciabile va bloca vagonetul, salvând cinci vieți.

***Întrebare:** Ar trebui să-l împingeți?*

Avem aici ceea ce am putea denumi o dilemă „autentică". Deși scorul ca număr de vieți e același ca în primul scenariu (5 la 1), ni se pare mult mai dificil de acționat. De ce oare?

Psihologul Joshua Greene de la Harvard crede că a găsit răspunsul: totul se leagă de temperatură. Greene sugerează că motivul se reduce la arhitectura cerebrală, la părțile creierului implicate în rezolvarea fiecărei dileme.

El susține că primul caz reprezintă o dilemă morală *impersonală*, și implică zonele creierului responsabile cu gândirea rațională și cu rațiunea: cortexul prefrontal și cortexul parietal posterior. Dacă vă aduceți aminte, acestea sunt circuitele empatiei *reci*.

Cazul 2, pe de altă parte, reprezintă o dilemă morală *personală* și implică centrii emoției din creier. Amigdala. Circuitele empatiei *calde*.

La fel ca noi, psihopații nu au probleme cu, Cazul 1. Trag de macaz și vagonetul e deviat corespunzător, omorând doar o persoană în loc de cinci. Cu toate astea – și aici lucrurile devin interesante – ei *nu* au probleme nici cu, Cazul 2, spre deosebire de noi, ceilalți. Psihopații sunt dispuși să-l arunce fără nicio ezitare pe grăsan pe șine, dacă asta se cere.

De asemenea, diferența de comportament are o amprentă neuronală distinctă. Tiparul de activare cerebrală este identic între noi și psihopați în ce privește dilemele morale *impersonale*, dar complet diferit când vine vorba despre dilemele morale *personale*.

Imaginați-vă că v-aș conecta la un aparat RMN funcțional, și apoi v-aș prezenta cele două dileme: întâi una, apoi cealaltă. Ce aș remarca în timp ce încercați să le rezolvați?

Ei bine, exact în momentul în care caracterul dilemei trece de la impersonal la personal, amigdala și circuitele cerebrale aferente –

spre exemplu, cortexul median orbito-frontal – se aprind ca un brad de Crăciun.

Momentul, cu alte cuvinte, în care începe să se declanșeze emoția.

La psihopați însă nu se vede nimic. Casa e în beznă, iar trecerea de la impersonal la personal rămâne neobservată.

Calculul emoțional

Studii asemănătoare în domeniul procesării faciale, au fost efectuate de Heather Gordon și colegii ei, la Centrul de neurobiologie cognitivă de la Dartmouth College. În cadrul unui exercițiu de recunoaștere a emoțiilor (în care participanții au trebuit să coreleze o serie de expresii faciale prezentate pe un ecran de calculator), Gordon a comparat performanțele celor cu scoruri ridicate și scăzute la Inventarul de Personalitate Psihopatologică (PPI), un test care, după cum am văzut mai devreme, a fost creat în mod special, pentru a detecta prezența trăsăturilor subpatologice ale psihopatiei în populația generală.

După aceea ea a analizat creierul folosind RMN funcțional pentru a vedea ce se petrece.

Descoperirile ei au fost uluitoare. Deși, pe de o parte, cei cu scoruri mari la test prezentau o activitate *redusă* a amigdalei cerebrale, comparativ cu cei cu scoruri mai mici (ceea ce se acordă cu un deficit al procesării afective „calde"), ei prezentau și o activitate *crescută* a cortexului vizual și dorsolateral prefrontal; ceea ce arată, după cum subliniază Gordon și colegii săi, că „participanții cu scoruri ridicate se bazează pe regiunile asociate cu percepția și cognița, pentru a răspunde la exercițiul de recunoaștere a emoțiilor" (vezi Figura 7.1 de la pagina următoare).

Figura 7.1 – Activitatea care depinde de nivelul oxigenului în sânge în timpul stării de recunoaștere a emoțiilor comparativ cu nivelul de bază. (A) Participanți cu un scor sub media PPI. (B) Participanții cu un scor peste media PPI. Zonele cu alb indică regiuni cerebrale cu activitate sporită.

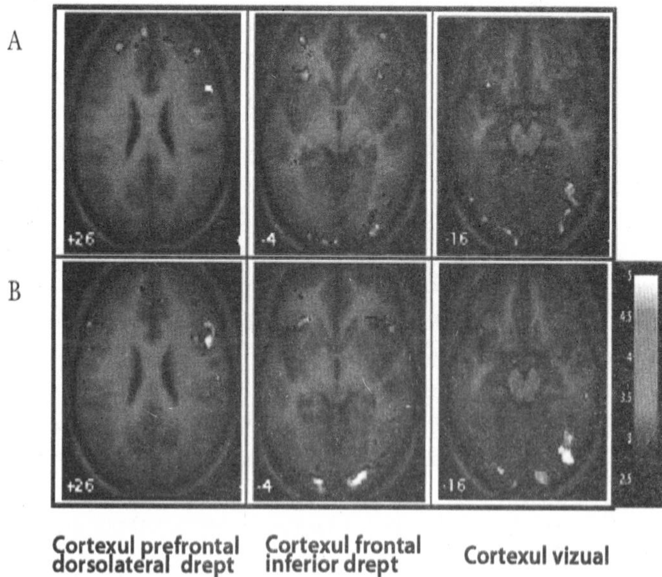

Poate și mai bizar e că, Gordon și echipa ei nu au descoperit nimic când era vorba despre acuratețea recunoașterii. Spre deosebire de tiparele de activare cerebrală, ei nu au descoperit nicio diferență de performanță între cei cu trăsături psihopatologice pronunțate, și cei cu scoruri scăzute ale acestor trăsături, ceea ce pare să sugereze că strategia folosită de psihopați în decodarea expresiilor afective, funcționează cum trebuie.

Simon Baron-Cohen, psiholog la Universitatea Cambridge, a dus lucrurile și mai departe. Testul de „citire a gândurilor prin ochi" le cere indivizilor să vadă fotografii cu zona ochilor și să deducă, doar pe baza lor, starea psihică a persoanei din fotografie. Încercați și voi.

Figura 7.2 - Testul de „citire a gândurilor prin ochi". *Ce emoție transmit cele trei imagini de mai jos? Alegeți dintre cele patru variante de sub fiecare imagine.*

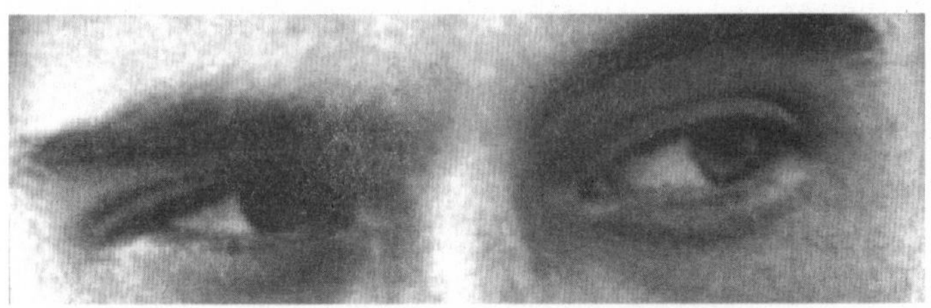

remușcare; prietenos; neliniștit; dezamăgit

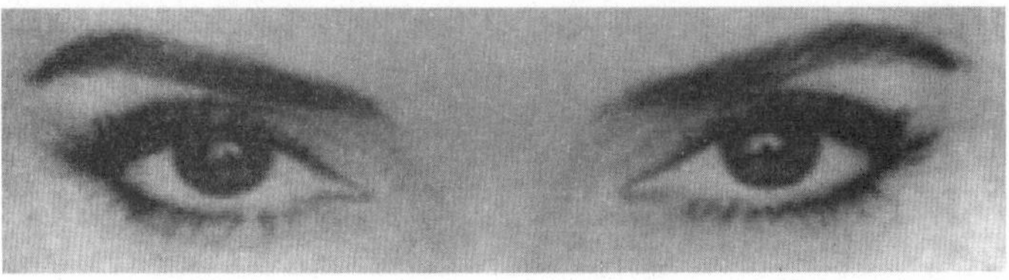

decis; amuzat; speriat; plictisit

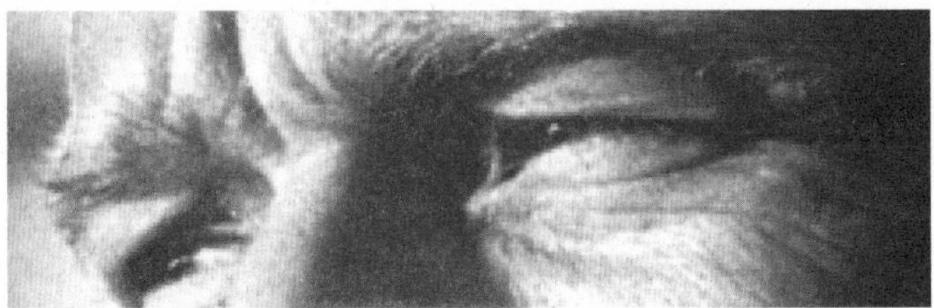

disperat; ușurat; timid; stimulat

Nu e atât de ușor pe cât pare, așa-i? Majoritatea oamenilor nimeresc cam două din trei (și e drept că nici eu nu am ales cele mai simple exemple). Dacă nimeriți doar una din trei, deja vă descurcați bine. Răspunsurile sunt : *sus, neliniștit; mijloc, decis; jos, disperat.*

Testul reprezintă, așa cum poate v-ați și dat deja seama, o reprezentare bună a empatiei rece, spre deosebire de cea caldă, despre care tocmai am vorbit. Participanții nu trebuie la urma urmei să simtă emoția din imagini. Ei trebuie doar să o poată *recunoaște.*

În această împrejurare, Baron-Cohen a avut o revelație. Cum se compară psihopații la acest test cu noi, ceilalți? Date fiind rezultatele din imagistica cerebrală de mai sus, ne-am fi putut aștepta ca performanța psihopaților să fie comparabilă cu cea a populației generale.

Cum au decurs însă lucrurile în laborator?

Pentru a afla, Baron-Cohen a vizitat trei închisori din Londra și a administrat testul unui grup de 19 psihopați și unui grup de 18 persoane fără psihopatie. El a prezentat fiecărui participant 40 de fotografii cu zona ochilor și le-a cerut, ca mai sus, să identifice emoțiile fiecăreia.

Cine avea să iasă pe primul loc? Aveau Starlingii câștig de cauză în fața Lecterilor sau psihopații urmau să câștige?

Rezultatele au fost foarte clare. După cum se prevăzuse, Baron-Cohen nu a găsit nicio diferență între psihopați și non-psihopați. Scorul a fost egal. Încă un semnal, alături de datele din RMN-ul funcțional, că, deși psihopații nu *simt* empatia, *conceptul* există totuși, sub o formă glacială, în mintea lor.

„Îți pot citi mintea ca pe o hartă de metrou", mi-a zis Keith Barrett în camera lui de hotel, cu marmură pe jos, cu o fereastră care dădea în Fifth Avenue. „Ți-o pot amesteca de zici că e pachet de cărți. Ăsta sunt. Un crupier psihologic. Eu tai cărțile. Eu învârt ruleta. Eu împart jetoanele. Apoi stau și mă uit la joc. De ce ar trebui să-mi fie frică? Sau jenă? De fapt, de ce ar trebui să simt *ceva*? Cazinoul câștigă întotdeauna. Cel puțin, pe termen lung... Ai fi surprins cât de asemănători sunt oamenii cu păcănelele. Dacă știi când să pariezi, când să spui pas, hopa, curg monedele. Emoția... aia e pentru fătălăi."

Asaltul asupra pieței

Dacă ne gândim la împrejurările în care are loc persuadarea (instanțe, săli de consiliu, celule de criză și dormitoare, asta ca să amintesc doar câteva), e ușor să ne imaginăm că abilitatea specială a psihopatului, de a măsura emoția fără să o simtă – de a zbura cu un singur motor –, i-ar putea conferi un avantaj. O neurobiologie cristalină ca a lor poate să extragă, la propriu, căldura momentului, permițându-le să surprindă detaliile care nouă ne scapă, în situațiile dificile, în care detașarea e la mare preț. Ei pot desigur și să-și asume riscuri, să spună lucrurile pe care noi am ezita să le spunem.

„Sunt cel mai rece nenorocit pe care-l vei întâlni vreodată“, spunea Ted Bundy, cel care a ucis, decapitat și regulat – în ordinea asta – 35 de femei, într-o perioadă de patru ani[40].

Și avea dreptate.

Există evident și momente când acea răceală devine utilă: când în loc să coste vieți, ca în cazul lui Bundy, ea le poate *salva.*

Misterul *prețului acțiunilor* i-a uluit de mult timp pe analiștii financiari. E vorba despre tendința investitorilor, de a investi în obligațiuni, și nu în acțiuni,în special în timpul perioadelor de declin ale burselor, în ciuda faptului că s-a dovedit că acțiunile oferă pe termen lung un randament mult mai mare. Acest paradox – cunoscut drept *intoleranță mioapă la pierderi* – a pus bazele unui domeniu nou și actual de studii: neuroeconomia.

Neuroeconomia se concentrează asupra proceselor mentale care stau la baza deciziilor financiare, iar prima concluzie a fost că, emoția e lașă. Se pare că emoția e orientată către evitarea riscurilor într-atât încât, și atunci când beneficiile sunt mai mari decât pierderile ea ne face creierul să fie precaut. Dacă Spock ar fi fost broker, începem să credem că ne-ar fi curățat pe toți de bani.

Un studiu din 2005, efectuat de o echipă mixtă de la Stanford, Carnegie Mellon și University of Iowa, ne oferă dovezi fascinante în privința acestei ipoteze. Studiul cuprinde un joc cu 20 de runde. La începutul jocului, participanții primesc 20 de dolari și li se cere să spună la începutul fiecărei runde dacă sunt dispuși să riște 1 dolar pe aruncarea unei monede. În vreme ce o pierdere e taxată cu doar 1 dolar, un câștig aduce 2,5 dolari.

---

[40] Nu se cunoaște cu exactitate numărul de femei pe care Bundy le-a ucis. El a mărturisit 30 de crime în perioada 1974-1978, dar estimările arată că ar fi în jur de 35.

„În mod logic“, spune Baba Shiv, profesor asistent de marketing la Stanford, „normal ar fi să jucați de fiecare dată“.

Logica, după cum știm cu toții, nu are întotdeauna câștig de cauză.

La începutul studiului, participanții sunt împărțiți în două grupuri: cei cu leziuni ale ariilor emoției din creier (amigdala, cortexul orbitofrontal și cortexul somato-senzorial sau insular drept) și cei cu leziuni ale altor arii (sectorul stâng sau drept dorsolateral al cortexului prefrontal.) Dacă, așa cum sugerează teoria neuroeconomică, emoția chiar *e* răspunzătoare pentru evitarea riscului, atunci, conform dinamicii jocului, acei participanți cu patologia reprezentativă (adică primul grup) ar trebui să-i depășească pe cei fără (adică, al doilea grup).

Se pare că exact asta s-a petrecut.

Pe măsură ce jocul se desfășoară, participanții „normali“ încep să renunțe la șansa de a juca, preferând să-și păstreze câștigurile. Cei cu probleme în zonele emoționale ale creierului continuă jocul, terminând cu un randament semnificativ mai mare decât cel al concurenților „normali“.

„E poate primul studiu,“ spune George Loewenstein, profesor de economie la Carnegie Mellon, „care documentează o situație în care oamenii cu leziuni cerebrale iau decizii financiare mai bune decât cei sănătoși.“

Antoine Bechara, profesor de psihologie la University of Southern California, face o afirmație și mai îndrăzneață:

> Studiile trebuie să stabilească împrejurările în care emoțiile pot fi utile sau deranjante, în care pot îndruma comportamentul uman... Brokerii cei mai de succes ar putea fi denumiți în mod plauzibil „psihopați funcționali“, indivizi care, pe de o parte, sunt fie mai capabili să-și controleze emoțiile, fie nu le resimt cu aceeași intensitate ca alții.

Și Baba Shiv e de acord. „Mulți directori“, spune el, „și mulți avocați ar putea avea această caracteristică“.

Preprogramați pentru încredere

Comentariile lui Shiv și Bechara au logică. Geniul de gheață – a cărui alcătuire neurologică lipsită de remușcări, îi permite să detașeze gândirea de sentiment cu ușurința cu care dezleagă un șiret – e o persoană care în situațiile dificile va călca pe cadavre. Uneori, chiar la propriu.

Figura 7.3- „Liftul urcă?"

Bill Gates (care nu e un om pe care l-am considera de regulă un psihopat, dar cu siguranță e o persoană care în mediul de afaceri pare lipsită de empatie) a fost intervievat recent la televiziune. „Sunteți o companie de miliarde de dolari, multinațională“, protesta prezentatoarea. „De ce trebuie să-i zdrobiți pe cei mici, care-și fac și ei o firmă de apartament? De ce trebuie să câștigați cu 10 la 0 tot timpul?“ Gates se uita la ea de parcă era nebună.

„Mie mi se pare un compliment“, a zis el.

Temperatura glacială a creierului psihopatului, capacitatea lui de a opera pe pilot automat, nu afectează doar empatia. O amigdală cerebrală mai puțin implicată, are și alte avantaje, în special când vine vorba despre o altă componentă SPICE: încrederea. Rețineți, nu toți psihopații sunt în spatele gratiilor: acolo sunt doar cei care fac lucruri ilegale și sunt prinși. Mulți sunt cetățeni care respectă legea și muncesc, *excelând* în domenii cu risc ridicat, cum ar fi avocatura, lumea corporațiilor, forțele armate și presa, dintr-un motiv simplu: încrederea lor de a rezista în situații care pentru alții mai puțin rezistenți ar putea părea brutale, de nesuportat.

Neurochirurgia e considerată una dintre cele mai riscante tipuri de operații. Operând în condiții neprielnice, în străfundurile creierului, neurochirurgul trebuie să aibă o precizie absolută, și o marjă de eroare mai mică decât glonțul unui lunetist. Nu e un domeniu pentru cei slabi de inimă. Cine sunt deci oamenii care se „descurcă" în această profesie, care patrulează pe granițele vagi, dintre conștiință, sine și suflet?

Andrew Thompson, neurochirurg de peste 22 de ani, ne poate oferi niște indicii. El nu trăiește în „centrul" orașului psihopaților, dar are un scor mare în ceea ce privește încrederea în sine:

> N-aș fi cinstit dacă aș spune că nu mă stimulează provocarea. Chirurgia e un sport sângeros, iar mie nu-mi place să mă scald tot timpul doar în zone comode... Nu ai voie să lași frica să te domine, dacă ceva nu merge cum trebuie. Nu e loc de panică în toiul luptei. Trebuie să fii 100% concentrat, indiferent ce se întâmplă. Trebuie să nu ai remușcări și să ai încredere să-ți faci slujba... creierul reprezintă oceanul medicinei din ziua de azi, iar chirurgii din secolul XXI sunt pirații și corsarii acestui ocean.

Comentariile lui Thompson ar putea părea șocante pentru cei care urmează să fie operați. Nu ar trebui. Astfel de opinii sunt destul de frecvente în rândul celor aflați în vârful ierarhiilor, așa cum a descoperit cercetătorul de la Harvard, Stanley Rachman, într-o serie de studii efectuate în anii '80.

Studiile lui Rachman sunt considerate acum de referință, asta și grație oamenilor cu care a ales să lucreze: experții de dezamorsare a bombelor. Ce atribute presupune această meserie? Ce anume diferențiază un specialist „bun" de unul „excelent"?

Studiul lui Rachman a descoperit ceva interesant. Pornind cu un grup de specialiști experimentați – cu peste zece ani de experiență în domeniu –, el a început să observe o diferență fundamentală, între cei care nu fuseseră decorați și cei care fuseseră decorați. În plus, această diferență părea să aibă originea doar în fiziologie. Rachman a observat că în situațiile care necesitau resurse sporite de atenție – cu alte cuvinte, cele mai riscante – pulsul celor care *nu* fuseseră decorați rămânea stabil.

O concluzie extraordinară.

Extraordinar era însă, și ce se petrecea cu pulsul celor care *fuseseră* decorați. În loc să rămână stabil, pulsul *scădea*. Analize mai amănunțite – ale impactului anumitor tipuri de variabile de personalitate asupra performanței cardiovasculare – ne dezvăluie motivul. Există nu doar un factor, ci doi. Desigur, unii indivizi au un temperament mai glacial, așa s-a nimerit.

Un atribut definitoriu – cel mai important și care contează cel mai mult – este încrederea.

Încrederea ne ajută desigur în orice domeniu al vieții. Nu aveți nevoie de un cronometru și de multe fire ca să vă dați seama de asta. Sau de un bisturiu, sau de un fierăstrău pentru țeste. Pe terenul de golf, la un interviu pentru o slujbă, la bursă, pe ringul de dans, încrederea în propriile capacități contează la fel de mult ca și abilitatea în sine. Întrebați-le pe victimele unuia dintre cei mai mari escroci.

Robert Hendy-Freegard este un Hannibal Lecter al escrocilor. Are o putere atât de mare de convingere, încât, chiar și în penitenciar, a fost mutat într-o celulă izolată pentru a-i împiedica pe ceilalți deținuți – și *personalul* închisorii – să-i cadă în mreje.

Timp de aproape un deceniu, vânzătorul de mașini devenit escroc a reușit să-și convingă victimele că era agent MI5 și conducea o campanie împotriva Armatei republicane irlandeze (IRA). El le spunea că, dacă voiau, îi putea recruta și pe ei în Serviciul secret britanic. Între timp, el îi tapa de banii din cont, pentru „protecția securității statului".

„Cel mai bun mincinos pe care l-am întâlnit în 25 de ani de carieră în poliție", așa l-a descris detectivul Robert Brandon pe Hendy-Freegard. „Când am început, era fascinant; asculta și asculta și găsea orice slăbiciune de caracter, orice vulnerabilitate, apoi o exploata fără rezerve. Când obținea controlul asupra victimelor, făcea tot ce putea pentru a le lua toți banii și a le răpi orice demnitate."

Chiar și mai „impresionant" ,e faptul că unele dintre aceste victime – printre care se numără și un psiholog – erau foarte bine educate. Hendy-Freegard a abandonat școala la 14 ani.

Cum a reușit? Una dintre victime ne lasă un indiciu.

„Avea o încredere irezistibilă," își aduce ea aminte. „Avea un comportament foarte contagios."

Andrew West, cel care a condus acuzarea, ne oferă un alt indiciu.

„Mă zbăteam să înțeleg", a afirmat el la încheierea procesului. „El e însă foarte credibil. Chiar și când depunea mărturie părea foarte convingător."

Aceasta nu face decât să ne demonstreze, după cum mi-a spus un alt escroc psihopat cu care am vorbit (cu doar o urmă vagă de ironie): „Oricine poate să fie rolul. Poți să-l joci?"

Normali și nebuni

În 1964, dramaturgul britanic Joe Orton, scria drama renumită, *Entertaining Mr Sloane.* În piesă, psihopatul charismatic Mr Sloane, ajunge să trăiască cu un frate și cu o soră singuratici, cu care începe apoi relații fără finalitate. Despre personaj, Orton a scris următoarele: „Trebuie să fie fatal și fermecător. O combinație de răutate magică îmbrăcată în piele neagră, și inocență băiețească."

E o ilustrare cât se poate de bună a unui psihopat.

Profilul făcut de Orton schimbătorului Mr Sloane, surprinde o fațetă a personalități psihopate care e universală în toți membrii speciei: un amestec incongruent de normalitate și de nebunie.

„Poate că i-ați văzut la locul de muncă", scrie David Baines în revista Canadian Business. „Sunt inteligenți, charismatici, atrăgători și cu aptitudini sociale. Fac întotdeauna o bună impresie de prima dată. Sunt spontani și nu se lasă îngrădiți de reguli. Sunt amuzanți – cel puțin la început... –, dar, dincolo de charismă nu se află nicio conștiință".

O astfel de incongruență e hipnotizantă. Profilul psihopatului derivă în mare măsură din asemănările lui cu noi înșine. Acestea însă fac pereche cu evidentele lor *diferențe*.

Patricia Davidson, un asistent de vânzări, în vârstă de 44 de ani, din Wichita, Kansas, ne-a spus o poveste foarte cunoscută: despre cum s-a mutat în Chicago, Illinois, ca să fie alături de un bărbat condamnat pe viață pentru un omor brutal.

– Era vinovat? am întrebat-o.

– Da, a zis. Era vinovat. Cu mine nu se purta niciodată așa. Era un romantic, îmi scria poezii. Mă făcea să mă simt specială, de parcă eu eram cea pe care o așteptase dintotdeauna.

Nu era. După șase săptămâni, relația s-a încheiat. Au apărut și alte femei, iar Davidson s-a întors în Vest.

Răutatea cu piele neagră se intersectează cu inocența băiețească. E o combinație periculoasă.[41]

Apelant necunoscut

Farmecul aparent care-l face pe psihopat atât de interesant constituie și un excelent camuflaj psihologic. Împreună cu o încredere diavolească, poate fi letală.

Liam Spencer e un ucenic de 20 de ani al lui Greg Morant, pe care l-am cunoscut în capitolul anterior. Morant e unul dintre cei

[41] Actorul Anthony Hopkins ar fi spus (chipurile) o anecdotă despre "alter ego"-ul său, Hannibal Lecter. La scurt timp după lansarea filmului Tăcerea Mieilor, Hopkins, aflat într-o vizită în Țara Galilor, s-a strecurat într-un mic cinema de provincie în care rula filmul. În timpul părții celei mai importante a filmului, în care Hannibal evadează și liftul gol plin de sânge iese la iveală, Hopkins a desfăcut zgomotos o pungă cu cartofi. Enervată – și pe bună dreptate – o femeie care stătea în fața lui s-a întors către el. După 5 minute a fost scoasă pe targă.

care-l învață meserie și, după 6 luni, crede deja că va avea un viitor glorios.

„E un talent înnăscut", zice Morant. „Rece ca gheața, și cu un ochi de vânător pentru slăbiciuni. Cu toții avem câte un călcâi al lui Ahile, trebuie doar să-l găsești... Liam e mai rapid decât majoritatea."

Spencer e impresionant. Înalt, arătos și îmbrăcat impecabil, într-un costum Armani bleumarin și cămăși albe deschise la guler, îmi dă înapoi portofelul, la cinci minute după ce ne așezăm. A apucat desigur să-și comande băuturi.

L-am întrebat despre succesul la femei, avizat fiind de Morant. Spencer e un bărbat pentru care, a obține o întâlnire vineri seara e un soi de sport. Și se pricepe destul de bine la asta; nu prea e de mirare, date fiind metodele pe care le folosește.

Iată una dintre ele, pe care mi-a povestit-o la un cocktail pe terasă.

Pasul 1: Căutați cartierele în care e mai posibil să locuiască femei singure, care nu au colegi de apartament: locuri în jurul spitalelor, universităților etc.

Pasul 2: Apăreți neinvitați vinerea pe la 8 seara, la o adresă pe care ați ales-o, cu o sticlă cu vin și o rezervare la un restaurant bun din oraș.

Pasul 3: Dacă răspunde un bărbat, cereți-vă scuze, spuneți că ați greșit adresa și începeți din nou.

Pasul 4: Dacă răspunde o fată, întrebați dacă „Carmilla" (sau un alt nume ciudat) e acasă. Nu va fi. „Carmilla" nu există.

Pasul 5: După ce vi se spune că nu stă nicio „Carmilla" la adresa respectivă, explicați – cu un amestec, atent structurat și bine exersat, de dezamăgire și jenă – că ați cunoscut-o pe Carmilla într-un bar acum câteva zile, că ați invitat-o în oraș și că v-a dat adresa asta. La naiba!, ați luat țeapă!

Pasul 6: Adăugați un strop de umor: „Știam eu că sunt prea bun pentru ea!"

Pasul 7: Așteptați o reacție. E destul de posibil să fie o reacție de simpatie (dacă nu, cereți-vă scuze și mergeți mai departe).

Pasul 8: Adăugați o speranță oportunistă la dezamăgire și jenă. Ceva de genul: „Știu că sună nebunește, dar, dacă nu ai niciun plan astă-seară (la ora 8 într-o seară de vineri e posibil să nu aibă) și dacă tot sunt aici, poate vrei să vii cu mine..."

Pasul 9: Masă pentru două persoane.

Tehnica lui Spencer combină toate cele cinci componente ale modelului SPICE, într-un preparat de escrocherie cu stele Michelin.

Simplitatea și interesul propriu perceput: nici nu trebuie să insist.

Incongruența: cât de des apare la ușa ta un tip arătos, bine îmbrăcat, amuzant și (cel mai important) *disponibil*, într-un costum Armani vineri seara? Și mai are și o invitație la cină, de parcă cele de mai sus nu erau suficiente?

Încredere: ai putea chiar tu să faci asta?

Empatie: Vineri seara? Ora 8? Cât ar dura să arunci niște legume congelate la gunoi? Nu prea mult, mi-au zis niște prietene. Mai ales dacă apare un tip ca Spencer.

Nu toate intențiile psihopatului sunt atât de nevinovate. Ei nu apar în pragul ușii doar ca să vă invite la cină. După cum a descoperit poliția din Manchester acum câțiva ani, vor să vă stoarcă de ultimul sfanț.

În groapa cu lei

În iulie 2007, polițiștii au fost chemați la o casă din Manchester. Un vecin auzise zgomote și a chemat poliția. Când au ajuns la fața locului, chiar și cei mai experimentați polițiști au fost șocați. O femeie de 30 de ani fusese bătută și omorâtă cu un ciocan, la fel și fata ei – în vârstă de 18 ani – și fiul ei de 13 ani. Casa era plină de sânge și alte lichide corporale. Crimele au ajuns în scurt timp pe prima pagină a ziarelor.

În acea seară, polițiștii și-au asumat un risc la televizor. Aveau un suspect și au decis să-i publice numele. El era vinovatul, nu era nicio îndoială, și, dată fiind brutalitatea atacurilor și pericolul nemaiîntâlnit pe care-l reprezenta, s-au gândit că ar fi mai bine să dea publicității identitatea lui. Prezumția de nevinovăție era una, viața oamenilor nevinovați era altceva. Nu-și permiteau să riște.

– Îl căutăm pe Pierre Williams, spune detectivul Paul Savill de la poliția din Manchester. Dacă știți unde e, nu vă apropiați sub nicio formă de el. E violent și foarte periculos, posibil înarmat. Dacă aveți informații legate de locul în care se află, luați legătura imediat cu poliția.

După câteva ore, Savill primește un apel.

– Salut, spune o voce calmă. Sunt Pierre Williams. Am văzut la televizor că sunt căutat pentru un triplu omor. Vreau să mă predau.

Savill nu era deloc impresionat.

– Dacă e o glumă, a spus el, să știi că nu am niciun chef.

Nu era o glumă.

La scurt timp după aceea Williams s-a prezentat. Iar Savill a început să intre în panică.

Era o problemă de timp. Savill știa, așa cum știa și Williams, că, din momentul în care un suspect începe să fie interogat, poliția are la dispoziție 96 de ore pentru a-l pune sub acuzare. Dacă după acest timp ancheta nu dă roade, adică nu apar probe serioase, suspectul poate fi eliberat. Posibil pentru totdeauna.

Era o mare durere de cap. Poliția de-abia începea ancheta, iar principalul suspect intrase deja pe ușă. Nu doar că poliția nu avea nicio probă, dar nici nu începuse să caute. Williams își asumase un risc uriaș.

Williams nu era tocmai cooperant. Conștient de faptul că nu aveau probe împotriva lui, s-a prevalat de dreptul de a nu răspunde la nicio întrebare. El mai fusese suspectat că lucrase pentru o grupare infracțională renumită din Manchester și că îi ajuta să-și șteargă urmele și să distrugă probele. Savill și-a dat seama că asta nu făcea decât să le sporească problemele. Având un istoric de distrugere a probelor, nu era nevoie de un geniu pentru a-ți da seama că Williams și-a acoperit și *propriile* urme cu meticulozitate. Era o situație foarte neplăcută.

În cele din urmă, Savill a reușit să-l aresteze. O amprentă de la locul crimelor a putut fi potrivită cu o amprentă de la apartamentul lui Williams din Birmingham, la 160 de kilometri distanță. Judecătorul l-a condamnat la închisoare pe viață.

A fost însă un deznodământ pe muchie de cuțit. Rămăseseră doar trei ore atunci când s-a auzit că a fost găsită proba.

Savill a răsuflat ușurat.

– Faptul că Williams a venit din proprie inițiativă a fost complet neprevăzut, a recunoscut el ulterior. Nimeni nu s-ar fi putut aștepta la asta. Chiar de la început ne-a prins pe picior greșit. Nu ne-am fi putut ierta dacă l-am fi lăsat să scape. Știam că el era și, prin perseverență am reușit să învingem. E clar însă că am reușit abia în al 12-lea ceas.

Chiar și cu un membru al echipei absent (era în interesul poliției să-l aresteze, *nu* să-l elibereze), SPICE e o forță puternică. Folosind îndrăzneț ceilalți patru factori – simplitate, incongruență, încredere și empatie –, Williams aproape a reușit, la propriu, să scape basma curată.

Atenție la mizerii

Când Hannibal evadează în Tăcerea Mieilor, Starling e convinsă că nu va veni după *ea*. „Pentru el“, presupune ea, „ar fi un gest nepoliticos.“ Și are dreptate. Nu toți psihopații sunt la fel de respectuoși ca Lecter. Ușurința cu care sfidează normele sociale, cu care se comportă neașteptat poate adesea fi electrizantă, așa cum am văzut în cazul lui Pierre Williams, sporindu-le semnificativ șansele de a fermeca și a convinge.

În cartea *The Stuff of Thought*, psihologul Steven Pinker de la Harvard vorbește despre *implicaturi*. O implicatură e un mecanism lingvistic care ne permite să spunem ce vrem să spunem, spunând lucruri pe care... *nu* le credem.

Un exemplu clasic este adesea cel de la cină. Imaginați-vă că stați cu un grup de străini și vreți ca o persoană să vă dea sarea și piperul. Vă întoarceți către cel de lângă voi și spuneți... ce-i spuneți? Ei bine, e destul de probabil că *nu* le veți cere să vă dea sarea și piperul. Nu veți spune ceea ce *vreți*. Veți spune în schimb ceva de genul: „Puteți vă rog să-mi dați sarea și piperul?" sau „Ați văzut pe undeva sarea și piperul?" Cu alte cuvinte, orice, dar nu un simplu și abrupt „Dați-mi sarea și piperul!"

Pinker susține că implicaturile există, pentru că ne ajută să păstrăm aparențele. Ele ne imunizează împotriva jignirilor. Solicitarea „Dați-mi sarea și piperul" ar putea fi interpretată ca un ordin. Mai puțin ca o rugăminte, și mai mult o provocare pe față. Pe de altă parte însă „Vedeți pe undeva sarea și piperul?" ne *absolvă* de orice vină. Știm cu toții ce înseamnă (DĂ-MI NAIBII SAREA ȘI PIPERUL!), dar cumva – pentru că intenția e *implicită*, și nu exprimată – nu mai pare atât de rea.

Când am auzit despre implicaturi, m-am dus la Harvard să am o discuție cu Pinker. Părea că în convingerea spontană nu e loc de așa ceva sau cel puțin așa am crezut la început.

Să luăm următorul exemplu.

Un soț și o soție se ceartă într-un bar. E o zi liberă de august, și ambii au băut. Barul e plin de clienții obișnuiți, iar cearta durează deja de un sfert de oră.

– Niciodată nu-mi spui adevărul! urlă soțul. Asta e problema ta. Nu ai fost niciodată cinstită cu mine. De ce nu termini cu rahaturile și nu-mi spui ce crezi?

– Da, zice barmanul. De ce nu termini cu rahaturile și nu-i spui tâmpitului scund, gras, chel și zgârcit adevărul de acum încolo?

Vedeți ce vreau să spun? O astfel de afirmație nu e tocmai *doldora* de mesaje care să poată fi citite printre rânduri, nu-i așa? Nu ne rămâne *prea mult* loc de interpretare.

Pinker avea însă o altă perspectivă.

„Ne-am creat aceste strategii lingvistice ca să ne protejăm, și ele funcționează. Ele sunt și destul de obositoare. Când cineva se decide să încalce regula și să spună lucrurilor pe nume, asta *poate* fi, în funcție de context, ca o gură de aer. Poate fi o ușurare. Multe glume se bazează pe asta, de exemplu. Și, pentru că avem cu toții un simț comun al politeții – eu știu că tu știi că eu știu că încalci regulile –, există un soi de plasă de siguranță...Mie mi se pare că puterea convingerii spontane stă în prospețimea ei. E un soi de influență fără alte acareturi..."

Îmi place punctul de vedere al lui Pinker. În mod ironic, el părea să spună că tocmai *din cauză* că există implicaturi amestecul SPICE poate fi pus în aplicare, pentru că ne scoate din zona de confort. Suntem foarte *preocupați* să nu ne jignim unii pe ceilalți, așa că, în momentul în care cineva arată degetul convențiilor lingvistice, creierul nostru respiră ușurat.

Dintr-odată am început să mă gândesc la psihopați.

Nici nu e de mirare că sunt regii convingerii. Indiferent ce ar fi putut crede Starling despre Hannibal (și, să fim sinceri, nu era chiar *așa* de politicos), ei la asta se pricep. Impulsivitatea lor preprogramată și charisma lor electrizantă îi fac să folosească incongruența instinctiv. Pe lângă asta, se mai pricep la ceva. E vorba despre un fenomen legat de afirmația lui Pinker despre SPICE.

În momentele critice, dacă au ceva de câștigat de pe urma unei situații, psihopații se concentrează. Se pricep de minune să „rezolve" situațiile. Îi interesează mai mult rezultatul decât mijloacele. Ați putea spune, dacă ați fi unul dintre cei mai mari lingviști ai lumii, să „renunțe la toate rahaturile".

Justa recompensă

Imaginați-vă că vă pun în față un set de 64 de cartonașe, unul după celălalt, pe un ecran de calculator, iar pe fiecare e un număr cu două cifre între 1 și 99. Sunt 8 numere, și fiecare număr va apărea de opt ori în timpul prezentării. Aveți o misiune simplă.

Trebuie să decideți la care dintre numere să reacționați apăsând tasta X pe tastatură, și la care să reacționați apăsând tasta Y.

Singura problemă e că, de fiecare dată când veți greși, veți primi un șoc electric puternic.

Cum credeți că v-ați descurca?

Cu câțiva ani în urmă, psihologul Adrian Raine și colegii lui de la University of Southern California in Los Angeles, au efectuat un experiment. Descoperirile lor au fost uimitoare.

Majoritatea oamenilor învață destul de repede „regula" (de exemplu, X = numere pare, Y = numere impare). Odată ce ați fost electrocutați, nu veți mai vrea să repetați experiența.

Asta dacă nu sunteți psihopați. În cazul lor se petrece ceva destul de bizar.

În aceste exerciții – *denumite exerciții de învățare a evitării pasive* – psihopații comit semnificativ mai multe erori ca noi. Amenințarea unei pedepse, ideea unui pericol sau a unei jene nu par să-i deranjeze la fel ca pe noi.

Se părea că nu le pasă.

Astfel de concluzii par să arate că psihopații sunt aparent „dezinteresați". Că lipsa lor de emoții îi face „ermetici". *În aparență*, pare o concluzie rezonabilă.

Să ne imaginăm însă acum, un scenariu ușor diferit. De data aceasta, să ne imaginăm că avem același scenariu – cartonașele, numerele, șocurile – doar că, dacă nimerești, nu doar că eviți pedeapsa ci primești și o recompensă: 5 dolari de fiecare dată.

Credeți că e vreo diferență? Credeți că găsiți regula și mai repede? Majoritatea oamenilor cred că nu. În astfel de situații însă rezultatele se schimbă dramatic.

Psihopații se descurcă, ca prin minune, *mai bine* decât noi.

Spre deosebire de scenariile în care accentul e pus pe evitarea consecințelor negative, când au ceva de câștigat, ei descoperă regula mult mai repede. Dacă facem apel la interesul propriu al psihopaților, nimic nu le stă în cale.

Cum să-ți faci prieteni și să-i bagi la închisoare

Capacitatea psihopatului de a rămâne echilibrat sub presiune, de a duce misiunea până la capăt, atunci când noi, restul, am putea abandona, nu a rămas neexploatată de industria cinematografică.

Filmul *The Dirty Dozen* – acțiunea se petrece în timpul celui de-al Doilea Război Mondial – prezintă o bandă de 12 bărbați, într-o misiune importantă de a distruge un castel din Franța, plin de ofițeri importanți germani. În cele din urmă, misiunea are succes, deși doar unul dintre cei 12 supraviețuiește. Dincolo de această poveste, se află însă o întrebare interesantă: de ce au fost aleși acești oameni pentru misiune? De ce a fost încredințată o operațiune de o importanță strategică extraordinară unor violatori și ucigași? E oare posibil ca fabrica de visuri a Hollywood-ului să fi descoperit un filon de „adevăr"? Cresc șansele de reușită dacă se face apel la acești indivizi duri? Există dovezi care arată că e posibil.

În Marea Britanie, decorația Conspicuous Gallantry Cross e acordată în semn de „recunoaștere a unui act sau a unor acte de curaj extraordinar în timpul operațiunilor împotriva inamicului". De la înființarea ordinului în 1993, ea a fost acordată doar de 37 de ori. Iată un citat care descrie una dintre aceste ocazii, preluat din ziarul *Independent*:

> *În timpul luptelor crâncene din peșterile de la Tora Bora, o fortăreață a talibanilor, sergentul major Bob Jones (numele a fost schimbat)a atacat inamicul doar cu un cuțit, în timpul căutării lui Osama bin Laden din 2001, în ciuda faptului că fusese grav rănit. Fusese lovit de cel puțin două ori de gloanțe, și cu toate acestea a reușit să se ridice în picioare și să continue lupta cu cuțitul, în timp ce conflictul a degenerat într-o luptă corp la corp.. Ofițerii au amintit „curajul de a ataca inamicul cu cuțitul, motivându-i și pe cei din jurul său, atunci când muniția era pe terminate și rezultatul luptei nu părea sigur."* [42]

Și escrocii de top sunt capabili de o asemenea concentrare. Greg Morant se pregătește, cu cuvintele lui, ca un „sportiv olimpic" atunci când mizele sunt mari.

---

[42] 1 octombrie, 2006. Nu vreau să spun că „Bob Jones" ar fi un psihopat sau un „indezirabil". Să nu vii după mine, Bob! Vreau doar să spun că există anumite trăsături ale psihopaților, în cazul de față concentrarea și capacitatea de a ignora propria bunăstare care, în anumite împrejurări, îi predispun la fapte mărețe.

Aflu tot ce pot despre om. Cum face afaceri, ce face în weekend. Atleții de vârf studiază înregistrări video cu adversarii, le analizează jocul. Și eu fac la fel: adun informații, îmi formez o imagine a persoanei cu care am de-a face. Nu e nimic complicat. Cu cât știi mai multe despre cineva, cu atât ai mai multe șanse...
Sunt ca un prospector. Doar că nu mă ocup de clădiri, ci de minți. Perii peste tot cu un pieptene cu dinți deși. Caut uși, o intrare secretă. În cele din urmă o voi găsi. Întotdeauna există o ușiță. Prin spate. Departe de ochii lumii. La naiba! Uneori intri chiar pe ușa din față!
Ar trebui să facem cu toții asta dacă vrem să reușim. Nu vreau să par lipsit de respect, dar ce e cu toate cărțile pe care le citim despre cum să-i influențăm pe alții? Majoritatea sunt pline de rahaturi. Poți să vorbești cât ai chef despre psihologie, important e însă să-ți faci temele. Ca să faci un foc, ai nevoie de ceva care să ardă. Și nu orice material arde, nu-i așa?

Dacă psihopatul are ceva de „scos" dintr-o situație, dacă are o recompensă care-l așteaptă, el o va urmări, intens, indiferent de riscuri sau de posibile consecințe negative. Nu doar că își păstrează calmul în situații periculoase sau adverse, ci chiar își îmbunătățesc performanța. În urma unor astfel de conjuncturi, capacitatea lor de a „face orice" devine foarte pronunțată.

Am un exemplu de concentrare – împreună cu aplicarea SPICE – de la un prieten. Paul a fost coleg de facultate cu mine. Deși nu avea multe în comun cu Hannibal Lecter (de când îl știu a reușit să primească doar o amendă de parcare), Paul era, *este*, psihopat. Știu, pentru că l-am testat. Mai sunt și semnele obișnuite. Inteligent, plăcut, lipsit de scrupule, încrezător, și, cel mai frapant lucru la Paul, pentru care era renumit, era capacitatea lui uluitoare de a convinge. Capacitatea de a genera încredere. Era, la propriu, ca și cum ar fi avut un soi de program secret în creier, care-i permitea să pătrundă în cele mai profunde tipare de gândire ale altora. Și apoi, odată ce obținea accesul, să facă orice voia. Dacă Paul nu-ți știe parola emoțională, are nevoie de mai puțin de cinci minute pentru a o descifra. Era (și cu siguranță e în continuare) unul dintre cei mai talentați psiho-criptografi pe care i-am cunoscut vreodată.

Ultima dată când l-am văzut pe Paul a fost acum 7 ani și nu-și pierduse deloc capacitatea de a răsturna o situație, pentru a-i fi favorabilă. Imaginați-vă: un vagon aglomerat de tren în Londra, doi zugravi plini de moloz și vopsea, și Paul într-un costum apretat, lângă ei. A plouat toată ziua, iar constructorii – care par să fi lucrat afară – sunt uzi leoarcă. Paul începe să aibă probleme.

Zugrav 1: Îți merge bine, nu? Stai acolo, la cravată și costum. Dacă ai munci o zi pe bune, ai muri.
Paul: Ce slujbă ai prefera să ai: pe a ta sau pe a mea?
Zugrav 1: Faci mișto, nu? N-aș vrea să fiu nicio secundă în locul tău!
Paul: Bun, atunci de ce te vaiți?
Zugrav 2: E șmecher. Păi, hai să-ți zic așa. Dacă el nu o vrea, *o vreau eu.*
Paul: Bine. Și atunci de ce *te* mai plângi? Ești doar invidios.

Una dintre prietenele lui Paul (a avut multe) mi-a spus o poveste care ne arată că era un geniu al improvizației. Într-o seară, în timp ce erau în pat, au fost treziți de zgomotul unui hoț. Era întuneric, dar Paul putea să distingă profilul intrusului aflat la câțiva metri de el și care se apleca peste laptopul lui – Powerbook – de pe comodă. În timp ce majoritatea oamenilor s-ar fi prefăcut că dorm, sau, panicați, ar fi făcut un gest pe care să-l regrete după aceea, Paul a rămas calm și concentrat.

„Uite“, a zis el pe întuneric, pe un ton echilibrat, la obiect, „nu vreau să ne batem sau ceva, chiar dacă trebuie să pun jos mitraliera asta pe care o ațintesc spre tine sub plapumă! Am spart și eu case la vremea mea (o minciună) și cred cu tărie, că după faptă vine și răsplata. Așa că, la urma urmei, nu mă deranjează prea tare dacă iei laptopul. O să-ți fac o ofertă. Dacă mă lași să copiez niște fișiere de pe desktop, nici măcar nu mă duc la poliție. Oricum nu-ți văd fața. Și, dacă ești suficient de deștept, porți oricum mănuși, așa că la urma urmei nu are sens să mă duc la poliție, așa-i? Ce părere ai?“

Prietena lui Paul stătea lângă el, paralizată de frică, iar intrusul, profilat de o lumină de la parter, se gândea la ofertă. Uimitor, după ce a trecut o veșnicie, s-a decis să accepte: Paul făcuse o nouă minune. Dar acesta a fost doar începutul. După ce a preluat controlul situației, Paul a început *cu adevărat* să intre în acțiune.

Mai întâi, el i-a sugerat hoțului să facă un pas în spate, cât timp umbla el la calculator. Lumina monitorului i-ar putea lumina fața, și numai să fie lesne identificat nu-și dorea. A făcut ce i s-a cerut. Apoi, în timp ce stătea la comodă și făcea curat pe desktop, Paul a început să vorbească cu el. A început să inventeze detalii despre casele pe care le-a spart și cum a fost abuzat de tatăl vitreg în copilărie, motiv pentru care a ales o viață de criminal. (în realitate, Paul avusese o copilărie foarte fericită). Ce să vedeți, și intrusul a început să vorbească despre propria copilărie traumatizantă, iar între cei doi s-a inchegat un dialog. Au început să se înțeleagă.

Când Paul a terminat de descărcat fișierele, i-a făcut intrusului o a doua ofertă. De ce să nu continue conversația în bucătărie, la o bere? Deși împrejurările erau cel puțin bizare, Paul avea impresia că soarta i-a adus împreună. Păreau să aibă multe în comun. Și oricum avea probleme cu somnul. Din nou, intrusul a înghițit momeala. Paul i-a aruncat din dormitor un hanorac cu glugă hoțului (acesta nu i-a cerut, asta a fost doar ideea lui Paul) și i-a spus să se îmbrace cu el, pentru a nu fi recunoscut. După aceea cei doi au coborât la parter.

Îmbrăcată cu un prosop, prietena lui Paul a auzit sunetul ușii de la frigider, apoi cum au desfăcut două beri. După aceea, un pic mai târziu, alte două beri. După aceea, în ciuda insistențelor lui Paul, hoțul și-a scos chiar și gluga. A început să se simtă ca acasă.

Cei doi au stat de vorbă mai bine de o oră. Dacă treceați prin zonă și nu știați cine sunt, ați fi putut paria că se știau de ani de zile. Când în cele din urmă hoțul s-a decis să plece, pe masă erau vreo 12 cutii goale de bere, iar afară se crăpa de zi.

Înainte ca hoțul să plece, lui Paul i-a venit o idee. Poate că cei doi ar trebui să facă echipă. Ca poștaș (el lucra, de fapt, în finanțe) știa când sunt plecați vecinii din cartier. O astfel de informație putea fi neprețuită, susținea el. Nevenindu-i să creadă, hoțul i-a dat lui Paul adresa și numărul lui de telefon. Paul i-a zis că o să sune într-o zi sau două, ca să vorbească. Hoțul a zis „Grozav!“ – vor putea să mai bea niște beri.

Paul a insistat ca hoțul să ia laptopul, în ciuda faptului că nu-l mai voia. „Așa ne-am înțeles“, a zis el.

A doua zi, desigur, hoțul a primit o vizită. Nu era Paul. Câțiva polițiști au reușit să recupereze nu doar laptopul, ci și multe alte obiecte care fuseseră declarate furate în ultimele luni.

Paul a primit o scrisoare personală de mulțumire de la poliție.

Simplitatea. Perceperea interesului propriu. Incongruența. Încrederea. Empatia. Întunecata vrăjitorie de convingere a psihopatului.

Rezumat

Elitele au existat dintotdeauna în cadrul societății. Există elite în sport, în spionaj sau în clasele sociale. Sunt însă dovezi care arată că există și *convingători* de elită. Și mulți dintre ei sunt psihopați.

Majoritatea oamenilor cred că psihopații sunt niște monștri. Violatori, ucigași în serie sau teroriști. Și au dreptate. Mulți violatori, criminali în serie sau teroriști *sunt* psihopați. Totuși, contrar părerilor răspândite, mulți psihopați nu încalcă legea. Ei conduc în schimb corporații, fac operații pe creier, iau ambasade și avioane cu asalt, și ne investesc banii în piețe volatile dar profitabile.

Acest calm în situațiile limită, acest sistem îmbunătățit de răcire a creierului, îi oferă psihopatului instrumentele perfecte pentru a putea manipula. O amigdală cerebrală disfuncțională – partea creierului care procesează și trăiește emoțiile – și lipsa fricii prezentă aproape în totalitate, le permite celor care suferă de astfel de anomalii să riște. Să se concentreze asupra rezultatelor, fără să se împiedice de convenții. Să-și asume riscuri, pe care noi, ceilalți, le-am evita.

Când ești rece ca gheața și plin de încredere, vei obține întotdeauna rezultate spectaculoase.

În ultimul capitol, vom continua explorarea tărâmului influenței, trecând de la forma supremă a *manipulatorului* la forma supremă a *manipulării*.

Adepții persuadării spontane, precum Paul, se pricep de minune să spargă sistemele de siguranță ale creierelor noastre. Există însă și combinații pe care nici măcar ei nu le pot sparge?

Pentru fiecare încuietoare a influenței există câte o cheie?

Sau are persuadarea – chiar și metoda SPICE – limitele ei?

Capitolul 8

Orizonturile influenței

Un bărbat se plimbă pe străzile din Belfast într-o noapte, și simte un pistol în ceafă.

„Protestant sau catolic?" întreabă o voce.

Gândindu-se repede, bărbatul răspunde „evreu".

„Înseamnă că sunt cel mai norocos arab din Irlanda", răspunde vocea.

În toiul celui de-al Doilea Război Mondial, Winston Churchill se duce către o bază secretă, pentru a transmite un discurs către națiune. Aghiotantul îi cheamă un taxi, și îi dă șoferului adresa.

„Îmi pare rău", răspunde șoferul. „Mă duc acasă. În cinci minute vorbește primu-ministrul la radio și nu vreau să-l ratez."

Impresionat de loialitatea bărbatului, Churchill îi șoptește aghiotantului să-i dea o bancnotă de 10 lire bacșiș.

„Dă-l naibii pe prim-ministru!" spune șoferul. „Unde vreți să mergeți?"

Oglindă-oglinjoară

Umoristul american H.L. Mencken, spunea cândva, că pentru fiecare problemă există o soluție simplă, elegantă și *greșită*. Să ne gândim însă, preț de o clipă, și la reversul acestei afirmații: că pentru fiecare problemă există într-adevăr o soluție, dar una care să fie simplă, elegantă și *corectă*. Că există într-o lume platonică a ideilor – departe de ego sau de neînțelegeri – o cheie universală de convingere într-o stare perfectă. Cât de plauzibil este un astfel de concept, anume că orice minte *chiar poate* fi schimbată, oricând? Dacă *este* adevărat, ce fel de cheie ar fi? Și cum am putea să o găsim?

În urmă cu câțiva ani, când am început să mă gândesc la această problemă, l-am sunat pe Bob Cialdini. Am mai vorbit de câteva ori despre Cialdini în această carte, el fiind profesor de psihologie și marketing la Arizona State University și unul dintre cei mai mari experți ai lumii în domeniul convingerii. I-am spus că, cel puțin din punct de vedere teoretic, convingerea nu are limite. A fost de acord cu mine.

„Dacă ne uităm la ce s-a petrecut în Jonestown", mi-a răspuns el, „la cum a reușit reverendul Jim Jones să convingă 900 de oameni să se sinucidă..., vorbim despre o formă extremă de manipulare. Poate că persuadarea pe termen scurt are niște limite, însă pe termen lung... nu sunt chiar atât de sigur".

La ceva timp după ce am vorbit cu Bob Cialdini, eram destul de convins că are dreptate. Eram chiar gata să merg un pas mai departe. Răsturnările de situație pe care le descoperisem în timpul propriilor studii păreau, după cum am văzut, să sugereze un nivel mai profund, anume că și pe termen *scurt* puterea de convingere e infinită și că există soluții, doar că ele trebuie găsite.

S-a petrecut apoi ceva care a modificat radical paradigma. M-am confruntat cu Omul Oglindă.

L-am cunoscut prima dată pe Omul Oglindă în primăvara lui 2008. Max Coltheart, profesor de psihologie la Macquarie University, l-a amintit în cadrul unei conferințe. Am devenit interesat de el. I-am trimis după câteva zile un e-mail lui Coltheart și l-am întrebat dacă i-aș putea face o vizită. „Sigur", a zis el, „doar să nu te aștepți la vreo minune". Am mințit și i-am spus că nu mă aștept, apoi m-am suit într-un avion cu destinația Australia.

Omul Oglindă e unul dintre cele mai bizare studii de caz din analele neuropsihologiei (cu siguranță că pe parcursul anilor au existat mulți ciudați). Întâlnirea a avut loc la Sydney, la Centrul de științe cognitive al University of Maquarie, unde Coltheart a înființat programul de formare a convingerilor: un proiect menit să descopere cauzele ideației delirante, și să dezvolte un model care să arate cum se dobândesc și se resping convingerile.

Cu siguranță că nu duce lipsă de materie primă.

Până în prezent, programul a studiat o gamă surprinzătoare de idei greșite, pornind de la delirurile comune, întâlnite de regulă în schizofrenie (delirul *persecutoriu*: oamenii au ceva împotriva ta; delirul *de referință*: conversațiile particulare și „zgomotul" social de fundal se referă direct la tine și delirul *de control*: forțe străine controlează sau îți interceptează tiparele de gândire), până la o categorie încă *și mai* bizară de tulburări cognitive: delirurile *monotematice*.

În cadrul acestei rubrici se numără *iluzia Capgras* (convingerea că o persoană de care ești legat afectiv – de regulă partenerul – nu e cine pare a fi, ci un impostor care arată la fel ca el), *sindromul Cotard* (convingerea că ești mort) și *iluzia Fregoli* (convingerea că un grup de oameni, care-și ascund adevărata identitate, te urmărește).

Și apoi mai există și mama tuturor iluziilor: *iluzia de identificare eronată a sinelui oglindit*.

Omul Oglindă, căruia îi voi spune George, are peste 80 de ani. E prietenos, are o soție și doi copii și, după o carieră de succes în afaceri, se mai implică în continuare, cu soția, în gestionarea unei firme de publicitate. „Doamne", îmi spun când îl văd, „omul ăsta e atât de normal. Poate fi, tot ce se spune despre el, adevărat?" Curând, îmi dau seama că da.

Nora Breen, o cercetătoare colegă cu Coltheart, apasă butonul unei telecomenzi și intrăm într-o cameră cu o oglindă. George stă în fața oglinzii, iar Nora îl întreabă:

– Pe cine vezi în oglindă, George?

George pare temător.

– El e, spune el.

– Cine? întreabă Nora.

– *El*, spune George. Tipul ăla care mă urmărește. Care se îmbracă la fel ca mine. Care arată ca mine. Care face tot ce fac eu.

Nora intră și ea în peisaj.

– Pe cine vezi acum? întreabă ea.

– Tu ești, spune George. Și cu el.

Sunt uluit.

Îi cer să-i spună să ne explice cum de poate sta lângă el *în fața* oglinzii și cu toate acestea cel care apare în oglindă e cu totul altă persoană.

Ea îl întreabă.

George dă din cap.

– Uitați, spune el. Știu că sună nebunește, dar așa e. Mi-aș dori *să pot* să cred că eu sunt acolo în oglindă, dar nu pot. E altcineva. Arată la fel ca mine. Se poartă la fel ca mine. Doar că *nu sunt eu*! E *el*.

– Mulțumesc, Nora, îi spun, și-mi torn niște cafea.

Am decis să nu mai pun nicio întrebare.

Crize de convingere

După întâlnirea cu Omul Oglindă am căzut pe gânduri. Ceea ce am văzut în laboratorul lui Max Coltheart nu era doar George într-o zi proastă. Era George într-o zi *bună*. În cadrul programului de formare a convingerilor, George era un star. Personalul a încercat toate metodele pentru a-l ajuta, dar s-au lovit de un zid. Convingerea lui George că bărbatul din oglindă era un impostor – și nu el – rămânea la fel de puternică. Lucrurile, bănuia Coltheart, nu aveau să se îmbunătățească, indiferent *ce* argumente i se prezentau.

Mi-am adus aminte dintr-odată de Jonestown. Mi-am dat seama că aici aveam de-a face cu un mare paradox. Pe de o parte, reverendul Jim Jones a putut convinge 900 de oameni să-și ia viața – nu doar a lor, dar și pe cea a copiilor – cu un amestec de suc și cianură. Pe de altă parte, unii dintre cei mai buni psihologi din lume, se luptă cu un bărbat și o oglindă: încearcă să-l convingă că e *el* în imaginea reflectată, și nu, după cum insistă el, un alter ego suspect.

Concluziile erau interesante. Fie că oamenii ca Jones au ceva special și trebuie să găsim și alții ca el în Sydney, fie poate că era o problemă chiar cu structura convingerii. Poate că există un spectru de tărie a oricărei acțiuni de a convinge. De neclintit la un capăt, efemeră la celălalt și o balanță a influenței, a deschiderii spre persuadare, undeva, între cele două capete.

Da, putem

În vara lui 2008, nu cu mult timp înainte de nominalizarea lui Barack Obama la candidatura prezidențială, Ray Friedman, profesor de management la Universitatea Vanderbilt, a luat împreună cu doi colegi 20 de întrebări din partea verbală a testului Graduate Record Examination (GRE) și a alcătuit un test. Acest test a fost apoi administrat unui grup de negri, precum și unui grup de albi, apoi s-au calculat scorurile medii ale fiecărui grup. După câteva luni, când alegerile s-au terminat, iar Barack Obama a fost investit în funcție, au repetat testul cu aceleași grupuri și au calculat din nou mediile.

Friedman și colegii lui sperau să găsească opusul rezultatelor descoperite de predecesorii lor în urmă cu un deceniu. În anii '90, grupuri de studenți cu scoruri identice la testul SAT au făcut un test asemănător la Stanford. Cercetătorii au descoperit că negrii obțineau scoruri semnificativ mai reduse la exercițiile GRE, când li se cerea înaintea testului să bifeze o casetă pentru a-și preciza originea etnică. Motivul diferențelor de scor era evident. Bifând caseta, nu se strângeau doar date statistice. Pentru negri, acest fapt activa un stereotip rasial, conform căruia negrii sunt inferiori din punct de vedere academic. Li se spunea: *Nu, nu puteți.*

După o generație, Friedman căuta un echilibru.

„Obama e un factor evident de motivare", spune el. „Ne întrebam însă dacă ar putea influența și rezultatele la teste ale negrilor."

În mod incredibil, se pare că are un efect.

Analiza a arătat că, *înainte* de nominalizarea lui Obama, albii răspundeau corect la 12 întrebări din 20, comparativ cu aproximativ 8,5 întrebări pentru negri. Când s-au *repetat* testele – imediat *după* discursul prin care Obama a acceptat nominalizarea, și apoi din nou, după învestitură –, rezultatele au fost complet diferite. În ambele ocazii, performanțele negrilor au fost semnificativ mai bune.

Indiciile erau clare. Niciunul dintre participanți nu devenise subit mai inteligent. Vorbim despre numai câteva luni. Era vorba, pur și simplu, despre exploatarea puterii de persuasiune.

De a crede că: *Da, putem.*

Două minți

Rezultatele lui Friedman nu au fost reproduse. Ca să fim sinceri, elasticitatea cu care ecartul de performanță s-a redus i-a depășit chiar și așteptările lui. Există însă indicii, care sugerează că, împreună cu colegii lui, se află pe calea cea bună. Și că Henry Ford avea dreptate când spunea: „Fie de crezi că poți sau că nu poți, vei avea dreptate".

Jeff Stone, psiholog la University of Arizona, a demonstrat efecte asemănătoare cu ale lui Friedman în domeniul sporturilor. Într-un studiu al jucătorilor de golf albi și negri (am adus aminte în treacăt acest exemplu în capitolul 3), Stone a arătat că, atunci când golful este reprezentat ca o *probă de abilitate sportivă*, jucătorii negri au în medie rezultate mai bune. Ce credeți însă? Când jocul este reprezentat ca o probă de *îndemânare strategică*, și factorul sportiv este trecut sub tăcere, rezultatele se schimbă. Cei albi nimeresc găurile, iar negrii dau mingea în bălării.

Mai apoi e și studiul lui Margaret Shih, care a analizat performanțele în matematică ale studentelor asiatice. Dacă vă aduceți aminte, femeile de origine asiatică se descurcă *mai bine* la matematică atunci când se consideră „asiatice" (adică, atunci când activează stereotipul *rasist*), respectiv *mai rău* atunci când se pune problema *genului* (adică, atunci când se consideră „femei").

Aceste observații nu au nimic de-a face cu efortul depus. Nu e ca și cum femeile se străduiesc dintr-o dată mai tare atunci când aleg, printr-un criteriu arbitrar, să se considere „asiatice". Nici pe departe. Ca și studenții lui Friedman, și jucătorii de golf testați de Stone, sunt *manipulați* să aibă rezultate. Poate că nu în sensul tradițional al cuvântului – prin recompense, stimulente sau metodele obișnuite ale influenței sociale –, ci oferindu-le minților o încredere sporită, schimbând cadrul, de la o componentă a identității la o alta.

Psihologul cognitivist Carol Dweck de la Stanford a lucrat în domeniul perspectivelor mentale. Dweck a identificat două stiluri de gândire, care sprijină ideea că anumite convingeri sunt mai greu de schimbat decât altele (și unii indivizi sunt mai greu de convins): modalități de a relaționa cu lumea care, conform studiilor ei, ne predispun într-un final la reușită sau la eșec în viață.

Stilurile de gândire au unul din două semne în vitrină: deschis sau închis. Stilurile închise sunt denumite „fixe“ de către Dweck. Acest stil de gândire aparține oamenilor care fac lucrurile „după bunul plac“; sunt oameni care se tem să iasă din zona de confort, care consideră că efortul e negativ și cărora le displace să-și depășească limita. Stilurile deschise sunt, în accepțiunea lui Dweck, dispuse la „creștere“. Oamenii cu acest stil de gândire au tendința de a fi în general mai flexibili, mai dispuși să învețe și să accepte provocări. Ei preferă, spre deosebire de cei cu un stil fix, să asimileze și perspectivele celorlalți.

Dweck a arătat că aceste stiluri de gândire pot fi manipulate. De asemenea, ea a demonstrat că fiecare dintre ele are o amprentă neuronală distinctă. Unui grup i s-au prezentat argumente care susțin un stil de gândire „fix“ (de exemplu, „inteligența e un parametru esențial care nu se poate schimba foarte mult“), în vreme ce celuilalt grup i s-au prezentat argumente în favoarea unui stil de gândire bazat pe „creștere“ (de exemplu, „indiferent cât ai fi de inteligent, poți oricând să te îmbunătățești“). Ambele grupuri au efectuat apoi un exercițiu dificil de citire a unui text (la care nu s-au descurcat bine), și au fost întrebate, după ce au primit rezultatele, dacă ar dori să vadă răspunsurile altor participanți din studiu: fie ale unora care s-au descurcat mai bine, fie ale altora care s-au descurcat mai rău.

După cum se aștepta și Dweck, linia de demarcație s-a remarcat chiar pe mijloc, între cele două grupuri. Studenții care fuseseră expuși la stilul fix de gândire i-au ales imediat pe cei care s-au descurcat *mai rău*: alegerea le sporea stima de sine. Pe de altă parte, *cei* care fuseseră expuși la stilul de gândire bazat pe creștere, au preferat răspunsurile celor care se descurcaseră *mai bine* – s-au comparat cu *cei mai buni*, cu alte cuvinte – pentru a-și putea construi o strategie ce i-ar ajuta să obțină pe viitor rezultate mai bune.

Studiul nu s-a încheiat aici. Pe lângă această falie a comparațiilor, a mai apărut o falie în mintea participanților. Într-un experiment ulterior, bazat pe electroencefalograme, Dweck a analizat tiparul de activare corticală a studenților, în cadrul unui chestionar cu întrebări de cultură generală. Experimentul consta în două părți. În prima parte, participanții dădeau răspunsurile la o secundă și jumătate de la alegerea răspunsului: un program le spunea dacă au răspuns corect. Partea a doua începea la o secundă și jumătate după *aceea*: când pe ecran apare soluția reală.

Datele se potriveau de minune cu concluziile studiului.

La fel ca în cazul studiului anterior, Dweck a constatat că studenții care aveau un stil închis sau fix de gândire, prezentau o stare sporită de vigilență în timpul *primei* etape a experimentului (atunci când așteptau să vadă dacă au răspuns corect la întrebare).

După aceea creierul lor se relaxa. Se lăsau pe tânjală.

Studenții cu un stil de gândire bazat pe creștere aveau însă un tipar complet diferit. Desigur, în prima parte a experimentului – în timp ce așteptau confirmarea că au răspuns corect – creierii lor, la fel ca și ai omologilor lor, se „activau". După aceea (spre deosebire de omologii lor cu un stil de gândire fix), în loc să se *relaxeze* odată ce aflau rezultatul, continuau să fie stimulați până la final, când aveau să primească răspunsul corect.

Se pare așadar că unii dintre noi sunt cu adevărat deschiși la influență. Alții își doresc doar „să aibă dreptate..

De necrezut?

Rezultatele studiilor lui Carol Dweck, precum și cele efectuate de Ray Friedman și de Jeff Stone, printre alții, se potrivesc de minune cu o abordare cantitativă a persuadării. Ele susțin ipoteza conform căreia anumiți oameni – de pildă, fundamentaliștii extremiști – au un stil de gândire atât de fix, au niște neuroni atât de bine sudați, încât pot fi uneori aproape imuni la orice influență. Alții se lasă însă duși de val.

O parte a acestui fenomen ar putea fi înnăscută. Uitați-vă în orice clasă și veți vedea ambele atitudini: copii care sunt traumatizați chiar și de cea mai mică provocare sau critică, și copii care nu se împiedică de astfel de obstacole (vreți să vedeți cât de susceptibili *sunteți* să fiți convinși? Puteți încerca testul de la pagina 281). Pe de altă parte însă fiecare are momente de slăbiciune. Insule de fanatism, pe care nu primesc decât oameni cunoscuți. Acest aspect sugerează că și mediul joacă un rol important, formându-ne, pe parcursul timpului, nu doar atitudinile în general, ci și pe termen scurt, dictând acele valori care sunt cele mai la îndemână în viața noastră (spre exemplu, rudele soldaților uciși în Irak sau Afganistan au păreri mai vehemente despre politica externă a Marii Britanii sau a Statelor Unite decât cei lipsiți de un astfel de interes personal).

Fenomenul privește însă și un aspect mai profund, un principiu general, fundamental al felului în care creierul nostru se decide. Dacă există o îmbinare atât de puternică a convingerilor și emoțiilor, e posibil oare ca mințile noastre să aibă putere ceva mai redusă de a discerne decât ni se pare? E posibil ca ele să tragă concluzia, *înainte* de a judeca? Ca ele, *întâi* să creadă, și *apoi* să evalueze și să analizeze? E posibil ca părerile pe care le avem să nu fie cele către care ne-am îndreptat *rațional*, ci să fie în schimb părerile pe care nu le-am putut *îndepărta* prin rațiune?

Deși o astfel de abordare pare nebunească, există indicii care sugerează că ar fi adevărată[43], iar senzația pe care o avem când

[43] Ideea a fost propusă de filosoful olandez raționalist Benedict de Spinoza.

primim noi informații – că le rumegăm și decidem, bucată cu bucată, dacă să le înghițim sau nu – e, de fapt, doar o iluzie.

Psihologul de la Harvard, Dan Gilbert, și colegii lui, au efectuat un studiu în care participanții au aflat despre un jaf. Voluntarii au fost împărțiți în două grupe. O grupă a citit afirmații care *exagerau* gravitatea infracțiunii (de exemplu, „Kevin a amenințat-o pe vânzătoare că o va molesta sexual"), în vreme ce cealaltă grupă a citit afirmații contrare, care *atenuau* gravitatea faptei (de exemplu, „Tom i-a cerut scuze vânzătoarei că a fost nevoit să jefuiască magazinul").

Cumva neobișnuit pentru un experiment de psihologie, cercetătorii au pus cărțile pe masă încă de la început. Ambele grupuri au aflat că aceste descrieri ale faptelor sunt fictive. Cu toate acestea, în timp ce participanții citeau despre tâlhari, unii dintre ei au fost întrerupți: cercetătorii i-au pus să rezolve un exercițiu de numărat. Această distragere a atenției, susținea Gilbert (dacă mai întâi credem și apoi ne „îndoim"), ar trebui să afecteze partea de „îndoială". Ea ar trebui, în acele câteva miimi de scundă în care creierul, după ce a preluat informația și a „crezut-o", se decide sau nu dacă să *continue* să o creadă să-și distragă apoi atenția către un exercițiu complet diferit: seamănă mult cu exemplul oamenilor de la „mutat mobila", care au distras în Capitolul 3 atenția recepționerei de la nuntă, apoi au fugit cu cadourile. Participanții la studiu ar trebui, deși li s-a spus din capul locului că descrierile tâlharilor erau false, să creadă că ele erau, de fapt, adevărate.

Rezultatele au confirmat această ipoteză. La finalul studiului, participanții au trebuit să aplice pedepse cu închisoarea tâlharilor, iar sentințele lor au fost interesante.

Domnul Amabil a primit în medie 5,8 ani de închisoare, Domnul Bădăran, 11,2 ani.[44]

Rețineți că aceste rezultate există, în ciuda faptului că participanților li s-a comunicat încă de la început că descrierile tâlharilor sunt *fictive*.

Uneori nu puteți să nu credeți *tot* ce citiți.

---

[44] În cazul participanților care nu au fost distrași, diferența între sentințele date a fost mult mai mică (6 ani pentru Domnul Amabil respectiv 7 ani pentru Domnul Bădăran). Acești participanți s-au putut îndoi de caracterizările false, putând judeca mai obiectiv caracterul celor două fapte.

Imunitatea scăzută a persuadării

Va trebui să ne acomodăm cu implicațiile studiului lui Gilbert. Pe de altă parte însă anumite lucruri par normale. Putem vedea, dintr-odată, de ce empatia și interesul propriu perceput joacă un rol atât de important în manipulare. Dacă putem, folosind o combinație corectă de cuvinte și făcând apel la câmpul lingvistic de forță potrivit, să încadrăm o situație de o manieră care să îi facă pe cei cu care vorbim *să vrea* să ne creadă, atunci suntem deja în direcția cea bună. Încă de la început, ei ne cred: cel puțin în primele miimi de secundă! Misiunea noastră de persuadare e mai ușoară decât credem. Nu trebuie să-i facem pe ceilalți *să creadă* ce le spunem. Trebuie să-i oprim *să se îndoiască* de ceea ce le spunem.

Mai există desigur și rolul incongruenței. Dacă vă aduceți aminte din Capitolul 6, clienții aveau o probabilitate mai mare de a cumpăra felicitări de Crăciun de la un vânzător ambulant, dacă acesta le spunea prețul în cenți, nu în dolari. Și clienții de la piață cumpărau mai multe prăjituri de la un cofetar, dacă el le spunea jumătăți de prăjitură. Era și un truc la mijloc, dacă țineți minte. Escrocheria funcționa doar dacă vânzătorul intervenea cu o replică, imediat după prima intervenție neobișnuită: în cazul felicitărilor de Crăciun, „E un chilipir!", iar în cazul prăjiturilor, „Sunt delicioase!"

Nu trebuie să fii vreun geniu ca să-ți dai seama ce se petrece. E vorba doar despre efectul Gilbert în oglindă. Clienții primesc obișnuitele sloganuri comerciale „E un chilipir!" și „Sunt delicioase!", dar sunt atât de năuciți de aberația care tocmai le-a *fost servită*, încât „uită să se îndoiască". Ei sunt atât de preocupați să încerce să înțeleagă care e faza cu jumătățile de prăjitură, sau cu miile de cenți pe care trebuie să-i scoată din buzunar pentru felicitările de Crăciun, încât sistemele de siguranță ale creierilor lor nu se activează, iar ușile rămân larg deschise.

Concluzia pare destul de evidentă. Dacă reușiți să închideți linia de asamblare a anticorpilor de îndoială ai creierului – un timp suficient de îndelungat pentru ca virusul cu informații pe care vrem să-l strecurăm să aibă timp să se înmulțească și să se instaleze –, persuasiunea nu ar trebui să aibă nicio limită. Problema e, desigur, cum să dezactivăm acel sistem.

Persuadare sub presiune

Am putut trăi pe pielea mea efectul unui astfel de virus, în timp ce lucram la un episod-pilot pentru un serial despre convingere. Episodul era construit în jurul temei persuasiunii, într-un context militar. Eu voiam să știu care sunt caracteristicile unui bun interogator? E asta o treabă pe care ar putea-o face oricine, sau există și aici o ierarhie naturală a talentului? Imaginile arhetipale ale interogatorilor din cultura maselor – de pildă Laurence Olivier, în Maratonistul – ne sugerează că răutatea e mai importantă decât inteligența. Cu toate acestea, studiile efectuate atât în domeniul militar, cât și în criminalistică, ne oferă o cu totul altă perspectivă asupra acestui subiect. În loc să recurgă la violență, cei mai buni interogatori din lume au multe în comun cu cei mai buni escroci. Ei reușesc să se infiltreze, nu să invadeze. Ei ne fac praf mintea, nu măselele. Ei cunosc intuitiv „psihologia de stradă".

Ca să pot afla care-mi sunt propriile limite, m-am confruntat chiar cu profesioniștii: am lăsat baltă gazonul și bibliotecile de la Universitatea Cambridge, și m-am înfruntat cu specialiștii din Forțele Speciale. Mi s-au dat trei informații pe care trebuia să mă străduiesc să nu le dezvălui „răpitorilor" mei; aceștia, la rândul lor, trebuiau să aplice o combinație letală de tehnici fizice și psihologice, pentru a încerca să extragă informația de la mine.

Părea o idee bună, asta cel puțin până când m-am întâlnit cu unul dintre interogatori.

– La ce fel de violență ar trebui să mă aștept? l-am întrebat pe Dave, în timp ce ne beam *latte*-urile la Starbucks.

A zâmbit.

– Nu violența o să-ți vină de hac, mi-a zis. E doar *amenințarea* violenței. Acel proces psihologic cancerigen, prin care ajungi să crezi că ți se va întâmpla ceva îngrozitor și că e iminent.

– Ești sigur că e bine să-mi spui asta încă de pe acum? am glumit eu.

– Nici nu contează, a zis el. Deși știi dinainte că nu o să te omorâm, nu schimbă cu nimic situația. Ce ai aici (își bate cu degetul în cap) o să te termine. Sigur, ai putea crede acum că nu o să te omorâm. Odată ce începem, băieții o să te convingă destul de repede.

Ca să fiu sincer, eram destul de sceptic. Dave mi-a dat apoi un exemplu din selecția pentru Forțele Speciale, deci cam ce îmi pregătea și *mie*.

> La etapa asta candidatul e deja epuizat...
> Ultimul lucru pe care-l vede, înainte să-i punem gluga pe cap, e camionul de două tone. Îl întindem pe jos, iar în timp ce stă acolo, aude cum camionul se apropie de el. După vreo 30 de secunde, e chiar acolo lângă el, poate să audă motorul la câțiva centimetri de ureche. Ambalăm bine motorul, apoi șoferul coboară. Trântește ușa și pleacă. Motorul continuă să meargă. Un pic mai târziu, de undeva, din depărtare, cineva întreabă dacă e trasă frâna de mână. În acest moment, unul dintre soldați – care stătea tot timpul acolo, dar fără ca victima să știe – începe să rostogolească, cu mâna, o roată de rezervă spre tâmplă, în timp ce victima e întinsă pe jos. El crește treptat presiunea. Un alt membru al echipei crește turațiile puțin, ca să dea impresia că a pus în mișcare camionul. După câteva secunde, dăm cauciucul la o parte și îi scoatem gluga. Apoi începem să-l prelucrăm. „Spune-ne numele..." De regulă, mulți cedează în acest punct.

Când am trecut și *eu* prin asta, „momentul meu al adevărului" nu a fost prea diferit. Eram legat în lanțuri, dezbrăcat, pe podeaua unui depozit tenebros, abandonat, am văzut – aparent în ralanti – cum un motostivuitor uriaș ținea o bucată mare de beton-armat la vreo 10 metri deasupra capului, apoi o cobora treptat, astfel încât baza aspră mă apăsa ușor pe piept. Au ținut-o acolo preț de 15 secunde, apoi am auzit cum mecanicul urla: „Jim, s-a blocat mecanismul. Nu pot să-l mai mișc..."

Dave a avut dreptate. După aceea, în siguranța camerei de interogatoriu, mi-am dat curând seama că nu îmi puseseră deloc viața în pericol. De fapt, „betonul-armat“ nu era sub nicio formă beton, era doar o spumă. Iar mecanismul nu se blocase. Funcționa perfect. Eu nu știam desigur asta, la vremea respectivă, și nici candidații din Forțele Speciale care sunt tratați astfel în timpul procedurii de selecție nu știau. Din punctul în care mă aflam (sau zăceam) pe podeaua plină de motorină și băltoace a unui depozit abandonat, care ar fi putut fi oriunde (mă aduseseră acolo cu o glugă pe cap ca să mă dezorienteze și mai tare), părea dureros de real. În ciuda a ce-mi spusese Dave, că nu mă vor omorî, când ai o greutate de zece tone atât de aproape, încât o poți mirosi, și te apasă pe piept, îți vine greu să te „îndoiești“ că ar urma moartea. E aproape imposibil, de fapt. Creierul e atât de copleșit de starea de frică, încât suprimă complet modulul de „detectare a minciunilor“.

Îndoiala este procesul care ține convingerea sub control. În absența ei, nu ar exista niciun fel de limite.

Când sfârșitul lumii nu e sfârșitul lumii

Unul dintre aspectele amuzante ale îndoielii e că, uneori, creierul se poate îndoi de sine. Uneori, când nu suntem chiar siguri că ne place ceva, sau suntem nefericiți cu un anumit rezultat, ne convingem că nu e atât de rău. Când ni se întâmplă asta, nu suntem prea diferiți de Omul Oglindă.

În 1956, psihologul social Leon Festinger de la Stanford a pus o întrebare pe care probabil ne-am pus-o cu toții la un moment dat: ce se întâmplă cu membrii cultelor religioase care prevestesc apocalipsa... și ea nu se produce? Se întorc la slujbele lor și spun că „au câștigat experiență“? Ce se întâmplă aici?

Pentru a putea afla, Festinger s-a infiltrat într-un cult apocaliptic care credea în OZN-uri, condus de gospodina Marion Keech din Chicago. Ea a prevestit că lumea va fi distrusă de un potop extraterestru, în data de 21 decembrie. Nedorind să se lase mai jos, Festinger a făcut și el o profeție: contrar bunului-simț, care ar fi dictat ca în cazul în care profeția lui Keech nu s-ar fi îndeplinit, activitatea grupului, în loc să se domolească după eșecul profeției, urma, de fapt, să fie mai *intensă*. Festinger credea că din contradicția între faptul că, pe de o parte, lumea nu s-a sfârșit și, pe de altă parte, viața și-a văzut de ritmul ei normal se va naște în creier un angajament reînnoit, sporit chiar față de preceptele cultului – cu scopul de a reduce tensiunea dintre realitatea obiectivă și cea subiectivă și de a restabili armonia psihologică.

S-a dovedit că tocmai asta s-a petrecut. Exact cum a prevăzut Festinger, eșecul lui Keech *nu* a produs niciun efect negativ asupra cultului. Din contră. Adepții ei și-au întețit eforturile și coeziunea. Extratereștrii, se credea, au decis să se răzgândească, acesta fiind un gest de bunăvoință față de „adevărații credincioși". Lumea urma să fie scutită temporar de apocalipsă și întreaga populație avea să fie cruțată. Dacă această ipoteză nu ar fi apărut, alternativa, după cum remarca Festinger, era de nerostit, anume că nu ar fi existat niciodată farfuriile zburătoare. Că planul de a-i evacua pe toți în cosmos nu a existat deloc. Și că slujbele, soțiile și casele fuseseră abandonate degeaba.

Studiul lui Festinger asupra cultului lui Keech a provocat o avalanșă de alte studii despre *dinamica disonanței* cognitive. Unul dintre acestea, efectuat chiar de Festinger în 1959, a contribuit la sporirea înțelegerii fenomenului. În studiu existau trei ingrediente principale: grupul obligatoriu de studenți, o serie de exerciții lipsite de sens și plictisitoare și o mare minciună: studenții trebuiau să facă exercițiile și apoi să atragă și alți „participanți" (care erau, de fapt, colegi ai cercetătorilor), pretinzând că ele erau *interesante*.

Studenții au fost împărțiți în două grupuri. Membrii unui grup au primit 1 dolar pentru a menține aceste aparențe, ceilalți 20 de dolari. Festinger s-a întrebat ce efect ar putea avea diferența între recompense asupra felului în care studenții evaluau *cu adevărat* exercițiul?

S-a dovedit că impactul era uriaș. Exact cum prevedea teoria disonanței (și contrar tuturor legilor bunului-simț), studenții cărora li s-a dat doar 1 dolar pentru a-i induce în eroare pe ceilalți participanți, s-au declarat *mai puțin* revoltați de exercițiu decât omologii lor care au fost mai bine plătiți.

Incredibil.

Și care e motivul?

Conform lui Festinger, era simplu. Grupul celor care au primit 1 dolar au trăit o disonanță mai mare decât cei care au primit 20 de dolari — 1 dolar versus 20 de dolari — oferindu-le o justificare insuficientă pentru comportamentul lor discrepant (faptul că le spuneau celorlalți că exercițiile erau interesante, când, de fapt, erau plictisitoare). În absența *oricărei* alte justificări pentru comportamentul lor, studenții erau forțați să *internalizeze* atitudinea pe care au fost induși să o exprime și au ajuns, făcând asta, să creadă cu adevărat că exercițiile pe care le făceau erau plăcute.

Pe de altă parte însă cei din grupul care a primit 20 de dolari aveau motive să creadă că exista o justificare *din exterior* a comportamentului lor: făceau asta pentru bani. Din punctul de vedere al satisfacției, cu această sarcină nu era nicio problemă.

De ce iubim lucrurile pe care le urâm (mai ales dacă nu le putem returna)

Pericolele disonanței cognitive ar trebui să se afle pe prima poziție în mintea oricărui om care-și dorește să convingă, mai ales în situațiile în care mizele sunt mari și persoana pe care acesta o convinge are mult de pierdut. Studiul lui Festinger – considerat un studiu clasic în zilele noastre – ne-a oferit, pentru prima dată, dovezi concrete ale unui fenomen pe care astăzi îl considerăm parte din peisaj: existența unor forțe gravitaționale puternice în interiorul creierilor noștri, care țin orbitele actului de a convinge și ale comportamentului într-un aliniament psihologic strâns. Uneori însă, în mod destul de evident, gravitația e atât de puternică – și aliniamentul atât de înrobitor –, încât rațiunea dispare într-o gaură neagră neuronală. În publicitate, de pildă, studiile au arătat că nu doar arterele fumătorilor se întăresc ca urmare a obiceiului lor. Și atitudinile lor devin mai dure în urma campaniilor de sănătate publică.

Să ne gândim la dilema cu care se confruntă un fumător atunci când vede o reclamă antifumat. Afirmațiile „eu fumez" și „fumatul ucide" nu vor fi niciodată, din motive evidente, aliniate în mod natural. Ele nu vor fi niște bune colege de cameră cognitivă. Prin urmare, ori una dintre ele pleacă și-și caută un alt loc în care să doarmă, ori găsesc o cale de a merge mai departe (fumătorii se concentrează de regulă asupra beneficiilor percepute ale obiceiului lor – de exemplu, „Mă ajută să mă relaxez", „Toți prietenii mei fumează" – minimalizând în același timp riscurile: „Nu toți experții sunt de acord", „doar cei în vârstă sunt mai expuși").

Același lucru se aplică și în cazul convingerilor religioase. Parcimonia cognitivă care-i caracterizează pe anumiți credincioși (dar și desigur pe anumiți necredincioși) izvorăște din împrumuturile psihologice uriașe pe care aceste credințe le consumă adesea pe parcursul multor ani și adesea garantate de băncile vechi ale identității sinelui (perspectiva morală, rețelele sociale și afilierea politică). *Voi* ați putea vinde totul și să porniți din nou de la zero?

Există și exemple mai banale. Gândiți-vă ce se petrece când cumpărați un obiect dintr-un magazin, ajungeți acasă și nu vă mai place, apoi, când reveniți la magazin, descoperiți că acesta nu acceptă retururile. Dacă sunteți la fel ca majoritatea oamenilor, se va petrece următoarea reacție: veți ajunge ca prin minune să credeți că vă *place* obiectul pe care vi l-ați cumpărat. În timp ce mototoliți chitanța și o aruncați la coș, vă veți spune: „Hei, poate că nu e atât de rău, ce să zic".

Aici nu e însă vorba despre nicio magie; e doar mâna disonanței cognitive. Două convingeri ireconciliabile, antitetice – „am cheltuit o sumă X pe această achiziție", pe de o parte, și „nu-mi place și nu o pot returna", pe de alta – sunt forțate să coabiteze în aceeași zonă a creierului, până când, fie cele două se împacă și-și rezolvă diferențele, fie una dintre ele își face bagajele și pleacă. În 90% din cazuri, ele învață să se înțeleagă.

Neurologia influenței

Efectele disonanței cognitive demonstrează destul de clar felul în care aspectele definitorii ale persuadării sunt strâns legate de emoții. Un experiment recent efectuat de Sam Harris și colegii acestuia, la University of California din Los Angeles, merge chiar mai departe, arătându-ne cum manipularea, emoțiile și influența sunt strâns legate în creier.

Folosind un dispozitiv special ca o pereche de ochelari, pe care participanții îl poartă peste ochi, Harris le-a afișat afirmații din diferite domenii, pe care ei trebuiau să le valideze în funcție de valoarea de adevăr. Fiecare dintre cele șapte categorii (matematică, geografie, autobiografice, religioase, etice, semantice și faptice) conținea trei feluri de afirmații: afirmații adevărate, afirmații false și afirmații care nu sunt nici adevărate, nici false; cele care, cu alte cuvinte, nu pot fi verificate în niciun fel (de exemplu, o afirmație *adevărată/matematică* ar putea fi de forma (2+6)+8=16; o afirmație *etică/falsă* ar putea fi „copiii nu ar trebui să aibă niciun drept decât când obțin dreptul de vot"; iar o afirmație *religioasă/neverificabilă* ar putea fi „Iisus a rostit 2 467 de cuvinte în Noul Testament").

În timp ce participanții evaluau afirmațiile, Harris a început o muncă de detectiv, scotocindu-le în creier cu un RMN funcțional. El se întreba căror regiuni anatomice le corespunde fiecare dintre aceste evaluări diferite: convingerii, îndoielii și nesiguranței pe care le provoacă cele trei tipuri de afirmații.

Rezultatele au fost interesante. Pentru început, datele privind timpii de reacție au arătat că afirmațiile sunt acceptate mai repede ca fiind adevărate, decât sunt respinse ca fiind false, sprijinind suplimentar presupunerea lui Spinoza conform căreia mai întâi credem apoi ne „îndoim".

Au existat însă și alte concluzii. Harris a constatat că persuasiunea e însoțită de o activitate sporită a cortexului prefrontal ventro-medial (vezi Figura 8.1a de la pagina următoare partea creierului asociată de regulă cu integrarea datelor și a sentimentelor, și cu modularea comportamentelor, ca reacție la modificările potențiale de a le recompensa (cu alte cuvinte, cu cântărirea avantajelor și dezavantajelor). Îndoiala, în schimb, activează insula anterioară (vezi Figura 8.1b), regiunea care joacă adesea un rol în reacții precum durerea sau dezgustul, dar și în a evalua cât de plăcute sunt diferite mirosuri și gusturi. Nesiguranța, așa cum se așteptau cercetătorii, a stimulat cortexul cingulat anterior, un soi de bec de avertizare al creierului, care se aprinde și se stinge atunci când apare subit, pe radar, ceva nou și dezorientant (vezi Figurile 8.1c(i) și (ii)).

Figura 8.1a – Activarea regiunilor cortexului prefrontal ventromedial pentru afirmații privind adevărul (convingeri) în cele șapte categorii de afirmații:matematică, geografie, autobiografice, religioase, etice, semantice și faptice. Zonele cu alb indică arii de activitate cerebrală crescută.

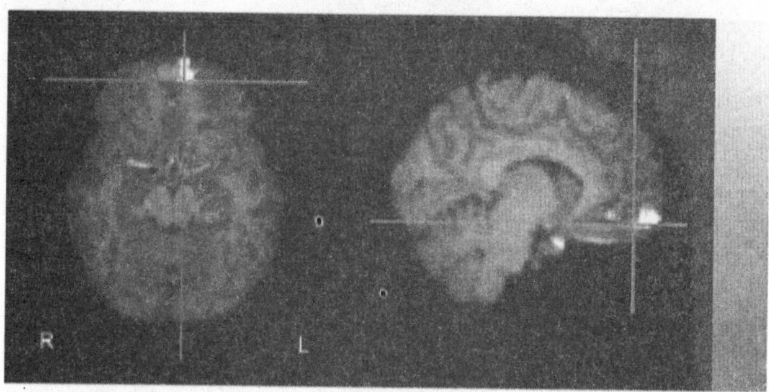

Figura 8.1b – Imaginea axială (stânga) prezintă o activitate sporită a girusului frontal inferior (în special în stânga), a girusului frontal median și a insulei interioare (bilaterală) pentru evaluarea falsității (îndoielii) afirmațiilor din cele șapte categorii de afirmații. Imaginea sagitală prezintă o activitate sporită a lobului parietal superior, cortexului cingulat și a girusului frontal superior.

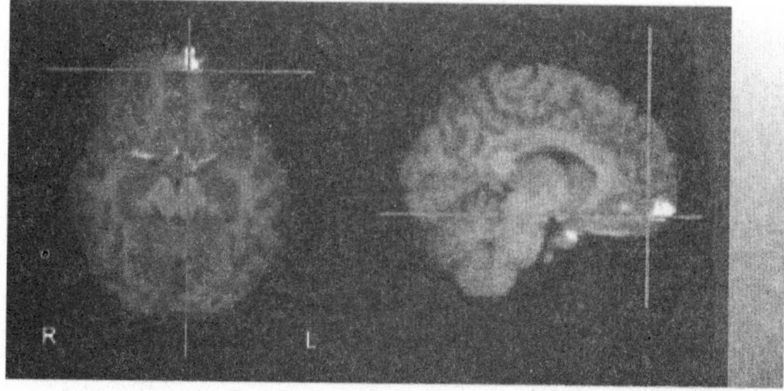

Figurile 8.1c (i - sus) și 8.1.c (ii - jos) - Activarea girusului cingulat anterior și a girusului frontal superior în timpul evaluării incertitudinii. Figura 8.1c (i) prezintă contrastul față de afirmațiile legate de convingere. Figura 8.1c (ii) prezintă contrastul față de afirmațiile legate de îndoieli.

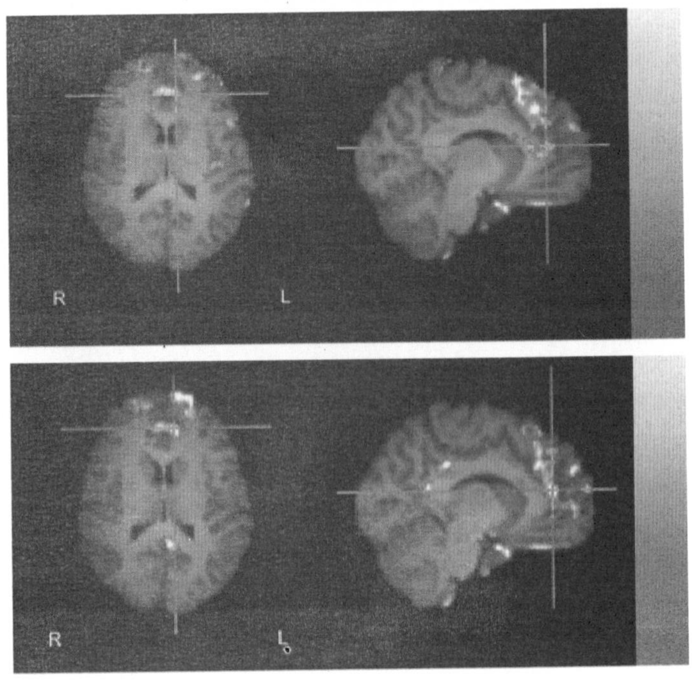

E oare posibil ca aceste regiuni să definească limitele influenței? Sunt convingerile care stau la baza emoțiilor, și care provoacă o activitate sporită a cortexului prefrontal ventro–median să fie deosebit de dificil de schimbat, iar cele care supără insula anterioară să fie deosebit de greu de dobândit? Ipoteza pare cu siguranță plauzibilă, însă, după cum remarca Mark Cohen, unul dintre coautorii lui Harris, una e cum se comportă oamenii într-un laborator, și alta, să zicem, într-o sală de consiliu, unde mai sunt și alții, iar etichetarea afirmațiilor – „adevărată“, „falsă“ și „nu știu“ – e mult mai puțin clară.

„Persuadarea e un fenomen social", îmi spune el. „Interacțiunea socială presupune alte circuite cerebrale, pe care nu le-am acoperit în studiul nostru... Ce putem însă spune e că pare să existe o asociere între convingere, îndoială și nesiguranță, cu anumite tipare cerebrale ale acceptării, respingerii și indeciziei".

Această concluzie are impact și asupra metodei SPICE. Un stil de manipulare care stimulează simultan toate cele trei zone de influență ale creierului (incongruența – cortexul cingulatanterior; simplitatea, interesul propriu perceput, încrederea și empatia – cortexul prefrontal ventro–median), iar cele cinci elemente *neutralizează* în loc să stimuleze insula anterioară va fi desigur un stil puternic. În anumite împrejurări (ne gândim, de pildă, la armele de convingere ale nou-născuților: tonul plânsului activează cortexul cingulat anterior, și rețelele *kindchenschema* din cortexul prefrontal) poate fi chiar un stil irezistibil.

Conduși spre distragerea atenției

Pe o căldură de 35 de grade, discut la o bere – despre concluziile lui Harris – cu Colin MacLeod, profesor de psihologie clinică la University of Western Australia din Perth. MacLeod este expert în tulburări de anxietate și știe foarte bine cum convingerea și emoția se pot ciocni frontal. Urmează să mi-o prezinte pe Tania, o manichiuristă de 27 de ani, cu o fobie față de centura de siguranță, care lucrează la un salon din apropiere. Sau, mai bine zis, *lucra*. Până când a fost nevoită să-și vândă mașina.

„De multe ori ne facem griji din cauza grijilor", explică MacLeod. „Adăugăm lucrului care ne îngrijorează îngrijorarea pe care ne-o provoacă acel lucru. „Derivata" preia apoi controlul, și lucrurile devin încâlcite. Îngrijorarea derivată devine treptat punctul central al problemei – îngrijorarea primară, dacă înțelegi ce vreau să spun...

Ce vom face așadar, în mod ironic, cu Tania, e să o facem să-și concentreze anxietatea asupra centurii de siguranță, pentru că, făcând asta, vom reuși, fără ca ea să o știe , să-i distragem atenția de la *adevărata* sursă a anxietății ei – îngrijorarea despre îngrijorare – și o vom transfera asupra unei anxietăți «fantomă»: frica inițială, care acum e inactivă din punct de vedere afectiv. E un soi de distragere mascată a atenției. Tania se va concentra în mod inconștient, nu asupra fobiei *în sine*, ci asupra unei anxietăți-satelit, asociate cu declanșarea fobiei".

Dacă surprindeți creierul cu pantalonii în vine, orice e posibil.

În timp ce Tania sosește și ne îndreptăm spre parcare, MacLeod începe să vorbească cu ea, să o liniștească.

– Ceea ce vreau să fac mai întâi, explică el cu calm, e să văd simptomele la prima vedere, cu ochii mei, ca să știu ce putem face în privința lor. E OK?

Tania dă din cap.

– Bun, spune MacLeod. E bine. Vom încerca din nou într-un minut.

Când ajungem la mașină, MacLeod îi pune Tinei aceeași întrebare.

– Concentrează-te asupra anxietății, îi spune, și spune-mi cum te simți.

Din nou, Tania e pe dinafară. În mod uluitor, reușește apoi câteva secunde mai târziu să se urce în mașină. Și să își pună centura. Când conduce în parcare, nu pare să aibă nicio problemă. Și nici cu traficul de pe autostradă. Dintr-odată, pare că programarea fusese inutilă. Că simptomele erau doar o alarmă falsă, iar fobia – dacă despre asta era vorba – n-ar fi existat niciodată. Atât doar că a existat și recent și-a pierdut chiar slujba din cauza ei.

Când am revenit la râu ca să mai bem o bere, îi sugerez lui MacLeod că a folosit SPICE. El nu mă contrazice, deși, susține el, termenul tehnic este intenția *paradoxală*: eradicarea unui anumit simptom, prin concentrarea completă a atenției asupra simptomului *în sine*. Încep să rămân pe gânduri. Înainte de a mă întâlni cu MacLeod, nu-mi dădusem seama că terapia e o formă de manipulare. Presupun că mi se părea ceva „medical" și trebuie să-ți faci programare. MacLeod însă nu are astfel de iluzii.

„Terapia e *cu siguranță* o muncă de convingere", spune el. „La bază, e vorba despre schimbarea sistemelor de convingere ale oamenilor. Ce se petrece e că terapeuții sunt persuasivii profesioniști. Ceea ce fac prin TCC[45] – stilul de terapie pe care îl practic – este să le permit oamenilor să-și schimbe paradigma din capul lor. Nu e le ofer o soluție la problemele lor, ci o *variantă* diferită de a se gândi la ele. Nu le ofer cheia, mai degrabă îl conving pe client să se gândească să-și schimbe încuietoarea".

Fii fericit, nu te îngrijora

În ultimii ani, MacLeod a făcut parte din avangarda unei noi forme de terapie denumită modificarea prejudecăților cognitive, care, dacă ar funcționa (și primele indicii sunt favorabile), ar putea redefini complet limitele convingerii. MacLeod a făcut parte, în calitate de cercetător postdoctoral, la începutul anilor '80, din primul val de cercetători care au adus instrumentele psihologiei cognitive în domeniul *clinic*, în special în zona tulburărilor de anxietate. Ce *gândesc* oamenii anxioși? MacLeod a vrut să afle. Cum diferă gândurile lor de gândurile oamenilor obișnuiți? Rezultatele au fost profunde. La fel ca un fan al echipei Manchester United, care va reuși să-și fixeze atenția asupra cuvintelor „Manchester United" pe o pagină cu cuvinte altminteri irelevante, la fel și atenția indivizilor anxioși este atrasă, inexorabil, de lucrurile amenințătoare din jurul lor. Spre deosebire de noi, care le putem filtra, oamenii anxioși nu le pot exclude. Pentru a folosi terminologia de specialitate, ei sunt „vigilenți la amenințări".

MacLeod a demonstrat acest fenomen, folosind o paradigmă cunoscută sub numele de *exercițiul de găsire a punctului*. Participanții sunt împărțiți în două grupe – anxioși și neanxioși – și privesc intens o cruce din centrul unui ecran de calculator. După aceea apar două cuvinte, unul neutru și unul amenințător, la întâmplare, pe oricare dintre părțile ecranului (stânga sau dreapta) timp de aproximativ 500 de miimi de secundă, înainte ca un semn (de regulă un punct) să apară în locul cuvintelor. Participanții trebuie să indice apoi poziția acestui punct (stânga sau dreapta) cât de repede posibil, apăsând o tastă, repetând apoi de mai multe ori exercițiul.

[45] Terapie cognitiv-comportamentală.

La final, când se calculează media timpilor de reacție, și se compară performanțele grupurilor de anxioși și neanxioși, rezultă o diferență semnificativă. S-a arătat că indivizii anxioși găsesc mai repede simbolul, atunci când acesta apare într-o poziție în care anterior se aflase un cuvânt amenințător, decât atunci când apare într-o poziție neutră, o discrepanță care nu se regăsește la cei non-anxioși. Cu alte cuvinte, indivizii anxioși au o *prejudecată cognitivă* față de amenințări.

MacLeod a reinterpretat recent paradigma exercițiului de găsire a punctului. La început, după cum am văzut, procedura era esențială în descoperirea *motivațiilor* anxietății, cel puțin, la nivel cognitiv. Putea ea însă să fie folosită pentru a *reduce* anxietățile, pentru a elimina prin „concentrare" prejudecata față de amenințări? MacLeod crede că e posibil, și poate chiar dovedi asta.

În 2002, el a modificat paradigma, așa încât obiectul să nu mai apară la întâmplare. Astfel, în loc să apară cu frecvență egală în zonele amenințătoare și cele neutre, el apărea 100% doar într-una dintre cele două zone: în cazul unui cuvânt legat de amenințare, *condiția răspunde la amenințare* (RA), în cazul unui cuvânt neutru, *condiția răspunde la neutru* (RN). MacLeod a ales apoi voluntari cu scoruri medii de anxietate (pe baza răspunsurilor la un chestionar-standard) și i-a împărțit în două grupe. Un grup a primit 600 de stimulări RA, celălalt 600 de stimulări RN.

Putea exercițiul cu punctul să se transforme dintr-o paradigmă experimentală într-o paradigmă d*e pregătire*? Era cu putință, prin îndreptarea repetată a atenție către un loc sau un altul, ca prejudecățile să fie *induse*?

Răspunsul este da. După ce, la finalul sesiunii de „instruire", cei din grupul RA au primit un exercițiu normal cu puncte, aceștia au prezentat – ce credeți? – o vigilență sporită pentru cuvinte legate de amenințări. Spre deosebire de ei, cei din grupul RN au prezentat o vigilență sporită față de cuvintele neutre. Nu doar atât, când voluntarii au trebuit să rezolve anagrame create special pentru a le induce o senzație de anxietate (majoritatea dintre ele ar fi putut fi în limba swahili, iar unele erau de-a dreptul imposibile), cei din grupul RN au prezentat mai puține simptome de stres decât cei din grupul RA.

Povestea nu se termină aici. În timp ce MacLeod a lucrat cu antrenarea *atenției*, Andrew Mathews și Bundy Mackintosh de la MRC Cognition and Brain Sciences Unit de la Cambridge au urmat o abordare similară și au dezvoltat o tehnică prin care putem modifica felul în care *interpretăm* situațiile. Din experiența sa de psiholog clinician, la spitalul St George din Londra, Mathews și-a dat seama că așa cum *atenția* indivizilor anxioși este atrasă de stimulii amenințători din mediu, la fel sunt și *procesele lor de gândire*. În timp ce noi am putea vedea partea frumoasă, indivizii anxioși ar putea din principiu să procedeze invers: să interpreteze lucrurile de o manieră negativă, mai ostilă. Pentru a ilustra acest aspect, Mathews oferă un exemplu. În adolescență, un coleg a avut într-o bună zi un punct roșu pe față,exact în ziua în care ieșea cu o nouă fată. Enervat de reacția fratelui mai mic, el iese din casă furtunos și se așează pe o bancă, în vârful unui deal din apropiere, cu vedere la oraș. După cinci minute, vine un turist și se așează lângă el.

– Ce punct frumos, zice el...

Abordarea lui Mathews e asemănătoare cu a lui MacLeod, doar că, în loc să antreneze atenția, el antrenează *cogniția*. Într-un experiment tipic, voluntarii primesc mai multe scenarii, care trebuie să fie rezolvate fie pozitiv sau negativ, prin completarea unui fragment de cuvânt la capăt. Aceasta este etapa de *instruire*.

Spre exemplu: „Partenerul vă cere să participați la o cină aniversară organizată de compania lor. Nu i-ați mai cunoscut colegii până acum. În timp ce vă pregătiți, credeți că oamenii noi pe care-i veți cunoaște vor considera că sunteți..."

În starea menită să inducă o prejudecată de interpretare *negativă*, fragmentul de cuvânt care trebuie completat e „pl--tisitor" (plictisitor); și va trebui să treceți prin 100 de astfel de exemple. În starea menită să inducă o prejudecată *pozitivă*, cuvintele sunt de genul „pri--e-os"(prietenos) și va trebui să treceți prin 100 de astfel de *exemple*.

După aceea, în etapa de *test*, voluntarii primesc un alt set de scenarii, asemănătoare cu primele, doar că de data aceasta, concluziile rămân ambigue și sunt însoțite de mai multe rezultate potențiale, care trebuie evaluate în funcție de cât de bine se potrivesc cu situația.

La fel ca în cazul procedurii lui MacLeod de instruire a atenției, Mathews a constatat că acei voluntari care sunt instruiți să interpreteze lucrurile negativ sprijină rezultatele care se acordă cel mai mult cu această prejudecată; reciproca e valabilă și pentru cei care sunt condiționați pozitiv. Dincolo de asta, la expunerea ulterioară la alți factori de stres (de exemplu, videoclipuri cu răniri și accidente), cei care au trecut prin instruirea pozitivă prezintă mai puțină anxietate decât cei care au trecut prin instruirea negativă.

„Don't worry, be happy“ cânta Bobby McFerrin. Ar trebui să fie invers, fii fericit, nu te îngrijora.

Căile convingerii

MacLeod și Mathews sunt optimiști în privința viitorului (ar și trebui, nu-i așa?). Au motive întemeiate. Dacă, așa cum ne-a arătat Sam Harris, convingerea este o stare a creierului, atunci prin schimbarea stării cerebrale: am putea, în teorie, să schimbăm și convingeri. Nu doar în teorie, ci și *în fapt*. Și nu doar unele convingeri, ci orice convingeri. Religioase, politice, ce vreți voi.

În 2004, la câțiva ani după ce a modificat paradigma exercițiului cu puncte, MacLeod a folosit același procedeu cu persoane cu fobie socială. În decursul unei perioade de două săptămâni, pacienții au primit o doză zilnică de 384 de exerciții, care să le distragă atenția de la cuvintele legate de amenințări. Rezultatul? O reducere semnificativă a simptomelor.

Un an mai târziu, în 2005, Matt Field și Brian Eastwood de la Universitatea din Liverpool au adaptat modelul de modificare a prejudecăților cognitive, pentru a-l folosi cu alcoolicii (imagini neutre versus imagini legate de alcool). Măsurând apoi în mod ingenios dependența de alcool, ei au constatat că cei care au fost predispuși la imagini neutre, gustau mai puțină bere într-un „test de gust“, decât cei care au fost predispuși la imagini cu alcool.

Studiile efectuate pe cei care au suferit accidente vasculare cerebrale, sunt chiar și mai spectaculoase. Edward Taub de la Universitatea din Alabama a înființat Clinica de terapie Taub, unde pacienții umblă cu greutăți pe membrele *bune*. Nu pare atât de evident de ce; asta dacă nu ați avut un moment de revelație ca Taub.

Taub a descoperit că creierii celor care au suferit accidente vasculare cerebrale, intră într-o stare de „șoc cortical“, perioadă în care, orice încercare de a mișca membrele afectate se lovește de un eșec. După o perioadă de câteva luni, rezultatul acestui eșec, generează un fenomen denumit de Taub „nefolosire învățată“ (o variantă a neajutorării învățate pe care am întâlnit-o în capitolul 5), prin care harta motorie neuronală a părții de corp afectate (în conformitate cu principiul absolut „ori îl folosești, ori îl pierzi“), începe să se atrofieze. Dacă *forțăm* însă persoana să lucreze cu zona afectată, să insiste chiar și în timpul unui eșec repetat (de unde și greutățile sau accesoriile unei terapii de mișcare „indusă de constrângere“ așa cum îi spune Taub), pot fi făcuți pași impresionanți, la propriu. Creierul poate fi învățat să se reprogrameze: să trimită noi generații de dendrite în zone neuronale necartografiate, pe unde au umblat strămoșii lor. Dacă putem lupta cu paralizia prin „manipulare“, cine ar putea spune unde se termină această influență?

Elaine Fox, profesor de psihologie la Universitatea din Essex, a dus lucrurile cu un pas mai departe decât Mathews și MacLeod, analizând, cu ajutorul unui RMN funcțional – efectele modificării prejudecăților cognitive în interiorul creierului. Programul ei de studii (în colaborare cu Naz Derakshan de la University of Londra) e încă în fază incipientă, dar una dintre zonele pe care le analizează cu atenție este cortexul prefrontal ventro–median care e implicat, după cum a demonstrat Sam Harris, în formarea convingerilor. Ea caută în mod special, modificări ale rețelelor de control ale atenției dintre cortexul prefrontal și amigdala cerebrală: dacă va descoperi ceva, ea ar putea să rezolve problema dificilă a convingerii, putând izola, pentru prima dată, o „cale a convingerii“ în creier.

„Nu e vorba despre convingere în sensul cel mai strict al cuvântului“, spune Fox, „pentru că prin modificarea prejudecăților cognitive, individul e un participant benevol în procesul de schimbare a convingerii, iar parametrii procedurii sunt subliminali. Ca indicator al schimbărilor petrecute în creier, atunci când ne schimbăm părerile, poate fi cu siguranță un început“.

Și chiar este. Fie că e un stil de gândire deschis sau fix, fie că vine nava mamă a extratereștrilor să vă salveze, fie că vă luați patul și umblați, codul fiecăruia dintre aceste sisteme de gândire, este înscris în creier, sub forma unor furtuni electrice străvechi, care se propagă pe suprafața lui în miimi de secundă. Dacă putem abate cursul acestor date electrochimice, sau le putem modifica intensitatea, putem îndrepta convingerea prin latitudini tenebroase ale influenței către schimbare.

Veți putea, cu alte cuvinte, *să convingeți.*

Înapoi la Sydney, în Centrul de științe cognitive al Universității Macquarie, am aprofundat problema Omului Oglindă.

"Și dacă stă deasupra unei bălți și aprinde un chibrit?“ îl întreb pe Max Coltheart, fondatorul programului de formare a convingerilor. „Va trebui apoi să explice cum alteregoul lui poate să facă asta în apă.“

Coltheart dă din umeri. Pare că a mai auzit deja întrebarea.

„Păi, a reușit să explice cum tovarășul lui de ras îl urmărește prin baie“, spune el. „L-a surprins chiar în pat cu soția! Cu siguranță că o să inventeze ceva. Oamenii greșesc atunci când cred că răspunsul ar trebui cumva fundamentat pe logică. Nu este. A spus chiar el că știe că sună nebunește. Problema e legată de felul în care creierul lui procesează lumea, de felul în care ordonează datele senzoriale, iar atunci încearcă să construiască o narațiune internă, coerentă“.

Și în asta constă secretul.

Avocatul Mansfield ne spunea, în capitolul 4, „Câștig sau pierd nu doar pe baza argumentelor, ci și pe baza impresiilor. Poți face multe prin puterea sugestiei... Nu e vorba doar despre a prezenta probele, ci și despre *cum* le prezinți“.

În Sydney juriul a rămas încă în pronunțare.

PS Imperfecțiunea perfectă

Sunt adesea întrebat, când vine vorba despre persuadarea spontană, dacă ea e la îndemâna oricui. Avem cu toții capacitatea de a ne strecura prin punctele esențiale ale vieții sau rămâne această artă apanajul celor puțini, al geniilor persuadării, care dispun de anumite abilități speciale?

Răspunsul meu este întotdeauna același.

Problema e una de grade. Majoritatea dintre noi avem o conexiune directă cu lumea ideilor platonice, perfecte. Și majoritatea, dacă nu toți, va ajunge uneori acolo din întâmplare. Când a fost ultima dată când ați spus exact *ce trebuia*, în momentul *potrivit*, dar v-ați dat seama de asta abia mai târziu? Poate că nu v-ați dat seama la momentul potrivit, dar adesea e bine că nu vă dați seama!

În egală măsură, impresionantă, deși folosită ceva mai des, e conexiunea directă către *imperfecțiunea* platonică. Când a fost ultima dată când ați spus exact ce *nu trebuia*, la momentul potrivit?

E mai ușor de ținut minte, nu?

Pun pariu și că v-ați dat seama mai repede ce ați făcut.

În perioada de dinaintea Crăciunului, poșta britanică primește peste 750 000 de scrisori de la copii din tot arhipelagul britanic pe numele lui Moș Crăciun. Există reglementări stricte în privința acestui fel de corespondență, iar acele petiții care nu ajung din greșeală în tocătorul de hârtii sunt depozitate cu atenție. Acum câțiva ani, o scrisoare a reușit să atragă atenția unei angajate dintr-unul dintre centrele regionale de sortare. Era o scrisoare de la un băiețel, care economisise bani timp de un an de zile pentru un PlayStation, dar reușise să strângă doar jumătate din sumă. Mama lui era bolnavă și tatăl tocmai fusese concediat. Familia, după cum vă puteți imagina, avea un buget destul de strâmtorat. Putea Moș Crăciun să le vină în ajutor (cu 200 de lire)?

Femeia de la oficiul de sortare care a deschis scrisoarea, a dat-o și colegilor ei. Cu toții au fost foarte impresionați. De fapt, i-a mișcat atât de tare inițiativa copilului – care spăla mașini și distribuia ziare în zonă –, încât au decis să strângă bani pentru el. Au contribuit cu toții și au reușit să strângă 120 de lire într-un plic. Femeia i-a trimis acești bani, împreună cu un bilețel de la „Moșul", urându-le lui și familiei un an nou fericit.

Și cam asta a fost. Aici s-au încheiat lucrurile. Până undeva, pe la mijlocul lui ianuarie, când la același oficiu poștal, a apărut o nouă scrisoare adresată lui Moș Crăciun. Femeia care a procesat prima scrisoare, a primit și cea de-a doua scrisoare. Iată ce scria în scrisoare:

Dragă Moșule,
Îți mulțumesc tare mult pentru darul tău generos de 200 de lire de Crăciun, pentru fiul meu. A fost un gest de mare mărinimie. Din păcate, nu a putut să-și cumpere PlayStationul pe care și-l dorea, pentru că, după ce a deschis scrisoarea, a găsit doar 120 de lire înăuntru. Trebuie că hoții ăia de la poștă au șutit cele 80 de lire pentru ei. Încă o dovadă că nu poți avea încredere în nimeni în zilele noastre...

Au!
Unii oameni nu se mulțumesc să o dea în bară. Ei insistă, până ratează cu totul *poarta*. Am pățit cu toții asta, nu-i așa? Putem deduce următoarele din experiență: în spatele fațadei unei reușite muncite, strălucește un tărâm de incompetență, pentru care nu ne străduim nici măcar puțin. Avem o gamă nelimitată de gafe și de greșeli care se activează la cheremul celor cu provocări cognitive.

Într-o seară mă aflam la gara din Cambridge, la capătul unei cozi lungi, care se formase treptat lângă stația de taxiuri, ca un soi de ciclon tropical ce se deplasează lent. Dintr-odată, din senin, un adolescent băut se bagă în față. Cu o reținere admirabilă, tipul din fața mea l-a chemat într-o parte, și l-a invitat, cu amabilitatea pe care o permiteau împrejurările, să se ducă naibii la capătul cozii. Băgăciosul impertinent n-avea însă de gând să facă asta.

– Tocmai m-au sunat că prietena mea a fost chemată la spital, a molfăit el cuvintele. „Trebuie să o opereze chiar acum. Tu ce scuză ai?

– Eu sunt chirurgul, a venit răspunsul.

Vă pune puțin pe gânduri, nu?

Dacă putem greși atât de mult, de ce nu am putea și *nimeri* atât de bine?

Scara susceptibilității multidimensionale Iowa (MISS)
(Varianta scurtă)

Vă rugăm să indicați în ce măsură vi se aplică următoarele afirmații. Folosiți scara de mai jos pentru a nota răspunsurile și adunați totalul la final:

1 – Deloc sau foarte puțin
2 – Puțin
3 – Întru câtva
4 – Destul de mult
5 – Mult

1. Mă influențează cu ușurință părerile altora.
2. Pot fi influențat de o reclamă bună.
3. Când cineva strănută sau tușește, am de regulă tendința să fac și eu la fel.
4. Dacă-mi imaginez o băutură răcoritoare mi se face sete.
5. Un vânzător bun mă poate face să-mi doresc produsul lor.
6. Folosesc multe sfaturi practice din reviste sau de la TV.
7. Dacă un produs e frumos afișat, îmi doresc de regulă să mi-l cumpăr.
8. Dacă văd pe cineva că tremură, simt și eu un fior.
9. Am adoptat stilul anumitor vedete.
10. Când ceilalți îmi spun cum se simt, observ adesea că mă simt la fel ca ei.
11. Când iau o decizie, urmez adesea sfaturile altora.
12. Când citesc descrieri ale unor feluri gustoase de mâncare îmi plouă în gură.
13. Am preluat multe idei bune de la alții.
14. Îmi schimb frecvent părerea după ce vorbesc cu alții.
15. După ce văd o reclamă la o cremă, am uneori senzația că am pielea uscată.
16. Am descoperit multe dintre lucrurile care îmi plac, prin intermediul prietenilor.
17. Sunt la curent cu moda.

18. Dacă mă gândesc la ceva înfricoşător, îmi bate inima mai repede.
19. Am preluat multe dintre obiceiurile prietenilor mei.
20. Dacă mi se spune că nu arăt bine, încep să mă simt bolnav.
21. E important să mă simt integrat.

Scor

20–40 Eşti foarte dur/ă. Nu, înseamnă nu.

40–60 Nu poţi fi intimidat. Ştii ce vrei şi nu te laşi uşor dezorientat.

60–75 Eşti deschis la propunerile altora şi eşti adesea dispus „să încerci".

75+ Aş putea să vă propun ceva la care lucrez în momentul de faţă...?

Dimensiunile chestionarului

Sugestibilitatea fiziologică – Itemii 8,10, 15, 20, 3

Sugestibilitatea consumatorului – Itemii 2, 9, 5, 6, 7

Conformismul – Itemii 19,17, 21, 16

Reactivitatea fiziologică – Itemii 18, 4, 12

Capacitatea de a te lăsa convins – Itemii 14, 1, 13, 11

(MISS. Drepturi de autor rezervate 2004 de R.I. Kotov, S.B. Bellman şi D.B Watson.)

Anexa 1 (Capitolul 3)

Stimulii-cheie și stereotipurile: statutul socio-economic

Următoarele două descrieri de caracter, diferă doar prin ultimul item. În Varianta A, Domnul Jones trăiește într-o casă mare cu piscină, în Varianta B trăiește într-un bloc turn cu apartamente:

VARIANTA A	VARIANTA B
1. *Dl Jones are 43 de ani.*	*Dl Jones are 43 de ani.*
2. *E căsătorit și are doi copii.*	*E căsătorit și are doi copii.*
3. *Îi plac cursele de cai și sportul.*	*Îi plac cursele de cai și sportul.*
4. *Își face de regulă vacanțele în Florida.*	*Își face de regulă vacanțele în Florida.*
5. *Trăiește într-o casă mare la țară.*	*Trăiește într-un bloc turn cu apartamente.*

Dați Varianta A unui grup de prieteni și altui grup Varianta B, și cereți-le să-și facă o părere despre ce fel de persoană ar putea fi Dl Jones.

După ce le-ați dat o clipă de răgaz să-și limpezească gândurile, oferiți-le următorul exercițiu de formare a impresiilor, și notați răspunsurile pentru fiecare grup.[46] Ar trebui să remarcați o diferență considerabilă!

[46] Asigurați-vă că membrii celor două grupuri nu se consultă atunci când răspund la întrebări!

DINTRE PERECHILE DE AFIRMAȚII DE MAI JOS, PRECIZAȚI CARE DINTRE ELE E MAI PROBABIL SĂ SE APLICE DOMNULUI JONES.

Evident, locul în care trăiți constituie doar un exemplu de informație care influențează percepția socială. Experimentând cu formatul de mai sus, schimbând itemii din variante și din exercițiul de formare a părerii, puteți descoperi și altele.

AFIRMAȚIA A	AFIRMAȚIA B
PERECHE.	
1. În general optimist	În general pesimist
2. Are o abordare lejeră la muncă	E conștiincios
3. Își petrece timpul cu copiii	Își lasă copiii în pace
4. E chibzuit cu banii	E nesăbuit cu banii
5. Nu-și prea face temele	Își face des temele
6. Trăiește mai mult în prezent	Își face planuri
7. E atent cu soția	Crede că soția i se cuvinte
8. Îi plac destul de mult jocurile de noroc	Se opune jocurilor de noroc
9. Se bazează pe sine	Depinde de alții
10. E destul de neglijent	E meticulos
11. E în mare parte centrat pe sine	Are o mare preocupare pentru ceilalți
12. Se duce în mod regulat la biserică	Nu-l interesează religia
13. E strident și zgomotos	E liniștit și rezervat
14. Are aceleași interese cu soția	Fiecare își vede de treaba lui
15. E de stânga	*E de dreapta*
16. E lent și atent	E rapid și impulsiv
17. E destul de ambițios	Nu are multe ambiții
18. E mai degrabă patriot	Nu e foarte patriot
19. Se înțelege bine cu vecinii	Are tendința de a fi retras
20. E foarte cinstit	Nu-l deranjează să facă compromisuri

Anexa 2 (Capitolul 4)

Trăsăturile suplimentare ale lui Asch

După ce au citit descrierile „calde/reci“ ale personajelor, participanții din studiul lui Asch, au ales apoi (care adjectiv) dintre următoarele 18 perechi de trăsături pe cele care sunt cel mai în acord cu părerea pe care și-au făcut-o despre persoană:

1. Generos – Zgârcit
2. Șmecher – Inteligent
3. Nefericit – Fericit
4. Supărăcios – Afabil
5. Amuzant – Lipsit de umor
6. Sociabil – Antisocial
7. Popular – Nepopular
8. De încredere – Nu e de încredere
9. Important – Nesemnificativ
10. Lipsit de scrupule – Blând
11. Arătos – Neatrăgător
12. Constant – Instabil
13. Frivol – Serios
14. Reținut – Vorbăreț
15. Axat pe sine – Altruist
16. Creativ – Încăpățânat
17. Puternic – Slab
18. Necinstit – Cinstit

Mai jos veți găsi frecvența (în procente) cu care a fost ales fiecare termen din listă (atenție: sunt date doar rezultatele termenului pozitiv din fiecare pereche. Pentru a stabili procentajul termenului negativ, scădeți procentajul dat din 100).

"CALD" (N=90) „RECE" (N=76)		
Generos	91	8
Inteligent	65	25
Fericit	90	34
Afabil	94	17
Amuzant	77	13
Sociabil	91	38
Popular	84	28
De încredere	94	99
Important	88	99
Blând	86	31
Arătos	77	69
Constant	100	97
Serios	100	99
Reținut	77	89
Altruist	69	18
Creativ	51	19
Puternic	98	95
Cinstit	98	94

Mulțumiri

Dintre cei trei bărbați pe care i-am amintit în partea introductivă a cărții doar unul mai e în viață. Tatăl meu, John Dutton, a decedat în primăvara lui 2001, și prietenul meu, Bărbatul Înalt, a murit la mai puțin de un an după aceea, în noaptea de Revelion, 2002. Dragilor, cartea asta e scrisă în amintirea voastră, și vă transmite un mesaj. Dacă sunteți undeva acolo, oriunde, haideți să ne revedem cândva.

Barul despre care vorbeam din Camden Town, se numește *HawleyArms*. Ținând cont de unde am pornit, mi s-a părut frumos să ținem lansarea cărții acolo. Și așa am făcut. Nu mai dădusem pe acolo din anii '90 – pe vremea când Blur și Oasis făceau furori, și lumea asculta Britpop –, iar locul s-a schimbat, cu siguranță, de atunci. Unele lucruri cu siguranță *nu* se schimbaseră. Mai târziu, pe seară, eram invitat la un dineu și nu știu cum s-a făcut, dar nu am mai ajuns. Ați fi crezut că mi-am învățat lecția.

Pe vremea aceea nu eram căsătorit. Acum sunt. Slavă Domnului, asta-i tot ce pot spune. Soția mea Elaine, a fost un monument de rațiune și de înțelegere pe tot parcursul acestui proiect; talentul ei de a trece la subiect dincolo de orice porcării (majoritatea ale mele), s-a dovedit neprețuit. Chiar înainte de apariția cărții, am decis să pun cărțile pe masă. Dragă Elaine, am întrebat-o (putea să-și dea seama că vreau ceva), vrei să mă sprijini cât timp trec printr-o etapă de sex, droguri și rock? Deja *te-am sprijinit*, mi-a răspuns ea. La naiba. Adică, mulțumesc Elaine. Și te iubesc.

Am avut mai mulți agenți decât serviciul de spionaj pe parcursul acestei cărți. Peter Tallack, Patrick Walsh, Clare Conville, Jake Smith Bosanquet și Christy Fletcher, au făcut cu toții eforturi eroice ca să mă mențină pe linia de plutire, iar când nici măcar înțelepciunea lor colectivă nu a mai fost de ajuns, Nick Kent a reușit să facă ordine (de regulă în restaurante scumpe, cu un Pinot Noir de excepție). Nu știu dacă ți-a mai zis cineva până acum asta, Nick, dar ești un portar excelent.

Aș dori să le mulțumesc și următorilor prieteni și colegi, pentru sfaturile și feedbackul lor pe parcursul scrierii acestei cărți. Dacă am uitat pe cineva, mi-e teamă că va trebui să acceptați adevărul, adică nu erați chiar așa de importanți:

Dominic Abrams, Denis Alexander, Mike Anderson, Sue Armstrong, Phil Barnard, Michael Brooks, Peter Chadwick, Alex Christofi, Robert Cialdini, Max Coltheart Keith Crosby, Jules Davidoff, Richard Dawkins, Roger Deeble, George Ellis, Ben Elton, Dan Fagin, Dan Gilbert, Andy Green, Cathy Grossman, Greg Heinimann, Paula Hertel, Rodney Holder,

Emily Holmes, John Horgan, Stephen Joseph, Hubert Jurkiewicz, Herb Kelman, Deborah Kent, Linda Lantieri, Colin MacLeod, Bundy Mackintosh, Andrew Mathews, Ray Meddis, Ravi Mirchandani, Harry Newman, Pippa Newman, Richard Newman, Stephen Pinker, Martin Redfern, Russell Re-Manning, Gill Rhodes, V.S. Ramachandran, Jon Ronson, Jason Smith, Polly Stanton, John Timpane, Geoff Ward, Bob White, Mark Williams și Konstantina Zougkou.

Le mulțumesc și editorilor mei de la William Heinemann, Drummond Moir și Jason Arthur, doi dintre cei mai dezghețați, amuzanți și amabili oameni cu care ați putea vreodată colabora, precum și minunatei Andrea Schulz și lui Tom Bouman de la Houghton Mifflin Harcourt din Statele Unite.

Mulțumiri speciale pentru Sophie și Gemma (se scrie cu J) Newman, pentru clătitele din după-amiezile reci de duminică.

Și o ultimă poveste. Pe 9 mai, 1982, Hugh Jones a călcat linia de pornire a maratonului Londrei din Blackheath Common. După 2 ore, 9 minute și 24 de secunde (eram un puști de 15 ani, dar acum țin minte cursa de la televizor, de parcă ar fi fost ieri), a trecut linia de sosire cu vreo trei minute înaintea următorului concurent. După câțiva ani, l-am cunoscut pe Hugh și pe familia lui la Londra, obișnuiam să alergăm împreună în parcul Regent (nu putea niciodată să țină pasul cu mine) și apoi luam cina la casa lui din Camden. Ne-am împrietenit și am rămas prieteni de atunci. Prietenia, spiritul lui Hugh și bucatele din Caraibe ale soției lui, Cheryl, m-au susținut de-a lungul anilor și în timp ce am scris această carte. Hugh, voiam doar să-ți mulțumesc, amice!

Sursele imaginilor

1.1 © Frank Greenaway; 1.3 © Getty Images; 1.4 © Getty Images; 2.1a–c adaptat după Sander, Frome și Scheich, 'FMRI Activations of Amygdala, Cingulate Cortex, and

Auditory Cortex by Infant Laughing and Crying', Human Brain Mapping 28 (2007): 1007–1022, reprodus cu permisiunea autorilor; 2.3 din Little și Hancock, 2002, reprodus cu permisiunea the British Journal of Psychology © The British Psychological Society; 2.4a (stânga) © Getty Images; 2.4a (dreapta) © Time & Life Pictures/Getty Images; 2.4b © Getty Images; 2.5 adaptat după K. Lorenz, 'Part and Parcel in Animal and Human Societies: A

Methodological Discussion, 1950', Studies in Animal and Human Behaviour, Volumul 2 (Londra: Methuen, 1971); 2.6 adaptat din Pittenger & Shaw, 1975, Journal of Experimental Psychology: Human Perception and Performance, publicat de American Psychological Association; 2.7 adaptat după Pittenger & Shaw, 1979, Journal of Experimental Psychology: Human Perception and Performance, publicat de American Psychological Association; 2.8 reprodus cu permisiunea Ethology © Wiley-Blackwell; 2.9a–b oferite mulțumită amabilității lui Dr Chris Solomon și a lui Dr Stuart Gibson, University of Kent. Fotografia original a lui David Cameron © PA Photos; 2.10a–b 1980): 483–484, reprodusă cu permisiunea

Pion Ltd, Londra ©; 3.3 and 3.4 © Greg Heinimann; 3.5 adaptat după S. Asch, 'Opinions and Social Pressure', Scientific American 193 (1955): 31–35; 3.6, 4.1, 5.1, 5.2, 6.1 © K. Dutton; 6.3a–b © Greg Heinemann; 6.4a © Network Rail; 6.5 reprodusă cu amabilitatea Royal Society of Londra și Dr Lisa DeBruine, © University of Aberdeen; 7.1 adaptată după Gordon, Baird & End, 'Functional Differences Among Those High and Low on a Trait Measure of Psychopathy', Biological Psychiatry 56 (2004): 516–521, reprodusă cu permisiunea autorilor; 7.2 reprodusă cu permisiunea lui Simon Baron-Cohen; 7.3 © Steve Long; 8.1a–c adaptată după Harris, Sheth & Cohen, 'Functional Neuroimaging of Belief, Disbelief and Uncertainty', Annals of Neurology, 63(2) (2008): 141–147, reprodusă cu permisiunea autorilor.

Am depus toate eforturile pentru a lua legătura cu toți deținătorii drepturilor. Editura va lua, dacă va fi înștiințată, măsuri de remediere a oricăror erori sau omisiuni cu prima ocazie.

Note

17. McComb și colaboratorii ei au comparat reacțiile proprietarilor de pisici...McComb, Karen, Taylor, Anna M., Wilson, Christian și Charlton, Benamin D., 'The Cry Embedded Within The Purr.' Current Biology 19(13) (2009): R507–508.

18. La anumite specii de broască limbajul 'Louisiana's state amphibian, the green treefrog.'http://www.americaswetlandresources.com/wildlife_ecology/plants_animals_ecology/animals/amphibians/GreenTreeFrogs.html (accesat pe 5 iunie 2008).

19. Ca armă de convingere... Pentru mai multe informații despre mimetism și amăgire vezi Peter Forbes Dazzled and deceived: Mimicry and camouflage (Londra, Yale University Press, 2009).

20. Ciuperca Monilinia vaccinii-corymbosi... Ngugi, Henry K. și Scherm, Harald, 'Pollen Mimicry During Infection of Blueberry Flowers By Conidia of Monilinia Vaccinii-Corymbosi.' Physiological and Molecular Plant Pathology 64(3) (2004): 113–123.

21. Pe de altă parte, fluturii-bufniță...Pentru o interpretare alternativă, vezi Stevens, Martin., Hardman, Chloe J. și Stubbins, Claire L., 'Conspicuousness, Not Eye Mimicry, Makes "Eyespots" Effective Antipredator Signals.' Behavioral Ecology 19(3) (2008): 525–531.

22. Păianjenul țesător auriu...Théry, Marc și Casas, Jérôme, 'The Multiple Disguises of Spiders: Web Colour and Decorations, Body Colour

and Movement.' Philosophical Transactions of the Royal Society. B 364 (2009): 471–480.

23. Studiile au arătat că femelele licurici...Vezi Lloyd, James E., 'Aggressive Mimicry in Photuris: Firefly Femmes Fatales.' Science 149 (1965): 653–654; și Lloyd, James E.. 'Aggressive Mimicry in Photuris Fireflies: Signal Repertoires by Femmes Fatales.' Science 187 (1975): 452–453.

24. De fapt, studiile efectuate în 2001... McCleneghan, J. Sean, 'Selling Sex To College Females: Their Attitudes About Cosmopolitan and Glamour Magazines.' The Social Science Journals 40(2) (2003): 317–325.

26. Puii răspund în mod instinctiv . . . Tinbergen, Nikolaas, și Perdeck, Albert C., 'On the Stimulus Situation Releasing the Begging Response in the Newly-Hatched Herring Gull Chick (Larus a. argentatus Pont.).' Behaviour 3 (1950): 1–38.

29. Din studiile recente efectuate pe raci.. .Issa, Fadi A. și Edwards, Donald A., 'Ritualized Submission and the Reduction of Aggression in an Invertebrate.' Current Biology 16 (2006): 2217–2221. Pentru un ghid practic de înțelegere și interpretare a indiciilor comunicării non-verbale (inclusiv ale celor care lucrează în vânzări) vezi Wainwright, Gordon R., Body language (Londra: Hodder Education, 2003).

33. În vara anului 1941....http://www.anecdotage.com/ browse.php?-category=people&who=Churchill (accesat pe 2 aprilie 2008).

35. O doamnă din Houston tocmai mi-a spus... 'Cry Baby.'http:// www. snopes.com/crime/warnings/crybaby.asp (accesat pe 9 martie 2008.)

37. Studiile au arătat că bebelușii... McCall, Robert B. and Kennedy, Cynthia Bellows, 'Attention of 4-Month Infants to Discrepancy and Babyishness.' Journal of Experimental Child Psychology 29(2) (1980): 189–201.

37. Ce este și mai surprinzător... Sackett, Gene P., 'Monkeys Reared in Isolation with Pictures as visual input: Evidence for an Innate Releasing Mechanism.' Science 154 (1966): 1468–73.

37. Studiile efectuate de neurobiologul Morten Kringelbach... Kringelbach, Morten L., Lehtonen, Annukka, Squire, Sarah, Harvey, Allison G., Craske, Michelle G., Holliday, Ian E., Green, Alexander L., Aziz, Tipu Z., Hansen, Peter C., Cornelissen, Piers L. și Stein, Alan, 'A Specific and Rapid Neural Signature for Parental Instinct.' Plos One 3 (2008): e1664.

39. În 1998, Pentagonul i-a cerut lui Pam Dalton...Stephanie Pain, 'Stench Warfare.' New Scientist Science Blog(July 2001).http://www.scienceblog.com/community/older/ 2001/C/200113657.html (accesat pe 18 noiembrie 2005).

40. Prin comparație cu zgomotul unei furci... Pentru o analiză acustică amănunțită a caracteristicilor unui sunet neplăcut, vezi Kumar, Sukhbinder, Forster, Helen M.,
Bailey, Peter și Griffiths, Timothy D., 'Mapping Unpleasantness of Sounds to their Auditory Representation.' Journal of the Acoustical Society of America 124 (6) (2008): 3810–3817.

41. Inventatorul britanic Howard Stapleton... Jha, Alok, 'Electronic Teenager Repellant and Scraping Fingernails, The Sounds of Ig Nobel Success.' The Guardian (vineri 6 octombrie 2006). http://www.guardian.co.uk/uk/2006/oct/06/science.highereducation (accesat 28 octombrie 2006).

41. Intervalul normal al auzului la adulți... Pentru a analiză a plânsului la copii vezi Soltis, Joseph, 'The Signal Functions of Early Infant Crying.' Behavioral and Brain Sciences 27 (2004): 443–490; și Zeifman, Debra M., 'An Ethological Analysis of Human Infant Crying: Answering Tinbergen's Four Questions.' Developmental Psychobiology 39 (2001): 265–285.

42. Kerstin Sander de la Institutul Leibnitz... Sander, Kerstin, Frome, Yvonne și Scheich, Henning, 'FMRI Activations of Amygdala, Cingulate Cortex, and Auditory Cortex by Infant Laughing and Crying.' Human Brain Mapping 28 (2007): 1007–1022.

44. Paul Rozin și colegii lui... Rozin, Paul, Rozin, Alexander, Appel, Brian și Wachtel, Charles, 'Documenting and Explaining the Common AAB Pattern In Music and Humor: Establishing and Breaking Expectations.' Emotion 6(3) (2006): 349–355.

45. V.S. Ramachandran de la centrul... Ramachandran, V.S. și Hirstein, William, 'The Science of Art: A Neurological Theory of Aesthetic Experience.' Journal of Consciousness Studies 6 (1999): 15–51.

45. David Huron merge chiar mai departe în cartea sa... Acest citat a fost preluat de la Lauren Stewart, 'Musical Thrills and Chills' Trends in Cognitive Sciences 11 (2007): 5–6.

47. (Nota de subsol 4) Aceste concluzii pot fi puse pe seama... Pentru primele studii asupra efectului de halou vezi Asch, Solomon E., 'Forming Impressions of Personality.' Journal of Abnormal and Social Psychology 41 (1946): 258–290; și Thorndike, Edward L., 'A Constant Error On Psychological Rating.' Journal of Applied Psychology 4 (1920): 25–29.

47. Mark Snyder de la Universitatea din Minnesota...Snyder, Mark, Tanke, Elizabeth D. și Berscheid, Ellen, 'Social Perception and Interpersonal Behaviour: On the Self-Fulfilling Nature of Social Stereotypes.' Journal of Personality and Social Psychology 35 (1977): 656–666.

47. (Nota de subsol 5) În caz că vă întrebați... Andersen Susan M. și Bem, Sandra L., 'Sex Typing and Androgyny In Dyadic Interaction: Individual Differences in Responsiveness to Physical Attractiveness.' Journal of Personality and Social Psychology 41 (1981): 74–86.

48. Într-un studiu cu stripteuze... Miller, Geoffrey, Tybur, Joshua M. și Jordan, Brent D., 'Ovulatory Cycle Effects On Tip Earnings By Lap Dancers: Economic Evidence For Human Estrus?' Evolution and Human Behavior 28 (2007): 375–381.

49. Figura 2.3... Little, Anthony C. și Hancock, Peter J. B., 'The Role of Distinctiveness in Judgements of Human Male Attractiveness.' British Journal of Psychology 93(4) (2002): 451–464.

49. David Perrett, de la universitatea... Penton-Voak, Ian S., Perrett, David I., Castles, Duncan L., Kobayashi, Tessei, Burt, D. Michael, Murray, Lindsey K. și Minamisawa, Reiko, 'Menstrual Cycle Alters Face Preference.' Nature 399 (1999): 741–742.

50. În articolul devenit clasic publicat în 1943 ... Lorenz, Konrad, 'Die angeborenen Formen möglicher Erfahrung (The Innate Forms

of Potential Experience).' Zeitschrift fur Tierpsychologie 5 (1943): 235–409.

52. Figura 2.5... 'Part and Parcel in Animal and Human Societies: A Methodological Discussion, 1950' Studies in animal and human behaviour, volumul 2 (Londra, Methuen, 1971).

53. Să analizăm, de exemplu, seria de profiluri cranio-faciale... Pittenger, John B. și Shaw, Robert E., 'Aging Faces As Viscal-Elastic Events: Implications For a Theory of Nonrigid Shape Perceptions.' Journal of Experimental Psychology: Human Perception and Performance 1(4) (1975): 374–382.

53. Priviți, de exemplu, Figura 2.7... Pittenger John B., Shaw, Robert E. și Mark, Leonard S., 'Perceptual Information for the Age Level of Faces as a Higher Order Invariant of Growth.' Journal of Experimental Psychology: Human Perception and Performance 5(3) (1979): 478–493.

54. Melanie Glocker de la Institutul de Biologie Neuronală și Comportamentală al Universității din Munster a efectuat în 2009... Glocker, Melanie L., Langleben, Daniel D., Ruparel, Kosha, Loughead, James W., Valdez, Jeffrey N., Griffin, Mark D., Sachser, Norbert și Gur, Ruben C., 'Baby Schema Modulates the Brain Reward System in Nulliparous Women.' Proceedings of the National Academy of Sciences 106(22) (2009): 9115–9119.

55. Psihologul Richard Wiseman... Devlin, Hannah, 'Want To Keep Your Wallet? Carry a Baby Picture.' Times Online (11 iulie 2009). http://www.timesonline.co.uk/tol/news/science/ article6681923.ece (accesat pe 18 iulie 2009).

55. Un alt studiu efectuat în America a descoperit... King, Laura A., Burton, Chad M., Hicks, Joshua A.
și Drigotas, Stephen M., 'Ghosts, UFOs, and Magic: Positive Affect and the Experiential System.' Journal of Personality and Social Psychology 92(5) (2007): 905–919.

56. Sheila Brownlow și Leslie Zebrowitz... Brownlow, Sheila și Zebrowitz, Leslie A., 'Facial Appearance, Gender, and Credibility In Television Commercials'. Journal of Nonverbal Behaviour 14 (1990): 51–60.

56. Și în politică...Brownlow, Sheila. 'Seeing Is Believing: Facial Appearance, Credibility, and Attitude Change.' Journal of Nonverbal Behavior 16 (1992): 101–115.

56. În 2008, o echipă de la Universitatea din Kent... Gill, Charlotte, 'Fresh-Faced Cameron Beats Sunken-Eyed Brown On „Face You Can Trust" Issue.' Mail Online (17 noiembrie 2008). http://www.dailymail.co.uk/news/article–1086396/Fresh-faced-Cameron-beats-sunken-eyed-Brownface-trust-issue.html (accesat 8 ianuarie 2009).

58. În cadrul relațiilor, femeile au o probabilitate mai mare de a se încrede... Pentru mai multe informații despre avantajele și dezavantajele de a avea un chip de copil vezi și Zebrowitz,
Leslie A., Reading faces: Window to the soul? Ch. 5, 'The Boons and Banes of a Babyface'. (Boulder, Colorado, Westview Press, 1997).

58. Să analizăm cele patru fotografii cu cadeți... Mazur, Allan, Mazur, Julie și Keating, Caroline, 'Military Rank Attainment of a Point West Class: Effects of Cadets' Physical Features.' American Journal of Sociology 90 1 (1984): 125–150. (Fotografiile cu cadeții sunt din The Howitzer 1950, cele de la maturitate provin de la US Army History Institute și Center for Air Force History). Imaginile au fost publicate cu permisiunea profesorului Allan Mazur, Syracuse University ©.

62. Aceste statistici... Pentru o analiză amănunțită a dinamicii contactului vizual vezi Michael Argyle. The Psychology of Interpersonal Behaviour, ediția a 4-a (Harmondsworth: Penguin, 1983); și Albert Mehrabian. Silent messages: Implicit communication of emotions and attitudes (Belmont, CA, Wadsworth, 1971).

63. În 2007, o echipă de la Universitatea din Geneva... Brosch, Tobias, Sander, David și Scherer, Klaus R., 'That Baby Caught My Eye . . . Attention Capture By Infant Faces.' Emotion 7(3) (2007): 685–689.

63. Pe de altă parte, psihologul Teresa Farroni... Farroni, Teresa, Csibra, Gergely, Simion, Francesca și Johnson, Mark H., 'Eye Contact Detection In Humans From Birth.' Proceedingsof the National Academy of Sciences of the United States of America 99 (2002): 9602–9605.

64. Pentru a demonstra această ipoteză, Chris Friesen... Friesen, Chris K. și Kingstone, Alan, 'The Eyes Have It! Reflexive Orienting Is

Triggered By Nonpredictive Gaze.' Psychonomic Bulletin and Review 5(3) (1998): 490–495.

65. Ne spune însă ea ceva nou?... Pentru cei interesați de o discuție mai aprofundată a proceselor care stau la baza percepției chipurilor, vezi Fox, Elaine M. și Zougkou, Konstantina, 'Individual Differences in the Processing of Facial Expressions.' din volumul Andrew Calder, Gillian Rhodes, James V. Haxby și Mark H. Johnson (Eds.), The Handbook Of Face Perception (Oxford: Oxford University Press, 2010).

65. În anii '60, psihologul social Stanley Milgram... Milgram, Stanley, Bickman, Leonard și Berkowitz, Lawrence, 'Note On The Drawing Power Of Crowds Of Different Size.' Journal of Personality and Social Psychology 13 (1969): 79–82.

65. Majoritatea copiilor încep să dobândească elemente... Wimmer, Heinz și Perner, Josef, 'Beliefs About Beliefs: Representation and Constraining Function of Wrong Beliefs In Young Children's Understanding of Deception.' Cognition 13 (1983): 103–128.

66. Tulburările din spectrul autist... Deficitul în aria teoriei minții a fost asociat și în schizofrenie și psihopatie, dar și în anorexie și depresie, însă nu în aceeași măsură cu tulburările din spectrul autist. În mod similar, neregularitățile contractului vizual se găsesc și în alte tulburări (de exemplu, anxietate socială sau depresie) dar, din nou, nu sunt atât de evidente ca în autism.

68. Studiile au arătat... Pentru mai multe informații despre contrastul de percepție și culoarea ochilor vezi Sinha, Pawan, 'Here's Looking At You Kid.' Perception 29 (2000): 1005–1008; Ricciardelli, Paola, Baylis, Gordon și Driver, Jon, 'The Positive and Negative of Human Expertise in Gaze Perception.' Cognition 77 (2000): B1–B14; și Kobayashi, Hiromi și Kohshima, Shiro, 'Unique Morphology of the Human Eye.' Nature 387 (1997): 767–768.

71. „Avem o capacitate incredibilă..." Guthrie, R.D., 'Evolution of Human Threat Display Organs.' In Theodosius Dobzhansky, Max K. Hecht și William C. Steere (Eds.), Evolutionary Biology 4 257–302 (New York, NY: Appleton-Century Crofts, 1970).

76. Sloan ar putea să aibă dreptate... (nota de subsol 1) Schauss, Alexander G., 'The Physiological Effect of Colour On The Suppression

of Human Aggression: Research on Baker-Miller Pink.' International Journal of Biosocial Research 7(2) (1985): 55–64. Pentru mai multe informații despre efectele rozului Baker-Miller vezi James E. Gilliam. 'The Effects of Baker- Miller Pink on Physiological and Cognitive Behaviours of Emotionally Disturbed and Regular Education Students.'Behavioural Disorders, 17, (1991): 47–55; și Pamela J. Profusek și David W. Rainey, 'Effects of Baker-Miller Pink and Red on State Anxiety, Grip Strength and Motor-Precision.' Perceptual and Motor Skills, 65, (1987): 941–942.

81. Priviți, de pildă, cele două fotografii cu Margaret Thatcher... Figura 3.2 preluată din Thompson, Peter, 'Margaret Thatcher: A New Illusion.' Perception 9(4) (1980): 483–484. Am reprodus figura cu aprobarea Pion Limited, Londra ©.

84. Ellen Langer, professor de psihologie... Langer, Ellen J., Blank, Arthur și Chanowitz, Benzion, 'The Mindlessness of Ostensibly Thoughtful Action: The Role of „Placebic" Information in Interpersonal Interaction.' Journal of Personality and Social Psychology 36 (1978): 635–642.

86. Principiul „poverii cognitive"... Pentru o explicație amănunțită și accesibilă a poverii cognitive și a studiilor despre căutarea vizuală vezi Treisman, Anne M., 'Features and Objects: The Fourteenth Bartlett Memorial Lecture.' Quarterly Journal of Experimental Psychology 40A (1988): 201–237.

88. Imaginați-vă că lucrați... Beyth-Marom Ruth și Dekel, Shlomith, An elementary approach to thinking under uncertainty (Hillsdale, NJ: Erlbaum, 1985).

90. Euristicile constituie... Pentru mai multe informații privind scurtăturile cognitive vezi Kahneman, Daniel și Tversky, Amos, 'On the Psychology of Prediction.' Psychological Review 80 (1973): 237–251.

91. Într-un studiu care analizează efectele așteptărilor... Plassman, Hilke, O'Doherty, John P., Shiv, Baba și Rangel, Antonio, 'Marketing Actions Can Modulate Neural Representations of Experienced Pleasantness.' Proceedings of the National Academy of Sciences of the United States of America, 105 (3), (2008): 1050–1054.

92. S-au constatat rezultate asemănătoare... Brochet, Frederic. 'Chemical Object Representation In The Field of Consciousness.' teză (2001): General Oenology Laboratory, France.

92. John Darley şi Paul Gross de la Universitatea Princeton… Darley, John M. şi Gross, Paul H., 'A Hypothesis- Confirming Bias In Labeling Effects.' Journal of Personality and Social Psychology 44 (1983): 20–33.

93. Margaret Shih de la Harvard... Shih, Margaret, Pittinsky, Todd L., şi Ambady, Nalini, 'Stereotype Susceptibility: Identity Salience and Shifts In Quantitative Performance.' Psychological Science 10 (1999): 80–83.

93. Jeff Stone de la Universitatea din Arizona… Stone, Jeff, Lynch, Christian I., Sjomeling, Mike şi Darley, John M., 'Stereotype Threat Effects on Black and White Athletic Performance.' Journal of Personality and Social Psychology 77(6) (1999): 1213–1227.

94. Pentru a demonstra acest fenomen, gândiţi-vă la aceste propoziţii... Exemplele provin din Slovic, Paul, Fischhoff, Baruch şi Lichtenstein, Sarah, 'Cognitive Processes and Societal Risk Taking.' din John S. Carroll şi John W. Payne (Eds.), Cognition and Social Behavior (Hillsdale, NJ: Erlbaum, 1976).

94. E greu de transmis… Pentru o descriere accesibilă a euristicilor vezi Charles G Lord, Social Psychology, 49. 99, Ch. 2 (Fort Worth, TX: Harcourt Brace, 1997).

96. Psihologul David Strohmetz… Strohmetz, David B., Rind, Bruce, Fisher, Reed şi Lynn, Michael, 'Sweetening the Till: The Use of Candy To Increase Restaurant Tipping.' Journal of Applied Social Psychology 32 (2002): 300–309.

98. În anul 1971, răposatul Henri Tajfel... Tajfel, Henri, Billig, Michael G., Bundy, Robert P. şi Flament, Claude, 'Social Categorization and Intergroup Behaviour.' European Journal of Social Psychology 1 (1971): 149–178.

100. Psihologul social american Solomon Asch a efectuat în 1955... Asch, Solomon E., 'Opinions and Social Pressure.' Scientific American 193 (1955): 31–35.

102. Puţine exemple din domeniul influenţei sunt mai bune... Fein, Steven, Goethals, George R., Kassin, Saul M. şi Cross, Jessica, Social influence and presidential debates.' Articol prezentat la congresul American Psychological Association, 1993.

104. Exact același principiu...Uhlhaas, Christoph, 'Is Greed Good?' Scientific American Mind (August/septembrie 2007).

105. Ferguson își aduce aminte astfel momentul... Interviu efectuat de Glenn Moore (The Independent, 3 iunie 2008)

107. Cei care nu se lasă duși de nas sunt, conform unui studiu recent... Grosbras, Marie-Helène, Jansen, Marije, Leonard, Gabriel, McIntosh, Anthony, Osswald, Katja, Poulsen, Catherine, Steinberg, Laurence, Toro, Roberto și Paus, Thomas, 'Neural Mechanisms of Resistance to Peer Influence in Early Adolescence.' Journal of Neuroscience 27(30) (2007): 8040–45.

107. Sindromul adolescentului...Buss, David M. și Duntley, Joshua D., 'The Evolution of Aggression.' din Schaller, Mark, Kenrick, Douglas T. și Simpson, Jeffry A. (Eds.), Evolution and Social Psychology (New York, Psychology Press, 2006).

108. „Una dintre dinamicile specifice..." Groth, A. Nicholas și H. Jean Birnbaum, Men Who Rape: The Psychology of the Offender (New York, Plenum Press, 1979).

108. Un fenomen asemănător... Am auzit prima data despre „dar" într-un documentar difuzat pe BBC în 2007 intitulat „HIV and me", prezentat de Stephen Fry ((http://www.telegraph.co.uk/culture/tvandradio/3668295/Last-night-on-television-Stephen-Fry-HIV-and-Me-BBC2—-Great-British-Journeys-BBC2.html). Deși nu este o practică răspândită, din experiențele mele, am putut confirma cele descoperite de Fry: că acesta este un obicei al unei minorități din comunitatea gay.

113. „Ordinea în care prezinți informația..." Nicholas Lemann. 'TheWord Lab.' (The New Yorker, Oct 16th, 2000.)

115. Aceste două scenarii... Alicke, Mark D., 'Culpable Causation.' Journal of Personality and Social Psychology 63 (1992): 368–378.

116. Ne arată cât de fundamentală este... Ross, Lee D., Amabile, Teresa M. și Steinmetz, Julia L., 'Social Roles, Social Control, and Biases In Social Perception Processes.' Journal of Personality and Social Psychology 35 (1977): 485–494.

119. În studii efectuate pe jurii fictive...Jones, Cathaleene și Aronson, Elliot, 'Attributions of Fault to a Rape Victim as a Function of the Respectability of the Victim.' Journal of Personality and Social Psychology 26 (1973): 415–419; Luginbuhl, James și Mullin, Courtney, 'Rape and Responsibility: How and How Much is the Victim Blamed?' Sex Roles 7 (1981): 547–559.

120. Psihologul George Bizer… Bizer, George Y. și Petty, Richard E., 'How We Conceptualize Our Attitudes Matters: The Effects of Valence Framing on the Resistance of Political Attitudes.' Political Psychology 26 (2005): 553–568.

122. O echipă de psihologi germani... Englich, Birte, Mussweiler, Thomas și Strack, Fritz, 'Playing Dice With Criminal Sentences: The Influence of Irrelevant Anchors on Experts' Judicial Decision Making.' Personality and Social Psychology Bulletin 32 (2006): 188–200.

123. Chris Janiszewski și Dan Uy… Janiszewski, Chris și Uy, Dan, 'Precision of Anchor Influences the Amount of Adjustment.' Psychological Science, 19(2) (2008): 121–127.

125. „Atunci când decidem într-o fracțiune de secundă..." Michelle Meyer, 'Good Things Come In New Packages.' Arrive (noiembrie/decembrie, 2007).

125. "Ei îți vând senzația..." idem.

128. Robert Cialdini, profesor de psihologie... Cialdini, Robert B., Vincent, Joyce E., Lewis, Stephen K.,
Catalan, Jose, Wheeler, Diane și Derby, Betty L., 'Reciprocal Concessions Procedure For Inducing Compliance: The Door-In-The-Face Technique.' Journal of Personality and Social Psychology 31 (1975): 206–215.

128. Cât de puternică este dorința de a părea consecvent... Robert B. Cialdini. 'The Science of Persuasion.' Scientific American Mind (February, 2001).

131. Tehnica lui Sinclair are un nume... Freedman, Jonathan L. și Fraser, Scott C., 'Compliance Without Pressure: The Foot-In-The-Door Technique.' Journal of Personality and Social Psychology 4 (1966): 195–203.

132. În domeniul vânzărilor, o tehnică apropiată... Pentru mai multe informații despre momeală vezi și Cialdini, Robert B., Influence: Science and Practice, ediția a 4-a (Boston, Allyn & Bacon, 2001).

135. În 1946, Solomon Asch... Asch, Solomon E., 'Forming Impressions of Personality.' Journal of Abnormal and Social Psychology 41 (1946): 258–290.

136. În 2005, Global Language Monitor... Pentru un tur amuzant al celor mai recente cuvinte și expresii (in)corecte din punct de vedere politic vezi http://www.languagemonitor.com/news/top-politicallyincorrect-words-of-2009, pentru articolul original cu „criminalii rătăciți" vedeți John Simpson, 'London Bombs Need Calm Response.' BBC Home (31 August 2005). http://news.bbc.co.uk/1/hi/uk/4671577.stm (accesat pe 17 noiembrie 2005).

137. Un studiu clasic efectuat în 1974... Loftus, Elizabeth F. și Palmer, John C., 'Reconstruction of Automobile Destruction: An Example of the Interaction Between Language and Memory.' Journal of Verbal Learning and Verbal Behaviour 13 (1974): 585–589.

138. „Imediat ce intervine etichetarea rasială..." David Von Drehle, 'Five Faces of Obama.' Time (1 septembrie 2008).

139. În anul 2000, corespondentul revistei New Yorker... Nicholas Lemann, idem.

147. Ușurința prin care un grup... Pentru mai multe informații privind polarizarea de grup, vezi Rupert Brown. Group processes, 142–158 (Oxford, Blackwell, 1993).

147. Puteți să vă demonstrați singuri... Wallach, Michael A., Kogan, Nathan., și Bem, Daryl J., 'Group Influence on Individual Risk Taking.' Journal of Abnormal and Social Psychology 65 (1962): 75–86.

148. Efectele polarizării de grup...Pentru o perspectivă mai amănunțită asupra felului în care procesul decizional diferă între indivizi și grupuri, vezi Cass R. Sunstein, Going to extremes: How like minds unite and divide (New York, Oxford University Press, 2009).

148. Studiile arată că... Myers, David G. și Bishop, George D., 'Discussion Effects on Racial Attitudes.' Science 169 (1970): 778–779.

148. Conform studiilor de laborator... Pentru o trecere în revistă a factorilor care sporesc și reduc conformismul, vezi Elliot Aronson. The social animal, 5th edn, Ch. 2 (New York, W.H. Freeman & Company, 1988).

150. Împreună cu colegii lui, el a efectuat în 2007... Goldstein, Noah J.,Cialdini, Robert B. și Griskevicius, Vladas, 'A Room With a Viewpoint: Using Social Norms to Motivate Environmental Conservation in Hotels.' Journal of Consumer Research 35 (2008): 472–482; Goldstein, Noah J., Cialdini, Robert B., și Griskevicius, Vladas. 'Invoking Social Norms: A Social Psychology Perspective On Improving Hotels' Linen-Reuse Programs.' Cornell Hotel and Restaurant Administration Quarterly (mai 2007).http://www.entrepreneur.com/tradejournals/article/163394867_2.html (accesat 24 septembrie 2009).

152. Psihologul social Serge Moscovici a efectuat în 1980... Moscovici, Serge și Personnaz, Bernard, 'Studies In Social Influence: V. Minority Influence and Conversion Behaviour in a Perceptual Task.' Journal of Experimental Social Psychology 16 (1980): 270–282.

152. Problema e însă că... Pentru o analiză amănunțită a punctelor forte și slabe ale „paradigmei fosfenei" lui Moscovici, vezi Martin, R. 'Majority and Minority Influence Using the Afterimage Paradigm: A Series of Attempted Replications.' Journal of Experimental Social Psychology, 34(1) (1998): 1–26.

153. Studiul poate fi împărțit... Experimentul consta de fapt din patru etape (vezi articolul original amintit mai sus) dar de dragul simplității am redus prezentarea la doar două etape.

157. Aveți în Figura 5.3 de mai jos patru cartonașe... Wason, Peter C., 'Reasoning.' din Foss, Brian M., New horizons in psychology, 135–151 (Harmondsworth: Penguin, 1966). Pentru mai multe informații despre exercițiul de selecție Wason și testarea ipotezelor în general, vezi Garnham, Alan și Oakhill, Jane, Thinking and reasoning, Capitolul 8 (Oxford: Blackwell, 1994).

158. În 1979, psihologii... Snyder, Mark și Cantor, Nancy, 'Testing Hypotheses About Other People: The Use of Historical Knowledge.' Journal of Experimental Social Psychology 15 (1979) 330–342.

158. Într-un studiu amuzant, ingenios... Henderson, Charles E., 'Placebo Effects Prove the Value of Suggestion.' http://www.biocentrix.com/hypnosis/placebo.htm (accesat pe 28 mai 2009).

161. Într-un studiu recent... Wiltermuth, Scott S. și Heath, Chip, 'Synchrony and Cooperation.' Psychological Science, 20 (2009): 1–5.

162. Psihologul social Miles Hewstone... Islam, Mir R. și Hewstone, Miles, 'Intergroup Attributions and Affective Consequences în Majority and Minority Groups.' Journal of Personality and Social Psychology 64 (1993): 936–950.

162. Studiile arată că... Miller, Richard L., Brickman, Philip și Bolen, Diana, 'Attribution Versus Persuasion as a Means For Modifying Behavior.' Journal of Personality and Social Psychology 31 (1975): 430–441.

164. Să luăm de pildă fenomenul cunoscut...Pentru o introducere ușor de citit a sindromului Stockhom vezi Joseph M. Carver, 'Love and Stockholm syndrome: The mystery of loving an abuser,' (Counselling Resource), http://counsellingresource.com/ quizzes/stockholm/index.html (accesat 20 noiembrie 2009.)

165. Ne miră oare cu adevărat... Mai multe observații ne sugerează posibilitatea ca Natascha Kampusch să fi suferit de sindromul Stockholm. Conform poliției, ea a plâns în hohote când a aflat că Wolfgang Priklopil a murit și i-a aprins lumânări la cimitir. „Copilăria mea a fost foarte diferită" a spus ea despre perioada de captivitate. „Am fost și ferită de multe lucruri. Nu m-am apucat să beau sau să fumez și nu am avut un anturaj prost." (Julia Layton, 'What causes Stockholm syndrome?' How Stuff Works. http://health.howstuffworks.com/stockholm-syndrome.htm (accesat 14 decembrie 2009).) În mod straniu (chiar și după propria mărturie), Kampusch e acum proprietara casei în care Priklopil a ținut-o prizonieră. Ea a cerut-o de la rudele acestuia pentru a nu fi demolată. „Știu că e grotesc, recunoaște ea. „Acum trebuie să plătesc curentul electric, apa și impozitele pentru o casă unde nu am vrut niciodată să locuiesc" (('Kidnap victim owns her house of horrors.' Sky News (15 mai 2008).http://news.sky.com/s k y n ews /Ho m e / S k y - N ews A r c h i v e / A r t i c l e / 20080641316125 (accesat 23 mai 2008).) Kampusch a viztat locul, alimentând speculațiile cum că într-o bună zi se va muta înapoi în casă. Pentru mai multe informații despre cazul fantastic al Nataschei Kampusch, vezi Bojan Pancevski și Stefanie Marsh, 'Natascha Kampusch: From darkness to limelight.' Times Online (2 iunie2008).http://women.timesonline.co.uk/tol/life_and_style/women/arti cle4044283.ece (accesat 30 august 2008).

165. La mijlocul anilor '60, psihologul cognitivist Martin Seligman... Seligman, Martin E. P. și Maier, Steven F., 'Failure To Escape Traumatic Shock.' Journal of Experimental Psychology 74 (1967): 1–9.

166. Deși a respins vehement... Pentru mai multe informații despre rolul psihologiei în dezvoltarea tehnicilor de interogare, vezi Jane Mayer, The dark side: The inside story of how the war on terror turned into a war on American ideals (New York, Doubleday, 2008).

166. Asta depinde de stilul de atribuire...Pentru mai multe informații privind stilul de atribuire sau de explicare vezi Martin E.P. Seligman. Learned optimism: How to change your mind and your life (New York, Random House, 2006).

168. Un studiu efectuat în anii '70... Glass, David C. și Singer, Jerome E., Urban stress: Experiments on noise and urban stressors (New York, Academic Press, 1972).

170. Taxonomia pe care mi-o prezintă...Pentru mai multe informații privind tipologia abuzului domestic, vezi Pat Craven, The Freedom Programme (2005). www.freedomprogramme.co.uk.

177. Într-o după amiază, într-o sală de clasă... Această anecdotă apare în majoritatea biografiilor lui Gauss.

182. Să ne gândim la exercițiul de adunare de mai jos, de pildă... Rob Eastaway și Jeremy
Wyndham. Why do buses come in threes? The hidden mathematics of everyday life (Londra Robson Books, 1998).

183. Luke Conway, professor de psihologie... Thoemmes, Felix și Conway, Lucian. G., III, 'Integrative Complexity of 41 U.S. Presidents.' Political Psychology 28 (2007): 193–226.

187.Matthew McGlone și Jessica Tofighbakhsh... McGlone, Matthew S. și Tofighbakhsh, J., 'Birds of a Feather Flock Conjointly: Rhyme As Reason in Aphorisms.' Psychological Science 11 (2000): 424–428.

187. „Și să se simtă bine făcând ce vreți voi..." De regulă, presiunea e în cealaltă parte și adultul se luptă pentru lucrurile care sunt în interesul propriu al copilului pentru a obține liniștea (PlayStation, ciocolata sau banii fiind monedele de schimb preferate în astfel de cazuri). De fapt,

primirea recompenselor și evitarea pedepselor sunt cei doi stâlpi ai oricărei influențe, de la creșterea copiilor la dresajul câinilor și până la formele mai ezoterice, mai machiavelice ale comportamentului modelat conștient, cum ar fi câinii antrenați să miroasă și porumbeii voiajori din timpul celui de-al Doilea Război Mondial.
Proiectul Porumbel a fost conceput de psihologul american B.F. Skinner și era numele de cod al unui plan menit să creeze o rachetă ghidată de porumbei. Ideea, deși excentrică, era simplă. O lentilă montată în partea din față a rachetei proiecta o imagine a țintei pe un ecran interior, în timp ce un porumbel, dresat în prealabil prin condiționare operantă să o recunoască (adică, fusese recompensat cu mâncare pentru diferențierea din ce în ce mai precisă a țintelor), ciugulind cu ciocul suprafața ajustabilă. Atât timp cât pasărea ciugulea în centrul ecranului, racheta rămânea pe traiectorie. Dacă pasărea ciupea în afara centrului, ecranul se înclina, rezultând, prin legătura cu sistemul de control al rachetei într-o abatere corespunzătoare a traiectoriei de zbor.
Din nefericire, în ciuda unei investiții inițiale de 25.000 de dolari din partea National Defense Research Committee și a unor rezultate inițiale încurajatoare, proiectul nu s-a mai desprins de la sol, ca să zic așa. Creierii de pasăre și rachetele nu erau o combinație bună, a concluzionat comisia.
Condiționarea nu trebuie desigur să se petreacă întotdeauna în mod conștient. Uneori, spre deosebire de porumbei, interesul propriu poate fi manipulat fără ca măcar noi să ne dăm seama, iar legătura între un anumit comportament (ciugulitul) și un anumit rezultat (mâncarea) să se formeze implicit.
Katie: Mamă, îmi iei o înghețată?
Mama: (Se face că nu observă și continuă să stea pe șezlong.)
Katie: Mamă, vreau o înghețată.
Mama: Da, dragă, într-un minut.
Katie: (Bate din picior.) MAMĂ, VREAU O ÎNGHEȚATĂ!
Mama: Hei! De câte ori ți-am zis? Nu mai ridica tonul. Așadar, ce înghețată vrei?

Micuța Katie nu are nevoie de un doctorat în psihologie și de o cunoaștere amănunțită a mecanismelor minții omenești pentru a ști că insistența din ce în ce mai deranjantă dă adesea rezultate. Ea știe din experiență: și-a îmbunătățit abilitățile încă de când s-a născut! (În apărarea ei, psihologul Edward Burkley de la Oklahoma State University a studiat impactul oboselii cognitive asupra rezistenței la convingere pe un eșantion de 78 de studenți. El a constatat că studenții obosiți aveau o probabilitate mai mare de a accepta o reducere a vacanței de vară cu două luni decât cei care erau odihniți.)

Insistența nu este *întotdeauna* un mijloc de a atinge un scop. Ea poate, uneori, să constituie chiar scopul în sine: comportamentul care e recompensat. Această dinamică bizară stă la baza psihologică a pescuitului și vânatului și un motiv pentru care aceste activități sunt atât de greu de abandonat. Atât jocul de ruletă cât și malul râului ne oferă tipare variabile, imprevizibile de recompense care se bazează pe dependența provocată de speranță (nu știți niciodată când vine peștele cel mare), iar *acesta* este factorul: capacitatea speranței de a nu muri, spre deosebire de o captură ocazională, sau de o serie de câștiguri spontane, norocoase, care ne atrage fără să ne dăm seama, cu timpul.
Pentru o introducere accesibilă în principiile condiționării operante, și o recenzie ușor de citit a felului în care recompensele și pedepsele pot întări anumite comportamente vezi David G Myers, Psychology 4th edn, Ch. 8, 257–285 (New York, NY: Worth, 1995). Pentru studiul lui Edward Burkley vezi Burkley, Edward, 'The role of self-control in resistance to persuasion.' Personality and Social Psychology Bulletin 34(3) (2008): 419–431.

187. Raritatea este unul dintre cele șase...Pentru o bună introducere în aceste șase principii ale persuadării, vezi Robert B. Cialdini, 'The Science of Persuasion.' Scientific American Mind, February 2001.

188. Un studiu recent de la Universitatea din Aberdeen... Jones, Benedict C., DeBruine, Lisa M., Little, Anthony C., Burriss, Robert P. și Feinberg, David R., 'Social Transmission of Face Preferences Among Humans.' Proceedings of the Royal Society of London B 274(1611) (2007): 899–903.

190. Psihologii John Darley și Daniel Batson... Darley, John M. și Batson, C. Daniel, 'From Jerusalem to Jericho: A Study of Situational and Dispositional Variables in Helping Behaviour.' Journal of Personality and Social Psychology 27 (1973): 100–108.

192. În cărțile de știință nu sunt prea multe numere de iluzionism... www.hondo magic.com/html/a_little_magic.htm

193. Magicienii cunosc...Pentru mai multe informații despre ce nen poate învăța magia despre procesele cognitive vezi Kuhn, Gustav, Amlani, Alym A. și Rensink, Ronald A., 'Towards a Science of Magic.' Trends in Cognitive Sciences 12(9) (2008): 349–354.

195. Imprevizibilul avocat britanic... de pe www.anecdotage.com (accesat pe 3 iulie 2007).

197. Acest exercițiu -o variantă...Pentru un compendiu al literaturii de specialitate vezi MacLeod, Colin M., 'Half a Century of Research on the Stroop Effect: An Integrative Review.' Psychological Bulletin 109(2) (1991): 163–203.

197. Barbara Davis și Eric Knowles... Davis, Barbara P., și Knowles, Eric S. 'A Disrupt-Then-Reframe Technique of Social Influence.' Journal of Personality and Social Psychology 76 (1999): 192–199.

198. Înregistrările intracelulare la maimuțe... Belova, Marina A., Paton, Joseph J., Morrison, Sara E. Salzman, C. Daniel.'Expectation Modulates Neural Responses to Pleasant and Aversive Stimuli in Primate Amygdala.' Neuron 55 (2007): 970–984.

198. În vreme ce la oameni...Halgren, Eric Marinkovic, Ksenija, 'Neurophysiological Networks Integrating Human Emotions.' în Michael S. Gazzaniga (Ed.), Cognitive Neuroscience 1137–1151 (Cambridge, MIT Press, 1995).

198. Conferind însă și muzicii și umorului... Pentru do discuție amănunțită (și distractivă) a anatomiei umorului vezi Jimmy Carr Lucy Greeves, The naked jape: Uncovering the hidden world of jokes (Londra, Penguin, 2007).

198. Să luăm de pildă cel două reclame...Posterul „Here to Help" reprodus cu permisiunea Network Rail ©. 'We Try Harder'

200. Westen și colegii lui... Westen, Drew, Blagov, Pavel S., Kilts, Clint, Harenski, Keith și Hamann, Stephan, 'Neural Bases of Motivated Reasoning: An fMRI Study of Emotional Constraints on Partisan Political Judgement in the 2004 U.S. Presidential Election.' Journal of Cognitive Neuroscience 18 (2006): 1947–1958.

201. Faptele nu sunt întotdeauna atât de importante... Cercetătorii care au studiat schimbarea atitudinilor au demonstrat cu exactitate când sunt importante faptele în cadrul convingerii și când nu. În general, dacă o atitudine are în principal un caracter „cognitiv" (adică, rezultă din felul în care ne gândim la un lucru), atunci argumentul logic, rațional va fi de departe cel mai eficient instrument pentru a provoca schimbarea. Pe de altă parte, dacă o atitudine are în principal un caracter „afectiv" (adică, privește în principal felul în care ne simțim față de un lucru), atunci strategia optimă este apelul la emoții.

Pare complicat, însă cei mai mulți dintre noi cunosc dea aceste aspecte. Gândiți-vă, de exemplu, la industria publicității. Oricine încearcă să vândă parfumuri lăudând formula chimică sau o soluție de desfundat chiuveta prin puterea de atracție asupra sexului nu va fi următorul Bill Gates, să fi serioși.
Felul în care noi, destinatarii unui mesaj de persuadare procesăm informația acestuia este strâns legat de conținutul acestuia. La fel ca și cu compunerea mesajului, există două căi către persuadare, Drumul Mare și Drumul Ocolit (vezi figura de mai jos), diferența critică fiind de această dată mai puțin legată de felul în care ajungem la concluziile noastre (fie că ne folosim creierul sau inima), ci mai degrabă de motivele pentru care o facem.

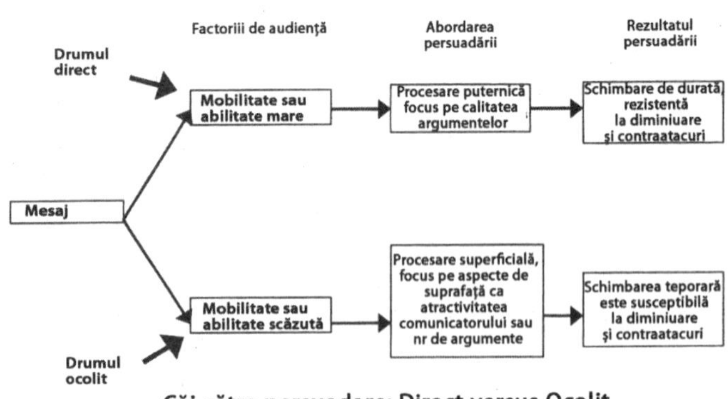

Căi către persuadare: Direct versus Ocolit

În general, avem tendința de a procesa informația pe drumul mare atunci când ea este relevantă pentru noi: cu alte cuvinte, atunci când contează. În mod normal, aceasta aduce după sine o evaluare profundă a calității diferitelor argumente și provoacă o modificare de durată a atitudinilor. Spre deosebire de drumul mare, drumul ocolit se activează în condițiile unei implicări personale reduse: atunci când mizele nu sunt atât de mari. Procesarea periferică a unui mesa sau argument se caracterizează pe un accent redus asupra detaliilor și o încredere mai mare acordată factorilor superficiali precum atractivitatea fizică a celor care comunică sau felul în care se îmbracă. Astfel, așa cum nu am recruta un biochimist ca să ne vândă un parfum, sau un supermodel ca să ne vândă o soluție de desfundat chiuveta, ar fi o prostie să ne alegem brokerul de ipoteci doar pe baza a cât de bine îl imită pe Elvis. Sau să cerem ca să ni se explice pe deplin legile fizicii cuantice înainte de a da cu zarul într-un joc de Monopoly.

Dacă vă aduceți aminte din capitolul 2, persoanele care arată mai bine primesc mai mulți bani pentru donații decât cei cu un aspect mediocru. Acum știți de ce. Cei mai mulți dintre noi au deja în minte noțiunea că a dona e un lucru bun, iar dintr-un punct de vedere strict intelectual (informația care circulă pe drumul mare) nu e nevoie de altă convingere. Pe drumul ocolit, vine inducția.
Pentru mai multe informații despre știința schimbării atitudinilor, vezi Crano, William D. și Prislin, Radmila, 'Attitudes and persuasion.' Annual Review of Psychology 57 (2006): 345-374.

201. Studiile au arătat de fapt că... Greatbatch, David și Heritage, John, 'Generating Applause: A Study of Rhetoric and Response at Party Political Conferences.' The American Journal of Sociology 92 (1986): 110–157.

204. Putem analiza și experimentul lui Stanley Milgram cu șocuri electrice...În 1963, Milgram a publicat un studiu care a devenit celebru în domeniul psihologiei experimentale și care e considerat drept unul dintre cele mai lăudate, cu siguranță unul dintre cele mai discutate din istoria de vreo sută de ani a acestui domeniu. Milgram a creat o paradigmă de învățare simulată în care participanții (aleși din rândul unui eșantion de americani respectabili, de clasă medie) au primit rolul de „profesor" față de un coleg al cercetătorului („studentul"). Nu era un exercițiu obișnuit de învățare. „Greșelile" erau pedepsite prin administrarea șocurilor electrice: la început cu voltaj redus, dar care creșteau până la o tensiune brutală de 450 de volți pe măsură ce erorile creșteau. În aparență, studiul fusese prezentat drept o analiză asupra memoriei pe termen scurt. Și tot în aparență șocurile electrice erau reale. Adevăratul scop al studiului era obediența, iar șocurile erau false. Obiectivul studiului era extrem de simplu: Milgram voia să știe până unde sunt dispuși să meargă americanii de rând, obișnuiți, atunci când o figură de autoritate le ordonă să facă ceva? Pentru mai multe informații privind studiul lui Milgram, vezi cartea scrisă de acesta Obedience to Authority: An Experimental View (New York, NY: Harpercollins, 1974).

205. Un studiu recent… McCabe, David P. Castel, Alan D., 'Seeing Is Believing: The Effect of Brain Images on Judgements of Scientific Reasoning.' Cognition 107 (2008): 343–352.

205. Folosite cum trebuie, și datele statistice...Vezi Leonard Mlodinow, The drunkard's walk: How randomness rules our lives (New York, Pantheon Books, 2008).

206. Psihologul Paul Zarnoth … Zarnoth, Paul și Sniezek, Janet A., 'The Social Influence of Confidence in Group Decision Making.' Journal of Experimental Social Psychology 33 (1996): 345–366.

206. Capacitatea asistentelor de a-și inhiba...(notă) Pentru mai multe informații despre asistente și inhibiția expresiilor faciale vezi Ekman, P., Friesen, Wallace V. și O' Sullivan, Maureen, 'Smiles When Lying.' Journal of Personality and Social Psychology 54(3) (1988): 414–420.

206. PsihologiiNalini Ambady... Ambady, Nalini și Rosenthal, Robert, 'Half a Minute: Predicting Teacher Evaluations From Thin Slices of Nonverbal Behavior and Physical Attractiveness.' Journal of Personality and Social Psychology 64(3) (1993): 431–441

209. Lisa DeBruine de la laboratorul de studii faciale al... DeBruine, Lisa M., 'Facial Resemblance Enhances Trust.' Proceedings of the Royal Society of LondonB 269 (2002): 1307–1312.

209. Mai întâi, DeBruine a creat un joc pe calculator...Exercițiul pe calculator al lui DeBruine e o variațiune a paradigmei bine-cunoscute din teoria jocurilor denumită jocul ultimatumului. Pentru mai multe informații despre jocul ultimatumului vezi Steven D. Levitt și Stephen J. Dubner.
SuperFreakonomics: Global cooling, patriotic prostitutes, and why suicide bombers should buy life insurance (Capitolul 3). (New York, Harper Collins, 2009).

209. Urmau ei, așa cum dicta... În etologie, selecția în favoarea familiei se referă la tendința anumitor animale de a le prefera pe cele care sunt genetic cel mai apropiate de ele. Pentru cei interesați să afle mai multe despre selecția în favoarea familiei, următoarele articole oferă o introducere excelentă în această temă. Hamilton, William D. 'The Evolution of Altruistic Behavior.' American Naturalist, 97 (1963): 354–356; Hamilton, William D., 'The Genetical Evolution of Social Behavior.' Journal of Theoretical Biology 7(1) (1964): 1–52; Smith, J. Maynard, 'Group Selection and Kin Selection.' Nature 201(4924) (1964): 1145–1147.

211. Un studiu amuzant… Finch, John F. și Cialdini, Robert B., 'Another Indirect Tactic of (Self-) Image Management: Boosting.' Personality and Social Psychology Bulletin 15 (1989): 222–232.

211. Alegând să nu-i spună numele... Pentru o combinație accesibilă de cercetare științifică și tehnici clasice de retorică vezi Max Atkinson, Lend me your ears: All you need to know about making speeches and presentations (Londra: Vermillion, 2004).

212. Nu mă îndoiesc deloc...Pentru mai multe informații despre geniile care ne ghicesc gândurile, vezi Malcolm Gladwell, 'The Naked Face.' The New Yorker Archive (August 5th 2002). http://www.gladwell.com/ 2002/2002_08_05_a_face.htm (accessed June 11th, 2008).

213. Importanța găsirii frecvenței... Ottati, Victor., Rhoads, Susan., & Graesser, Arthur C., 'The Effect of Metaphor on Processing Style in a Persuasion Task: A Motivational Resonance Model.' Journal of Personality and Social Psychology 77(4) (1999): 688–697. Legatp de noțiunea găsirii frecvenței potrivite este și ideea comună conform căreia convingerea are o șansă din ce în ce mai mare de reușită cu cât o persoană trebuie să se răzgândească mai puțin. La începutul anilor '60, psihologii Muzafer Sherif și Carl Hovland au propus teoria conform cărea atitudinile, ca și cutremurele, au epicentru; iar cu cât distanța între „centrul" unei convingeri a unei personae și punctul de echilibru al unei tentative de a o influența sunt mai mari, cu atât probabilitatea ca acea persoană să fie convinsă e mai redusă. Cheia este, după Sherif și Hovland, de a transmite un mesaj în „intervalul de acceptare" al țintei, cu alte cuvinte, de a ne asigura că orice am încerca să-i transmitem nu e atât de „deplasat" încât să fie respins de la bun început. Imaginați-vă, de exemplu, că încercați să vă convingeți un prieten să piardă în greutate. Credeți că aveți o șansă mai bună de a reuși dacă îl înscrieți la un maraton sau dacă încercați să-i explicați avantajele unei plimbări prin cartier?

Încadrarea este, evident, arma secretă a convingătorului atunci când vine vorba de intervalul de acceptare. Am pățit asta cu un prieten, un tip macho, plin de mușchi, cu probleme de furie care amenințau să-i strice căsnicia. Nu voia să accepte ideea că ar trebui să se apuce de meditație; e o apucătură de terapeuți, hipioți și alți „fătălăi burghezi" (cu cuvintele lui). Apoi, într-o bună zi, a făcut o descoperire: meditația, pe lângă faptul că e practicată de yoghini de cartier cu plete lungi face parte din mai toate artele marțiale. Asta era desigur altceva. Dintr-odată, ideea de a-și lua un timp liber nu mai era una de fătălăi și s-a apucat serios de meditații.

Pentru studiul initial privind intervalele de acceptare și de respingere vezi Muzafer Sherif și Carl Hovland, Social judgment: Assimilation and contrast effects in communication and attitude change (New Haven, Yale University Press, 1961).

214. Cei de la CIA au descoperit recent... Ephraim Hardcastle, Mail Online. http://www.dailymail.co.uk/debate/article-1213906/EPHRAIM-HARDCASTLE.html (accesat pe 19 octombrie 2009).

215. Studiile au arătat că... Carlson, Michael, Charlin, Ventura şi Miller, Norman, 'PositiveMood and Helping Behavior: A Test of Six Hypotheses.' Journal of Personality and Social Psychology 55 (1988): 211–229.

215. Studiile efectuate prin electromiografie... Winkielman, Piotr și Cacioppo, John T., 'Mind at Ease Puts Smile on the Face: Psychophysiological Evidence That Processing Facilitation Elicits Positive Affect.' Journal of Personality and Social Psychology 81(6) (2001): 989–1000.

222. Lista revizuită de psihopatie (PCL-R)... Hare, Robert D., The Hare Psychopathy Checklist – Revised (PCL R) ediția a doua (Toronto, Ontario: Multi-Health Systems, 2003).

223. Psihologii Scott Lilienfeld și Brian Andrews… Lilienfeld, Scott O. Andrews, Brian P., 'Development and
Preliminary Validation of a Self-Report Measure of Psychopathic Personality in Noncriminal Populations.' Journal of Personality Assessment 66 (1996): 488–524.

225. Există două feluri…Pentru o introducere erudită și accesibilă în empatie vezi Mark H. Davis, Empathy: A social psychological approach (New York, NY: HarperCollins, 1996). Pentru mai multe informații privind diferențele dintre empatia caldă și cea rece vezi Loewenstein, George, 'Hot-Cold Empathy Gaps and Medical Decision Making.' Health Psychology 24(4) (2005): Suppl. S49–S56; Read, Daniel Loewenstein, George, 'Enduring Pain for Money: Decisions Based on the Perception and Memory of Pain.' Journal of Behavioral Decision Making 12 (1999): 1–17.

226. Comparația dintre psihopați și nonpsihopați... Pentru o analiză aprofundată a disfuncțiilor cerebrale, deficitelor de procesare afectivă și a psihopatiei (inclusiv dileme morale) vezi Blair, R.J.R. 'Dysfunctions of Medial and Lateral Orbitofrontal Cortex in Psychopathy.'

Annals of the New York Academy of Sciences 1121 (2007): 461–479. Pentru o abordare mai puțin de specialitate vezi Carl Zimmer 'Whose Life Would You Save?' Discover (aprilie 2004). http://discovermagazine. com/2004/apr/whose-life-would-you-save (accesat la 9 ianuarie 2007).

226. Să luăm de exemplu...Problema vagonetului a fost formulată prima dată sub această formă de Philippa Foot în 'The Problem of Abortion and the Doctrine of the Double Effect'. din Virtues and vices and other essays in moral philosophy (Berkeley, CA: University of California Press, 1978).

226. Gândiți-vă acum la următorul scenariu... Thomson, Judith J. 'Killing, Letting Die, and the Trolley Problem.' The Monist 59 (1976): 204–17. Vreți să duceți lucrurile și mai departe? Ce părere aveți de următorul scenariu?

Un chirurg genial care se ocupă cu transplanturi are cinci pacienți. Fiecare dintre ei are nevoie de un alt organ, și fiecare dintre ei va muri fără acel organ. Din nefericire, nu există organe pentru vreunul dintre transplanturi. Un tânăr turist sănătos, aflat în trecere prin zonă, intră în cabinetul doctorului pentru un control de rutină. În timpul controlului, doctorul descoperă că organele sunt compatibile cu toți cei cinci pacienți muribunzi. Dacă presupunem că tânărul ar dispărea, nimeni nu l-ar bănui pe doctor...(vezi Thomson, Judith J. 'The Trolley Problem.' Yale Law Journal 94 (1985): 1395–1415.)

227. Psihologul Joshua Greene de la Harvard... Greene, Joshua D., Sommerville, R. Brian, Nystrom, Leigh E., Darley, John M. și Cohen, Jonathan D., 'An fMRI Investigation of Emotional Engagement in Moral Judgement.' Science 293 (2001): 2105–2108. Pentru o prezentare mai general a neurobiologiei moralității vezi Greene, Joshua D. și Haidt, Jonathan, 'How (and Where) Does Moral Judgement Work?' Trends in Cognitive Sciences 6(12) (2002): 517–523.

227. La psihopați însă...O întrebare interesantă este dacă există sau nu și indivizi care să aibă scoruri extrem de ridicate ale empatiei „calde" -niște „antipsihopați" cu alte cuvinte. Dovezile par să sugereze că da. Neurobiologul Richard Davidson de la University of Wisconsin a studiat, cu ajutorul lui Dalai Lama, ce se petrece în interiorul creierilor călugărilor budiști – un soi de sportivi olimpici în lumea meditației, așa cum le spune el - în timp ce fac un tip avansat de meditație de-

numite meditația „cu compasiune". Folosind electroencefalogramele, Davidson a constatat că, atunci când călugării intră într-o stare intensă de compasiune, concentrarea asupra iubirii necondiționate este însoțită de un tipar cerebral unic, care include unde gamma de 30 de ori mai puternice decât de obicei și o activitate crescută a cortextului prefrontal stâng (partea creierului răspunzătoare pentru emoțiile pozitive). Astfel de rezultate, susține Davidson, au implicații importante în ce privește studiile desfășurate în domeniul „neuroplasticității": capacitatea unui individ de a-și schimba funcționarea cerebrală prin antrenament. Așa cum partea creierului care corespunde mâinii cu care un violonist cântă la vioară se dezvoltă mai mult decât cea care controlează mâna care mânuiește arcușul, Davidson susține că genul de „antrenament" potrivit se poate extinde și la centrii afectivi ai creierului și putem spori empatia așa cum putem antrena orice alt „mușchi". Pentru mai multe informații despre activitatea lui Richard Davidson puteți vizita pagina Lab for Affective Neuroscience at the University of Wisconsin: http://psyphz. psych.wisc.edu/).
În cartea sa The Wisdom of Forgiveness, Dalai Lama spune povestea lui Lopon-La, un călugăr Tibetan pe care-l cunoscuse în Lhasa înainte de invazia chineză- și un candidat excellent la titlul de „anti-psihopat". Lopon-La fusese închis timp de 18 ani de către chinezi, apoi, odată eliberat, a fugit în India. La douăzeci de ani după suferințele lui, s-a reîntâlnit în sfârșit cu Dalai Lama. „Părea neschimbat", își adduce aminte Dalai Lama. „Mintea îi era încă ageră după atâția ani de închisoare. Era același călugăr blând... L-au torturat de multe ori în închisoare. L-am întrebat dacă i-a fost vreodată frică de ceva. Lopon-la mi-a spus apoi, „Da, mi-a fost teamă de un singur lucru. Mi-era teamă că o să-mi pierd compasiunea față de chinezi."

228. Studii asemănătoare în domeniul procesării... Gordon, Heather L., Baird, Abigail A. și End, Alison, 'Functional Differences Among Those High and Low on a Trait Measure of Psychopathy.' Biological Psychiatry 56 (2004): 516–521.

229. Simon Baron-Cohen, psiholog... Richell, R. A., Mitchell, D. G. V., Newman, C., Leonard, A., Baron-Cohen, S. și Blair, R. J. R., 'Theory of Mind and Psychopathy: Can Psychopathic Individuals Read the 'Language of the Eyes'?' Neuropsychologia 41 (2003): 523–526.

232. Un studiu din 2005... Shiv, Baba, Loewenstein, George, Bechara, Antoine, Damasio, Hanna și Damasio, Antonio R., 'Investment

Behaviour and the Negative Side of Emotion.' Psychological Science 16(6) (2005): 435–439.

236. Studiile lui Rachman... Pentru mai multe despre studiile lui Rachman vezi Stanley J., 'Fear and Courage: A Psychological Perspective.' Social Research 71(1) (2004): 149–176. Rachman spune răspicat în acest articol că experții care se ocupă de dezamorsarea bombelor nu sunt în general psihopați, o perspectivă pe care am redat-o și în carte. Mai degrabă, el vrea să spună că încrederea și capacitatea de a-și păstra concentrarea sub presiune sunt două trăsături pe care psihopații și specialiștii în dezamorsare le au în comun.

237. Robert Hendy-Freegard este...Ar trebui să subliniez că nu l-am cunoscut pe Robert Hendy-Freegard în persoană deci nu pot spune cu siguranță dacă e sau nu psihopat. Faptele lui, însă, împreună cu mărturiile victimelor și ale polițiștilor par să sugereze cu tărie prezența unei tulburări psihopatologice de personalitate - și, de asemenea, că are un scor destul de mare.

238 "Poate că i-ați văzut la locul de muncă..." David Baines, 'The Dark Side of Charisma' (recenzie de carte). Canadian Business (mai/iunie 2006).

245. Cu câțiva ani în urmă, psihologul... Scerbo, Angela, Raine, Adrian, O'Brien, Mary, Chan, Cheryl-Jean, Rhee, Cathy și Smiley, Norine,'Reward Dominance and Passive Avoidance Learning in Adolescent Psychopaths.' Journal of Abnormal Child Psychology 18(4) (1990): 451–463.

253. L-am cunoscut prima dată pe Omul Oglindă... Max Coltheart și colegii săi au scris în amănunt despre Omul Oglindă și iluziile lui de identificare. Pentru a afla mai multe vezi Breen,
Nora, Caine, Diana și Coltheart, Max, 'Mirrored-Self Misidentification: Two Cases of Focal Onset Dementia.' Neurocase 7 (2001): 239–254; Breen, Nora., Caine, Diana., Coltheart, Max., Hendy, Julie., și Roberts, Corrine. 'Towards an Understanding of Delusions of Misidentification: Four Case Studies.' Mind and Language 15(1) (2000): 74–110.

256. În vara lui 2008... Marx, David M., Ko, Sei Jin și Friedman, Ray A., 'The „Obama Effect": How a Salient Role Model Reduces Race-Based Performance Differences.' Journal of Experimental Social Psychology 45(4) (2009): 953–956.

256. În anii '90... Pentru studii mai vechi despre stereotipuri și rasă vezi Steele, Claude M. 'A Threat in the Air: How Stereotypes Shape Intellectual Identity and Performance.' American Psychologist 52 (1997): 613–629; Steele, Claude M. și Aronson, Joshua, 'Stereotype Vulnerability and the Intellectual Test Performance of African Americans.' Journal of Personality and Social Psychology 69 (1995): 797–811.

258. Psihologul cognitivist Carol Dweck… Pentru mai multe informații despre studiile lui Carol Dweck în domeniul stilurilor de gândire vezi Dweck, Carol S., Mindset: The new psychology of success. New York, NY: Random House,2006; Dweck, Carol S., 'The Secret To Raising Smart Kids.' Scientific American Mind (Dec/Jan 2007): 36–43.

260. Copii care nu se împiedică de astfel de obstacole... Pentru mai multe informații legate de evoluția temperamentului vezi Jerome Kagan, Galen's Prophecy: Temperament in Human Nature (New York, NY: Basic Books, 1994).

260. Psihologul Dan Gilbert… Gilbert, Daniel T., Tafarodi, Romin W. și Malone, Patrick S., 'You Can't Unbelieve Everything You Read.' Journal of Personality and Social Psychology 65(2) (1993): 221–233.

265. În 1956, psihologul social de la Stanford…Ca să aflați toată povestea escapadelor lui Festinger în grupul de pocăiți al lui Marion Keech vezi Leon Festinger, Henry W. Riecken, și Stanley Schachter. When prophecy fails: A social and psychological study of a modern group that predicted the end of the world (Minneapolis: University of Minnesota Press, 1956).

265. Studiul lui Festinger... Festinger, Leon. A theory of cognitive dissonance (Stanford, CA: Stanford University Press, 1957). Vezi și Festinger, Leon și Carlsmith, James M., 'Cognitive Consequences of Forced Compliance.' Journal of Abnormal and Social Psychology 58 (2) (1959): 203–210. Pentru un rezumat al teoriei disonanței și a altor teorii legate de coerența cognitive vezi Cooper, Joel și Fazio, Russell H., 'A New Look at Dissonance Theory.' In Leonard Berkowitz (Ed.), Advances in Experimental Social Psychology 17 229–266: (Orlando, FL: Academic Press, 1984).

268. Dar un experiment recent… Harris, Sam, Sheth, Sameer A. și Cohen, Mark S., 'Functional Neuroimaging of Belief, Disbelief, and Uncertainty.' Annals of Neurology, 63(2) (2008): 141–147.

Pentru un compendiu cuprinzător al literaturii de specialitate în ce privește modificarea prejudecăților cognitive vezi MacLeod, Colin., Koster, Ernst H.W. și Fox, Elaine, 'Whither Cognitive Bias Modification Research? Commentary on the Special Section Articles.' Journal of Abnormal Psychology 118 (2009): 89–99.

272. MacLeod a demonstrat acest... MacLeod, Colin, Mathews, A. și Tata Philip, 'Attentional Bias in Emotional Disorders.' Journal of Abnormal Psychology 95 (1986): 15–20.

274. În ultimii ani, MacLeod a făcut parte... MacLeod, Colin, Rutherford, Elizabeth, M., Campbell, Lyn, Ebsworthy, Greg și Holker, Lin, 'Selective Attention and Emotional Vulnerability: Assessing the Causal Basis of Their Association Through the Experimental Manipulation of Attentional Bias.' Journal of Abnormal Psychology 111 (2002): 107–123.

276. Povestea nu se termină aici… Mathews, Andrew și Mackintosh, Bundy, 'Induced Emotional Interpretation Bias and Anxiety.' Journal of Abnormal Psychology 109 (2000): 602–615.

277. În 2004, la câțiva ani după… MacLeod, Colin, Campbell, Lyn, Rutherford, Elizabeth M. și Wilson, Edward J., 'The Causal Status of Anxiety-Linked Attentional and Interpretive Bias.' In Jenny Yiend (Ed.), Cognition, Emotion, and Psychopathology: Theoretical, Empirical, and Clinical Directions. Cambridge, Cambridge University Press, 2004.

277. Un an mai târziu... Field,Matt și Eastwood, Brian, 'Experimental Manipulation of Attentional Bias Increases the Motivation to Drink Alcohol.' Psychopharmacology 183 (2005): 350–357.

278. Edward Taub de la universitatea din Alabama… Pentru mai multe informații despre Edward Taub și activitatea lui de la Taub Therapy Clinic, vezi Norman Doidge. The brain that changes itself: Stories of personal triumph from the frontiers of science, Ch. 5 (New York, Viking, 2007).

282. Scara susceptibilității multidimensionale Iowa (MISS)... Kotov, R. I., Bellman, S. B. și Watson, D. B., 'Multidimensional Iowa Suggestibility Scale: Brief Manual (2007).' http://www.hsc.stonybrook.edu/som/psychiatry/kotov_r.cfm cu permisiunea lui Roman Kotov.

Tipărit la Tipografia Shik&Stefan SRL
Telefon: 021.450.25.32 / 0756.196.191
email: editurashik@yahoo.com